객주

객주

客主 제1부 外場

김주영 장편소설

3

문이당

차 례 / 객주 제1부 외장(外場)

차 례 / 객주 제1부 외장(外場)

제1권

제2권

난전(亂廛)

1

진주를 떠나 하동에 닿자면 그 경계까지가 70리. 객사(客舍)에서 5
리 상거인 두치(頭置) 장터에 당도하자면, 진주 주막거리에서도 백
리가 좋이 되는 길이었다. 저녁 전 사이참을 지어 먹고 어느 상단들
보다 일찍 노정을 잡았건만 하동 길은 아직도 멀기만 했다. 간혹 먼
산자락 아래의 마을에서 대중없이 짖어 대는 개 소리 들리고, 그 개
짖는 소리가 문득 멎으면 선머리에서 걷는 두 마리 나귀에서 워낭
소리가 자지러졌다.

건공(乾空)에 뜬 달은 진주·하동 끝이 없는 외줄기 길을 차갑게
비추어 쇠붙이라도 떨어뜨리면 쩽그랑 하고 두 동강이 날 듯했다.
자드락길, 등굽잇길, 징검다리를 몇 번이나 돌고 건넜건만 돌아서면
외줄기 길은 다시 천연덕스럽게 산협을 끼고 누워 있었다. 달빛만
휑뎅그렁한 산협 길엔 워낭 소리만 가파르게 뒹굴어 떨어질 뿐 행중
의 어느 사람 입에서도 농지거리 한마디 없었다. 다복솔이 듬성듬성
웅크린 산협을 바쁘게 돌아서면 오들오들 떨고 있는 오리나무 숲이

천천히 다가섰다. 사람의 발소리를 듣고 일어선 바람이 공연히 마른 잎사귀를 흔들어 대어 바람은 소리부터가 살을 에어 갈 듯 차가웠다. 산협을 벗어나 훤히 퇸 개활지로 나서면 섬진강으로 가는 외줄기 길은 더욱 길어 보여 아득했다.

꽁꽁 얼어붙은 잡초 뿌리와 뒹구는 돌이 발끝에 차이고 사추리엔 엷게 땀이 배었다. 산내리바람이 모질게 불어오는 고갯길 초입에 이르면 길손의 푼전을 뜯어 연명하는 숫막이 보이었다. 그러나 장대 끝에 씌운 용수만 바람에 서걱거릴 뿐 벌써 보꾹에 매단 주등(酒燈)은 꺼지고 인사성 밝은 숫막집 개가 울바자에 꼬리를 박고 허리가 끊어지도록 짖어 댈 뿐이었다. 숫막집 삽짝 너머 뒤꼍에 높다랗게 쌓아 올린 풋장 위엔 부엉이가 앉았다가 워낭 소리에 놀라 날개를 펴고 건공을 하릴없이 날아서 다시 앉을 곳을 찾는데, 바짓가랑이를 타고 오르는 냉기가 턱에까지 와 닿을 때마다 사람들은 턱을 숙여 몸을 움츠렸다. 고개를 들어 달을 쳐다보면 콧날이 시큰해 눈물이 괴고 고개를 깊숙이 숙이면 목덜미가 시렸다.

부엉이도 자는 밤. 5척 단신이 혹한 속에 거추장스럽고 눈물겨워, 차라리 그들은 말이 없는가 보았다. 쇠기러기가 날면 추색(秋色)인 줄 알았고 다복솔 아래에서 할미꽃이 피면 봄인 줄 알았지만, 겨울은 언제나 산자락에 몸을 숨겼다가 느닷없이 그들을 덮치었으므로 서투른 도부꾼들은 천 리 타관 낯선 외방에서 곰방대 하나를 베고 동사(凍死)하는 수가 많았다.

차라리 개 짖는 소리라도 아련히 달빛을 비껴 흐르면 먼 데 마을이 있겠거니 하여 고콜불에 언 손이라도 녹일 생각만으로 한속이 덜 하겠건만, 적막강산에 달빛은 달빛 하나만으로도 항상 멀었다. 앞선 나귀들도 걸음을 늦추었다 빨리했다 하면서 걸음새가 일매지지 못한 걸 보니 이젠 어지간히 지친 모양이었다. 달빛으로 가난이 익는 도부꾼들이 우물의 물을 긷듯 밤을 길어 노정을 줄여 왔지만 향시는 언제나 그들의 전대를 두둑하게 불려 주지 못했다. 그러나 한겨울의 삭풍이 차갑고 달빛이 멀어도 목숨 부지한 날까지는 장터 길을 따라 다녔다.

이 장에서 일색이 다하면 샛밥을 지어 허기지게 퍼먹고 이웃 장터를 찾아 나섰다. 방앗간 계집처럼 얼굴이 뿌연 정분 튼 계집도 없었으며 두둑한 이문을 약조한 객줏집 전주도 없었다. 그런데도 장터에 해가 지면 무언가가 그들의 등을 자꾸만 밀어붙였던 것이었다.

「오늘은 달이 뜰 건가?」

장터를 뜰 때마다 행중의 누군가는 항상 같은 말을 물어 오곤 하였다. 길가의 잡초는 뿌리가 있어 봄이 되면 잎을 되살리되 뿌리 뽑혀 팔도를 헤매는 그들에게서 고향이란 밤마다 뜨는 달보다 못했다. 그 달 속에 천 리 상거한 고향이 있었고 그 달 속에 천 리 밖의 식솔들이 있었기 때문인지 몰랐다.

일행은 천천히 산협 길을 내려와서 계곡 길을 왼편으로 끼고 걸었다. 앞사람의 등만 바라보고 걷던 행중이 그때 갑자기 멎었다. 발길을 멈춘 나귀들의 서너 칸 앞에 장승이 우뚝 서 있었다. 이제 나귀들도 장승을 알아보게 되었으니 사람이 소리치지 않더라도 쉴 참이 여기란 것을 스스로 터득하여 걸음을 멈추었던 것이다.

「잠시 한속을 들입시다.」

선머리에 선 사내가 고삐를 다복솔 포기에다 매면서 메마른 목소리로 말하였는데 달빛에 드러난 신관이 틀려 있긴 하였으되 예주목 석가가 틀림없었다. 석가뿐이 아니라, 작반한 일행은 동지 전으로 하동에 닿으리라던 선돌이와 봉삼, 그리고 최돌이 내외였다.

「불이라도 좀 피울까?」

지게들을 받친 일행들이 삭정이를 주우러 흩어지자 월이는 머리에 이고 있던 고리짝을 풀숲 위에 내려놓았다. 흩어졌던 일행들이 삭정이를 모아 불을 피우고 한참이나 둘러앉아 한속을 들이었다.

「날씨가 이래서야 어디 장꾼인들 온전히 모이겠는가……」

석가가 씨부리었다.

「아직 멀었지요?」

월이가 옆에 앉은 최돌이를 건너서 석가에게 물었다. 곰방대에 시초를 이겨 담던 석가가 흘끗 최돌이를 훔쳐보면서,

「율원역(栗院驛)은 전참이었고 바로 코앞이 마전역(馬田驛)이니까 아직 삼십여 리 길은 족히 남은 턱이지만 이제 횡포(横浦) 역참만 지나면 금방이오.」

「섬진강에서 건너뛰면 전라도 길일세.」

다복솔 곁에다 소피를 쏟던 최돌이가 고개만 이쪽으로 돌린 채 석가의 말에 뛰어들었다.

「전라도 길 멀기도 하다는데……」

월이가 짧게 한숨을 내쉬었다. 최돌이가 괴춤을 수습하고 돌아서며 냉큼 결기 돋우어 내뱉기를,

「임자는 쉴 참마다 그 얌생이같이 짧은 한숨 그만 내뱉게그려.」

「저도 모르게 나오는 한숨인데 가래로 긁어 담으란 겁니까?」

「여편네가 긴 한숨 짧은 한숨 대중없이 내뱉으면 집구석에 여귀가 든다는 거요.」

「여귀가 붙은 집이라도 있으면 여한이 없겠소. 주막, 객줏집 봉노 신세 이제 신물이 나요.」

「어허, 벌써 신물이 난다면 사십 평생 봉노 신세 진 나는 누굴 보고 뻥긋할꼬.」

「고양이 불알 앓는 소리 그만둬요. 그게 어디 제 탓입니까. 저와 초례를 치르기 전에 길들인 팔자를 왜 저에게다 타박이시오.」

「내가 어디 임자보구 타박이던가. 말꼬리 잡고 늘어지다 보니 그렇게 된 것이지.」

「남은 한속이 들어 턱이 떨어졌다 붙었다 하는 판국에 무슨 딴청이시오?」

「겨울은 춥고 여름은 더운 게 이치가 아니던가. 타박한다고 화툇불 피워 바칠 내 아들놈이 없지. 임자는 임자 대중대로 몸가축을 하게.」

내외가 옥신각신하는 동안 세 사람은 바리에 걸고 왔던 호리병을 내려 목들을 축이었다. 싸한 냉기 속에서도 언뜻 탁배기 냄새를 맡은 최돌이가 대뜸 심사부터 긁어 올리며 나귀 곁에 붙어 선 세 사람을 흘기었다.

「보자 하니 행사들이 개차반들이군. 우리 내외를 요렇게 홀대하고 나설 터인가? 나도 이번 전라도 땅 외장만 돌고 나면 행탁에서 꿰미 소리가 심심찮을 터인데, 얼요기나마 자네들끼린가?」

「성님께선 형수님 얼굴만 쳐다봐도 배부르지 않수?」

반농조로 그렇게 오금을 박은 것은 선돌이였는데, 최가는 그 대꾸에 봉충다리를 잘뚝이며 바싹 다가가서 선돌이의 턱을 물어 비틀어 버릴 듯이 율기를 하고 노려보면서,

「이것 보게, 내가 육허기가 든 것인가? 지금은 내가 배허기가 든 것 아닌가? 쇠뿔도 제각기더라고 육허기, 배허기가 따로 있는 것 아닌가?」

최가는 때마침 석가 손에 들려 있던 호리병을 낚아채선 어혈 진 도깨비 개천물 마시듯 한 모금 걸쭉하게 적시고 나서 공연히 앙탈이기를,

「젠장 이깟 뜨물로 순대만 채워 뭣 하나, 전내기로 마셔야 눈알이 똑바로 박히지.」

봉삼은 벌써 지게를 지고 일어났다.

「자, 어서들 일어섭시다. 묘시경에는 닿아야 눈이라도 조금 붙이지요.」

모두들 일어나긴 하였으나 이정이 30여 리라면 다 온 것이나 진배없어선지 전참에서처럼 걸음들이 빠르지 않았다.

경상도 안동 땅을 나설 적에 구처한 나귀와 무명 바리는 그대로였으나, 소금 바리들은 경상도 향시들을 돌면서 다 풀어먹이고, 경주 놋전거리에선 방짜들을 사서 진주까지 오는 도중에 풀어먹이었다. 진주에선 진목(晉木)*과 곶감을 사 실었다. 함안 땅 파수(巴水) 곶감이었는데 파수 곶감은 그 이름이 팔도에 나 있어 하동을 거쳐 구례까지 가는 동안 금새만 좋으면 객주에다 넘길 작정이었다.

하동만 하더라도 초하룻장인 화개장, 초이틀장인 두치장, 초사흘장인 진교장(辰僑場), 초사흘장인 횡포장, 초닷새장인 선교장(船僑場), 초나흘장인 개치원장(開峙院場)이 있을뿐더러 전라도 구례 길에서 넘어오는 황앗짐장수들과 섬진강 하류에서는 해물장수들이 쉴참 없이 모여들었고 남해에선 유자, 치자, 비자가 났지만 지금은 철이 아니었고 거기서 나오는 모시〔南苧〕가 가끔 하동으로 흘러나온다는 풍문이 있었다.

선돌이와 천봉삼은 하동에서 진목들을 처분하는 일변 남해의 모시가 여의치 못하면 김〔海衣〕을 사들일 작정을 하고 있었다.

물론 그들은 소금을 싣고 경상도의 향시를 도는 동안 약간의 이문을 남기었고 그 이문을 밑천으로 월이에겐 방물장수를 시키게까지 되었다. 그러나 최가가 당초부터 여편네 꽁무니만 따라다니면서 고추밭에 말 달리기로 훼방만 놓는 판국이어서 월이의 속을 썩였다. 월

---

*진목 : 경상도 진주에서 나는 무명.

12

이 역시 비 오는 날 삽살개 따라다니듯 하는 서방이 눈엣가시긴 하였으나 명색이 서방이니 어쩔 도리 없이 참고 있을 수밖에 없었다.

마전역 어름에서 잠시 숨을 돌린 일행은 첫닭이 홰를 친 다음에야 두치 장터거리에 당도하였다. 우선 객주에 물화를 맡겨 하매자(下買者)*를 만나자면 날부터 새고 보아야 하겠기에 장터거리로 들어가서 도선목에 가까운 숫막에 행리들을 풀었다. 그들이 든 숫막은 강 건너 진영(鎭營)의 불빛이 희미하게 바라보이는 섬진강나루여서 전라도 광양 땅이 바로 코앞이었다. 노량에서부터 섬진강을 거슬러 하동 포구까지 올라가는 이수가 80여 리요, 그 80여 리의 숱한 나루에는 50여 척의 행상선(行商船)들이 뱃전을 비비며 물화들을 주고받았다. 내로라하는 장돌림들이라면 누구나 한두 번은 하동 포구를 거친 경험이 있었으니, 이는 섬진강에 경상·전라 양 도의 물산들이 한데 모여 취리에 밝고 물리만 익히면 그 금어치가 되는 밑천을 잡을 수도 있었기 때문이다. 양 도의 장사치들이 서로 모여드니 물리만 익혀 배짱이 맞는 대로 전라도를 택하든지 아니면 경상좌도로 올라가든지 하였다. 그러나 간혹은 노량에서 올라온 잠상배(潛商輩)들과 거래를 트다가 잡혀 신세를 망치는 장돌림도 없지 않았다.

다섯 사람은 봉노 하나를 빌려 드는 길로 깊은 잠에 빠져 들었다. 새벽참에 들이닥칠 도부꾼들을 겨냥하여 미리 군불을 지펴 놓은 구들장은 뼈라도 구워 낼 만큼 뜨거웠으니 워낙 한속에 떨던 사람들이라 내남없이 쓰러진 대로 잠이 들었던 거였다.

그러나 그 와중에서도 최돌이의 손이 바람벽을 안고 누운 월이의 치마폭에 넌지시 건너갔다.

「임자아……」

---

*하매자: 물건을 사려는 사람.

「…….」

「임자아.」

「이녁은 곤하지도 않으시오?」

「임자, 곤할수록 급한 법이 아닌가.」

「그렇게 급했으면 왜 할미 속으로 안 나왔소?」

「예끼, 그런 버르장머리 없는 대꾸가 어디 있는가.」

「횃대 밑 사내라더니 밖에선 구실을 못하면서 깐에 색념 하난 도저하시우.」

「앙탈 부리기는…….」

「옆사람들 보기 민망해서 그렇소.」

「다들 잠들었네.」

「다들 잠들었는데, 이녁은 무슨 한이 그리 많아 잠도 못 들었소?」

「입이라도 한번 맞춰야지…….」

「그만 주무시오.」

종내 곁을 주지 않으려는 월이와 그래도 어찌 달래어서 정분을 트려는 최가가 옥신각신하는 동안 닭은 쉴 새 없이 홰를 쳤다. 이러다간 눈 한번 붙여 보지 못하고 날을 새울까 두려워 월이가 조심스레 치마끈을 풀려는데, 자는 줄 알았던 석가놈이 그때 벌떡 반몸을 일으키며 한다는 말이,

「거 대중없는 희학질에 덩달아 가래톳이 서서 잠을 잘 수가 있나. 자리 보아 가며 똥 싸더라고, 여기가 어디라고 정분을 터?」

색념이 이는 깐으론 석가놈이야 장기튀김이건 말건 상관을 해버리고도 싶었지만 이미 꼴이 송도 오이장수가 된 판국이라, 최돌이는 풀어놓았던 괴춤을 잽싸게 수습하곤 발딱 일어나 눈을 부릅뜨고 앉았다.

「망종일세, 잠시 마음이 허전하여 가속과 새벽 정분을 트려 했거

니…… 어째서 네놈은 굽이굽이마다 딴죽을 걸고 드나?」

석가가 픽 콧방귀를 뀌면서 너나들이로 빈정대기를,

「제 가속에게 정분을 트려는데 훼방을 놓을 수야 없지. 하지만 아
무리 기갈이 자심했기로서니 연광(年光)이 그만하면 좀 지각 있게
굴어야지. 여기가 숱한 잡배들이 무시로 드나드는 숫막 봉노가 아
닌가.」

「이끼놈, 네가 무슨 억하심정으로 남의 제사에 감 놓아라 대추 놓
아라 간섭이 많으냐? 아직은 내가 양기 승한 터에 육덕 좋은 가속
을 옆에 두고 남색질로 응어리를 풀라는 거냐?」

반몸을 일으켰던 석가는 무릎걸음으로 걸어서 지게문을 밀치고
가래를 긁어 올려선 퉤악 뱉어 내고는,

「그야 산적을 꿰든 풀무질을 하든 오불관언(吾不關焉)*이여. 그러
나 응어리를 풀고 싶으면 중노미 불러서 딴 방 거처할 봉노를 달
라지.」

「천상 네놈과는 전생에서부터 명토 박힌 원수지간이여. 저놈이 보
는 앞에선 어디 소마* 한번 온전히 보겠는가.」

「어따, 그렇게 분하거든 벌인 김에 한번 결판지게 해보지그려. 난
구경이라도 하게.」

「네놈이 종시 끓는 죽에 국자 누르기로 화를 돋우지만, 내 언제든
지 앙갚음하고 말 것이야.」

「뒹굴 자리 보아 강(江)가 씨름 나가더라고 조비비듯* 하는 동배
간들 생각도 해야지.」

---

* 오불관언 : 나는 상관하지 아니함, 또는 그러한 태도.
* 소마 : '오줌'을 완곡하게 이르는 말.
* 조비비다 : 조가 마음대로 비벼지지 아니하여 조급하고 초조해진다는 뜻으로,
마음을 몹시 졸이거나 조바심을 냄을 이르는 말.

「조라떨지* 말거라, 이놈.」

「선잠 깬 놈을 보고 호놈 길게 말어.」

두 사람이 겨끔내기로 되받아치는 패설이 심히 음란하고 그 말이 매우 더러우매 월이는 풀어놓았던 치마끈을 몰래 수습한 다음 최가의 옆구리를 꾹 찔렀다. 그만 화를 죽이라고 한 짓이었는데 최가는 기다렸다는 듯이 와락 결기를 긁어 올리며,

「이 계명워리* 같은 건 왜 사람 옆구리는 꼬집고 재랄을 떠나.」

오갈이 든 월이는 더 이상 대꾸가 없었다. 봉노를 따로 얻을 수 없는 저들 내외의 간구한 형편이 눈물겨울 뿐 행티를 놓는 석가나 공연히 기광을 부리는 최가 역시 생판 억지만은 아니었기 때문이다.

베잠방이 입을 철이라면 행중에서 둘이 몰래 빠져나가서 방앗간이나 비워 둔 풀뭇간에라도 기어들어 그런대로 옹색을 풀고 객회를 달래며 부부간의 정회를 나눌 수도 있으련만, 천생 코를 베어 갈 듯이 추운 겨울이니 가시버시란 실로 명색뿐이란 생각도 없지 않았다. 경상도 진보 땅에서 초례를 치르고 난 이후 근 달포간이나 향곡을 돌아 나오는 동안 내외가 딴 봉노를 얻어 합침을 한 건 겨우 네댓 번에 불과하였었다. 객회가 쓸쓸하기 짝이 없고 또한 도학군자일 수도 없는 남편이고 보면 찌그러진 지게문에, 외읽이*에 흙이 떨어지는 봉노라도 있으면 들어가 붙잡고 뒹굴어 보고 싶은 충동이 와락 일 때도 없지 않았었다.

그러나 월이는 그 형편에 간간이 이는 색념을 주리 참듯 참을 수밖에 없었다.

설산(設産)이야 못한다 할지라도 속전을 바칠 만한 형편이 되고

---

* 조라떨다 : 일을 망치도록 경망스럽게 굴다.
* 계명워리 : 행실이 단정하지 못한 계집.
* 외읽이 : 댓가지나 싸리 등으로 가로세로 읽어서 흙을 바른 벽.

16

향촌 저자에 가게라도 지을 만할 때까진 사사로운 정의에는 눈뜨지 말아야 한다는 것이 월이의 생각이었다. 무쇠가 아무리 단단하더라도 풀무에 녹을 것이요, 초시(初試)가 잦으면 급제가 나는 법, 약소한 밑천 우매한 소견이되 셈평 펴일 날이 있겠거니 하였다. 인성만성 떠들던 두 사람이 곧장 목침을 다시 괴고 눕긴 하였으나 조리칠* 여가도 없이 금방 날이 새버리고 말았다. 월이가 문득 눈을 뜨니 술청이 있는 아궁이에서 새벽 군불 지피는 소리가 들리고 석가는 사추리에 손을 넣어 젖내기 강아지만 한 서캐를 잡아내어선 목침에다 대고 툭툭 문지르는데 그 소리가 천생 개뼈다귀 부러지는 소리였다. 먼저 일어난 최돌이는 석가를 조면(阻面)*하듯 돌아앉아 줄기차게 곰방대를 빨고 있었다. 아마도 헛물만 켜버린 새벽녘의 일로 뒤틀어진 심사를 풀지 못해 안달이 나 있어 보였다. 얼마 있지 않아 중노미가 두루거리밥상을 들고 봉노로 들어왔다.

「우린 포주인(浦主人)*을 만나 금새나 알아보고 오리다. 성님들은 나귀 살피고 바리들 지키고 기다리고 계시오.」

봉삼이 퉁명스럽게 이르고 선돌이를 재촉해 여각을 찾아 나섰다.

여각은 장터거리를 벗어나 객사 쪽으로 근 반 마장 가까이나 상거한 포구에 있었다. 준총들이 몇 필 매인 마방이 큼직하고 물화들을 임치(任置)하는 곳간들도 옆에 두 채나 있었다. 곳간 옆으로 화객들이 머무는 봉노가 연이어 있었다.

차인으로 보이는 늙은이가 마당을 쓸고 있다가 들어서는 두 사람을 막아서며 물었다.

「어서들 오시오. 어디서 오는 동무들이시오?」

---

*조리치다 : 졸음이 올 때에 잠깐 졸고 깨다.
*조면 : 서로의 교제를 끊음. 절교.
*포주인 : 여각의 주인.

「하생들은 송파와 정주에서 온 선길장수들이온데 포주인을 만나 뵈러 왔습니다.」

선돌이의 대답에 차인은 눈짓으로 툇마루를 가리키며,

「북상(北商)들이시군. 보아하니 화객들은 아닌 것 같은데…… 원상(原商)들이시오?」

「그렇소이다.」

「물종은 뭡니까?」

「진목으로 다섯 동 갖고 왔습니다.」

「좀 봅시다.」

봉삼이 끼고 있던 진목 한 필을 궐자에게 내밀었다. 손어림으로 치수까지 가늠하던 궐자가,

「진목이라면 승새 볼 것 없이 북덕무명이지.」

「북덕무명이든 승새 좋은 무명이든 고헐간에 그 금어치야 있을 것 아니우?」

봉삼이 언성을 높이자, 수월내기가 아니다 싶었던지 무명필을 툇마루에 놓고 궐자는 쪽문을 밀고 내사로 들어가는 눈치였다. 담배한 대 피울 참이나 되어서 바깥으로 나오더니,

「우선 임치나 시키랍니다. 천세가 날 것 같지만 실은 나주(羅州)나 광주(光州)에서 화객들이 당도할 때까지 기다려 줘야겠소.」

「언제쯤 옵니까?」

「글쎄요, 한 파수에 한 번씩 들르기는 합니다만…….」

「우린 하매자가 나서면 금방 물화를 넘기고 하동 김을 받아 가려 하우.」

「우선 사랑으로 들기나 하시오. 선다님께서 금방 나오실 거요.」

장책이 서안(書案)에 쌓여 있고 큼직한 재떨이와 화로가 놓인 방으로 들어가 한참 한속을 들이고 앉았으려니 고추상투에 하관이 쪽

18

빠지고 깡말라 보이는 포주인이 들어왔다. 인사수작을 끝내고 안부를 주고받은 다음 선돌이가 말하였다.

「진목 다섯 동을 임치하겠습니다.」

「임치야 받아 주겠지만, 나주에서 동무들이 와서야 화매(和賣)가 되겠는걸.」

이쪽에선 경대가 끊어지는데 포주인은 아예 반말로 대답하였다.

「하동의 금새는 어떻습니까?」

「그야 시절 나름이지, 무슨 금새가 따로 있겠나. 쌀 한 섬에 열 냥이니까 진목이야 한 수 접어야지. 필에 여덟 냥이나 줄까.」

두 사람은 얼른 속으로 산가지*를 놓아 보았다. 구전을 제하더라도 여든 냥 정도의 이문이 내다보이었다. 그러나 포주인이나 차인놈의 말대로라면 나주에서 올 화객이 언제 나타날지 기약이 없고 보면 한 장도막을 넘기기란 수월한 일이었다. 이문을 많이 남기더라고 객비가 크면 그 또한 이문을 갉아먹는 꼴이 되었다. 포주인이란 것들도 그걸 알고 낚싯줄을 느슨하게 놓아 보는 것이었다. 헐가라면 화객이 나타나지 않더라도 저들이 물화를 사두는 경우가 많았던 것이다. 눈치 빠른 선돌이가 물었다.

「구전은 얼마나 받습니까?」

「그야 한 동에 석 냥일세.」

「구전이 좀 빡빡합니다만, 임치하겠으니 하매자나 빨리 물색해 주십시오.」

「그렇다면 줄잡아 사흘만 묵게. 그간 하매자를 물색하지.」

「우린 곧장 돌아가서 나귀를 몰고 오겠습니다.」

「그러게. 내 명토 박아 임치표(任置票)를 써줄 것이니.」

---

* 산가지 : 보부상들이 계산을 위해 갖고 다니던 나무 막대.

여각을 나와 숫막으로 돌아오니 월이는 벌써 장터거리로 나가고 없었고 두 사람이 나귀에 빗질을 하고 있었다. 선돌이가 꿰미 둘을 최돌이에게 건넸다.

「나귀는 우리가 몰고 가겠소. 성님들은 장터거리로 나가서 이곳 토산 김의 금새나 알아보고 장터 물리가 어떤지 알아보우. 헐가로 살 수 있는 김이 있거든 꿰미를 허시우.」

「어딘가?」

「박씨 여각에서 기다릴 것이니 그리 오시오. 오늘부턴 포주인 집에서 묵읍시다.」

2

해가 뜨기 시작하자 강바람이 잦아지고 햇볕도 달았다. 최가와 석가는 장사치들이 모여들기 시작하는 장터거리로 내려갔다가 도선목에까지 올라가 보았으나 겨울장이 그러하듯이 아직은 시절이 없었다. 도선목 어름에 있는 시게전이 제법 붐비기 시작하는데 거길 기웃거려도 김 바리를 지고 온 사람은 보이지 않았다.

「출출한데 우선 한속이나 풀지.」

거러지 귀신이 썬 석가가 각담 친 숫막을 눈짓하며 기어코 부리를 헐었다. 최가는 코대답도 않았다. 그게 무안했던지 석가가 문득 든 보기장수 흉내로 딴청을 폈다.

「거, 이거 두치장도 볼 만한 것이 못 되누먼.」

그 말 심상하게 듣는 줄 알았던 최가가 고개를 발딱 젖히고 능멸하는 눈초리로,

「이 목자야, 고개티 이름도 변변히 모르면서 언제부터 장터거리 물리 익다고 초장부터 푸념이냐?」

20

「임자는 무슨 푸줏간 강아지라고 뱃심 좋은 소리야? 임자는 장터 거리 물리가 너무 익어서 아직 신수가 그 꼴인가?」

그때 마침 최가는 옹기전 어름 고샅으로부터 지게를 지고 나오는 두 사내를 보았다. 상투 끝에 서리가 뽀얗고 행전 치고 윗대님 맨 거조가 밤새워 먼 길 온 사람들이 분명한데, 형용으로 보아 장돌림 아닌 갯가 사람들이었다. 두 사내는 김과 조곽(早藿) 바리를 지고 있었다. 최가가 석가의 뒷고대를 잡아당기었다.

「가서 흥정을 트게.」

최가는 옹기전 뒤로 슬쩍 몸을 숨기고 석가가 잔기침을 하며 맨상투 바람의 두 사내에게로 다가가 수작을 붙였다.

「노형들, 김 바리 아뇨?」

사람들은 지게를 진 채로 석가를 밀막으며,

「안 됩니다. 포주인에게로 가는 김 바리요.」

「거 답답들 하구려. 포주인 찾아갔다가 백일세(百一稅) 뜯기고, 구전 뜯기고, 거간놈들 메어치고 엎어치고, 억매흥정으로 손 보기 일쑤요. 이문을 과도히 탐하다간 되레 포주인께 되말리기 일쑤요. 한 팔 가까운 도부꾼에게 넘기시오.」

사내들은 석가를 가만히 쳐다보다간 우선 각담 아래에다 지게를 벗어 놓았다. 금새라도 알아볼 눈치였는지,

「한 바리에 얼마를 쓰겠소?」

「스무 냥 드리리다.」

사내 둘이 대침이라도 맞은 듯이 화들짝 놀랐다.

「하찮은 갯가 상놈들이라고 해서 귀동냥도 못하는 줄 아슈? 김 한 바리에 쌀 두 섬 치기밖에 안 된다는 거요?」

「싫으면 그만두시오. 천세가 나는 줄 알지만 삼남에 흉년이 들어 목구멍에 거미줄을 치는 판에 김도 시절이 없소이다.」

「그러지 말고 몇 닢 더 쓰시오. 아이도 집적거리다 울어야 맛이라지 않소.」

「정말 스무 냥엔 못 넘기겠소?」

「어림없는 소리요. 여기가 포도청 뒷문인 줄 아시오? 노형도 도붓장수*라면 장터 물리에 숙맥은 아니지 않소? 개도 부지런해야 더운 똥 얻어먹더라고 노형도 흥정하는 걸 보니 목구멍에 거미줄 치기 십상이로소이다.」

「여보시오, 안 팔면 그만이지 웬 잡담이시우. 나도 구린 돈은 먹기 싫소이다.」

「무턱대고 내리 접으라니, 오기가 나서 그렇소이다.」

「글쎄 싫으면 그만두쇼.」

석가가 흥정을 트려다 말고 껑충 뒤돌아서서 도선목 쪽으로 내려가는데, 어디서 나타났는지 봉충다리를 잘똑거리는 작자가 불쑥 기어 나와서 지게를 다시 지려는 두 사내를 밀막았다.

「그 김 바리 흥정해 봅시다요.」

이미 초장에 흥정이 뒤틀렸던 처지라 사내들은 거들떠보지도 않는데,

「아까 그놈이 되게 내리친 모양이구려. 난 명색이 원상으로 그런 모리배와는 다른 사람이오.」

「그만두쇼. 팔 물화가 아니오.」

「팔자고 장터로 가져온 것이면 구경이라도 시켜야 맛이잖소.」

사내들이 못 이기는 체하고 지게를 다시 내려놓았다.

「한 바리에 스물닷 냥 드리다. 물화를 넘기시우.」

「스물닷 냥이라고 하셨소?」

---

*도붓장수: 부상(등짐장수)의 딴 이름.

「그렇소이다.」

「나락 넉 섬 값은 받아야 하겠소.」

「거참, 답답한 인사로군. 자기가 내온 물화의 형편은 생각 않고 욕심만 부리면 그게 될 법한 일이오? 설레꾼 뒷전에 가도 그런 억지는 없소이다.」

「싫으면 그만두쇼. 차라리 며칠 묵새기는 꼴이 되더라도 포주인 집에 임치를 하겠소이다.」

「거참, 상종하기 힘든 인사일세. 포주인 집에 가서 차 떼고 포 떼고 나면 이문이고 쥐뿔이구 건질 게 없대두 그러네.」

사내 둘과 억매흥정으로 수작이 걸쭉하게 나가려는 판국인데, 조금 전 흥정을 하는 체하다가 사라졌던 석가가 다시 불쑥 나타났다.

「여보시오, 형장(兄丈), 그 김 바리 아까 금새대로 팔지 않으려오?」

사내 하나가 그제야 버럭 욱기 돋워 석가를 메어칠 듯 목자를 부라리며,

「여보시오, 남의 복장 대강 지르고 다니시오. 여기 선 도붓쟁이가 스물닷 냥을 준다는데도 팔지 않고 있소.」

「스물닷 냥이라니, 동무가 금새를 그렇게 놓았소?」

석가는 두 사내와는 더 이상 대척을 않고 최가를 노려보았다.

「그렇소.」

「어디 임방이시오?」

「송파요.」

「거 송파것들 팔도 장시 돌아다니면서 잠상질*로 몽리 챙긴다더니, 이런 놈이 있으니까 장시 인심이 날로 흉흉한 것 아닌가? 너 이놈, 원상인가?」

---

*잠상(질) : 법령으로 금지하고 있는 물건을 몰래 팔고 사는 일, 또는 그 장수.

「어허, 이놈이 얻다 대고 함부로 호놈인가? 내 아무리 체수 잔망스럽고 신기가 허하기로 네놈 한 놈쯤은 박살을 내줄 형편은 된다. 웬 설삶아 놓은 말대가리 같은 잡배가 불쑥 나타나선 훼방을 놓아?」

「이놈, 허튼수작 마라. 포도청이 멀다고 함부로 주둥이를 놀리누면. 이놈, 네놈의 입이 걸고 말이 달아 수완이 좋다기로 같은 동무가 흥정해 둔 물화에 방망이질을 해?」

석가가 가래침을 카악 긁어 올려 뱉더니 소매를 모양 있게 걷어붙이고는 최가를 드잡이하여 턱밑에 바싹 당겨 올렸다. 화가 꼭뒤까지 난 최가가,

「이놈, 이러다 사람 치겠네.」

「그래, 이놈, 네놈 같은 잡배는 관가에 끌려가서 주리를 틀리기 전에 초장 마수걸이로 혼돌림을 당해야 하느니.」

석가가 최가의 귀쌈을 사정 두지 않고 두어 대 갈기는데, 한쪽 볼이 그 당장 죽장같이 부어오른 건 고사하고 잇몸이 바스러질 듯 아팠다. 그러곤 드잡이한 손을 한번 턱 앞으로 바싹 당겨 안았다가 맞은편 각담 아래로 홱 내팽개치니 체수 보잘것없는 최가야 그대로 엉덩방아를 찧고 속절없이 나가떨어졌다. 물찌똥이나 갈겨 버리는가 싶게 최가의 몰골이 말이 아닌데 석가는 손을 털고 돌아서면서,

「이놈, 장바닥에서 다시 한 번 그딴 수작을 부렸다간 도붓쟁이들을 모아서 장문을 내리리라.」

이미 흥정과는 사이가 떠버린 석가는 다시 장터거리 쪽으로 주척거리고 사라졌다. 우두망찰이던 두 사내가 달려와 최가를 일으켜 세웠다.

「좀 어떠시오?」

신색이 하얗게 질려 있는 건 차치하고 그 형용이 외상 오입하려다

가 사당패 서방 거사에게 몰매 맞고 내쫓긴 몰골과 흡사한지라, 싸움 말리러 달려온 독장수들도 보다 말고 히쭉거리고 웃었다.

김 바리 졌던 사내의 훈수로 겨우 일어나긴 하였으나 당한 꼴이 가히 아름답지 못한 터수라 최가는 멍하니 석가놈이 달아난 질펀한 장터거리 어름만 한참이나 바라보았다. 거들었던 사내가 분개하였다.

「어디 다친 데는 없소? 궐놈의 행티가 보통이 아니구려. 아무리 본데없는 저잣거리 인심이라지만 사람을 이토록 짓이길 수 있단 말이오?」

최가는 처연한 기색으로,

「어찌하겠소. 보시다시피 봉충다리 신세에 숭어뜀을 하는 궐놈을 쫓을 수도 없거니와 장승도깨비같이 우람한 놈에게 엉켜 붙어 봤자 호랑이 앞에서 윗도리 벗는 격이지…… 흥정도 못 트고 초장 마수에 봉욕만 했구려.」

얼핏 최가의 눈자위에 어설프게 눈물이 괴려 하는 걸 사내들은 보았다. 최가가 바지를 툭툭 털며,

「금새를 놓다가 같은 도부꾼들에게 봉욕을 당한 일이 어디 한두 번입니까. 내 당초부터 이문을 과도히 탐하는 장사치가 아니라서 매양 빡빡한 금새로 흥정을 트면 저런 모리배들이 지키고 섰다간 남의 밥에 바늘을 넣는다고 사람을 어육으로 만들기 일쑤였소……. 그래선지는 몰라도 내 신세가 숙수(菽水)*로 연명하기도 지난이오.」

듣고 보니 최가도 불쌍한 장사치였다. 율(律)보다는 빠른 게 당장 가진 주먹일 테니 가히 짐작이 갈 만하였다. 한 사내가 정색을 하고 말하였다.

---

*숙수 : 콩과 나물이라는 뜻으로, 변변하지 못한 음식을 이르는 말.

「여기 있소. 내 속는 줄 번연히 알지만 스물닷 냥에 금새 놓아 가
져가시오.」

그런데도 최가는 혹하는 기색이 없이,

「노형들이 나를 동정하시는구려.」

「그렇지 않소. 금새를 다소 과도히 놓았다 하여 어육이 된 댁네를
두고 또 어디 가서 이 김 바리를 넘기겠소? 우리도 하늘에 머리 두
고 사는 놈들로 날벼락 맞을까 두려워서 그렇소.」

「이 궁상을 그렇게 봐주니 고맙소이다. 노형의 흉중을 더듬어 보
니 실로 군자의 도리시군요.」

「거 성애술*이나 받으시우.」

환지(換紙)로 목도리를 한 독장수 중에 한 놈이 불쑥 나서며 난데
없이 끼어들었다. 세상에 미운 것이 술 취한 무당 게으른 선비요, 소
박맞은 여편네에다 늙은 젖어미라 하였거늘, 남의 흥정에 끼어들어
서푼 개평을 탐하거나 성애술 얻어 마시자는 놈도 기중 밉겠거늘, 허
나 밉다고 차버리면 떡고리에 자빠지더라고 그놈들이 방망이를 들
자 하면 그 또한 낭패겠으므로 최가는 독장수 몇 놈까지도 숫막으로
끌고 가서 성애술 한판을 톡톡히 내었다.

김 바리를 여각으로 옮기어 물대를 치르고 봉노로 돌아오니 석가
란 놈은 벌써 와서 누워 있었다. 원래 모주꾼이지만 개짐 서답 행군
물을 뒤집어쓴 듯 시뻘겋게 낮술 오른 상판으로 게트림을 하며 누웠
다가 최가를 보자 히쭉 웃었다.

「이 목자야, 아무리 결탁한 일이기로서니 그렇게 모질게 꼬라박으
면 난 어떡하란 건가?」

석가가 눈을 번들거리며 반몸을 일으키더니,

---

* 성애술: 물건을 사고팔 때, 흥정이 다 된 증거로 옆에 있는 사람들에게 대접
하는 술.

「저런 멍텅구릴 보았나. 그렇게 안 하면 어디 그놈들이 녹록하게 속아 줄까?」

말버슴새가 섭술깨나 마신 듯 거칠고 탁했다.

「아무리 미심쩍기로서니, 이제 전부 이 살년*에 살아남자고 하는 짓이 아닌가? 본시 네놈과 결탁을 한 것부터가 부질없는 짓이지.」

「거 타박깨나 하는군.」

「네놈의 소이가 물화를 헐가로 들이자는 데 있지 않고 사람을 기롱하자는 데 있어서 그런다.」

「임자야 뒤끝이 잘못되어 자리보전을 한다 해도 끼니 수발에 구완이라도 해줄 핫어미*가 있으니까 그렇게 하자고 약조한 게 아닌가. 내가 그 꼴 되면 어느 개아들놈이 곁눈질이나 하겠는가. 다 부질없는 일이니 잊어버리자구.」

「이끼, 이눔. 이 봉노엔 그러니까 부질없는 두 놈만 남았네그려.」

「거 듣던 중 반가운 소리군. 조금 전 오다 보니까 떡전거리 주막에 육덕 푸짐한 막창 하나 보이던데, 가서 배꼽 흥정이나 터볼까, 그럼?」

「이 천하의 불상놈, 애비 초종 치른 지 며칠 됐다고 상주의 입으로 음사를 내뱉어?」

석가가 픽 웃다 말고 율기를 하고 쳐다보며,

「남의 죄 없는 조상 밑구멍은 왜 들추나? 조상을 알았다면 시묘(侍墓)나 하고 있지 무슨 변죽으로 장돌림을 따라나섰겠나?」

「고얀 놈, 내 정리(情理) 보아 참는다마는 차후부턴 경솔히 굴지 마라.」

「잡담 제하고 쇠전거리나 옹기전으로 나가서 여편네나 찾아보구

＊살년 : 크게 흉년이 든 해.

＊핫어미 : 남편이 있는 여자.

려. 또 하동 갯가 잡배나 붙어서 오쟁이나 지우려는지.」

최가는 그제야 월이가 얼핏 뇌리에 떠올랐다. 석가와 미주알고주
알 하고 있어 보았자 처음부터 뒤틀린 처사가 발기 잡힐 까닭도 없
는 법, 내권의 행방이나 찾아야겠다고 그만 일어서고 말았다. 월이는
분주만 떨게 마련인 장터거리를 버리고 객사 부근의 여염집들께로
들어갔을 게 뻔했다. 월이가 가진 잡화가 베갯머리, 댕기, 빗과 비녀
들이니 난전을 터보았자 별 소득이 없고 여염집 문전이나 드나들어
야 그나마 몇 점 팔릴까 말까였다.

객사 쪽으로 연해 있는 인가의 각담 위로 고개를 들쑥날쑥하며 한
식경 가까이나 동리를 기웃거리면서 고샅길이 안쪽으로 쭉 뻗어 있
는 초입의 상두받잇집에 이르렀다.

낭자를 곱게 빗은 한 여인이 건넌방 아궁이에다 대낮에 군불을 지
피고 있었다. 30세 안팎일까. 얼핏 보아 몸가축에도 빈틈이 없어 보
이는데 군불을 지피느라 팡파짐한 엉덩이를 들었다 놓았다 하는 형
용이 한번 눈요기론 제법이었다. 육덕이 그렇게 흐벅지다고 볼 순
없었으되 그렇다고 과히 옹색하지도 않아 보였다.

마당은 좁으나 깨끗하게 쓸려 있었고, 이웃의 각담에 연해 있는
싸리바자가 제법 가지런했다. 여인이 엉덩이를 들었다 놓았다 하며
아궁이를 건드릴 때마다 삭숭이* 안쪽으로 불땀 좋은 장작이 이글이
글 타고 있었다.

아니래도 새벽녘 내권과 배꼽을 한번 맞추려다 석가의 훼방으로
푸념만 남은 터수라 심심파적으로 수작이나 한번 터볼까 하고 열린
채로인 삽짝을 밀치고 잔기침으로 들어서는데, 궐녀가 화들짝 놀라
내외를 하며 잽싸게 부엌으로 뛰어들었다.

---

*삭숭이 : 삵.

28

부엌 안에서 냉큼 말이 건너왔다.

「게 누구시오?」

「도부꾼 최가란 놈이오. 이 댁이 혹시 갯가 허씨 여각의 차인으로 있는 홍씨 댁이 아니시오?」

최가는 여인이 비워 둔 아궁이 앞자리로 가서 둥구미*를 당겨 깔고 앉았다. 부엌방 아닌 건넌방에다가 군불을 지피고 있는 꼴이 다른 살붙이가 있긴 한 모양인에 당장 이렇다 할 인기척이 없으니 우선은 여인이 혼자서 집을 지키고 있는 모양이었다.

「어서 나가요. 남정네도 없는 여염집에 대중없이 뛰어드는 행사가 어디 있소?」

여인이 면박을 주면서 그릇을 소리 나게 부시었다.

「너무 홀대하진 마쇼. 내가 타관이어서 얼핏 집을 잘못 짚은 듯하나 마침 불땀 좋은 장작이 타고 있으니 잠시 어한이나 하고 나가지요.」

「문전 박대하기 뭣하나 어서 나가시오. 이웃 보기 어렵습니다.」

여인의 목소리가 제법 기름지고 가벼웠다.

「바깥어른이 돌아오면 사정을 말하리다.」

「바깥어른이라니요?」

궐녀는 내외를 하고 부엌으로 뛰어들긴 하였으되 말대꾸 하나는 월이 이상으로 아금받았다.

「바깥어른도 강시 날 뻔한 도부꾼이 불 좀 쬐었다 하면 내자 되시는 분을 그렇게 타박하지는 않으리다.」

「말씀을 지어내는 심사가 천만 아름답지가 못하오. 어찌 부녀자를 일없이 욕뵈려 하오? 이 집에는 남정네가 없다니까요.」

---

*둥구미 : 짚으로 둥글고 울이 깊게 엮어 만든 그릇. 멱둥구미.

「원행하시었소?」

이미 짚이는 데가 없지 않았으나 최가는 궐녀가 말수 많아지도록 짐짓 넘겨짚어 퉁겨 주었다.

「원행이라니요? 안 계시다니까요.」

「어허, 제가 실구를 하였소이다. 그런 줄은 미처 몰랐군요.」

「그러니까 어서 나가시오.」

「혼자 사시는 모양인데 보아하니 살림 푼수가 제법 실팍하오이다.」

「됐고 안 됐고는 댁네가 간섭할 일이 아니오. 즘생도 아닌 사람이 어찌 말을 못 알아듣소. 안 나가면 삼이웃이 다 들리도록 소릴 지르겠소.」

「거 너무 안달 마시우. 댁과 내가 우연히 한집 안에 있다 한들 마당과 부엌 사이가 네댓 칸이나 상거하였고 울 밖이 대명천지로 훤히 내다보이는 판국에 몇 마디 수작을 건네고 곁불을 좀 쬐었기로서니 댁네가 내 소생을 밸 변괴라도 생긴단 말이오?」

「에이구머니나, 망측해라. 난데없는 도부꾼이 불쑥 들어와서 이 무슨 패설이오? 빨리 나가지 않으면 동소임*을 부르겠소.」

「동네 소임이 개구멍서방이나 되오? 거 죄 없는 사람 멍석말이시키려거든 맘대로 하시오. 내가 무단히 댁의 손목이라도 잡은 작죄를 저질렀다면 몰라도 즘생도 아닌 사람을 밖에다 세워 놓고 이런 공갈이 어디 있소. 곁불 조금 쬐다가 삐끗해서 된급살 맞기 십상 아니오?」

「누가 된급살을 맞으랍디까? 냉큼 나가면 되지 않소?」

「내 행색이 겉으로는 서푼어치도 안 돼 보이나 명색이 방물장수요. 흥정이라도 잘되면 아낙네에게 패물이나 헐가로 넘기렸더니

---

*동소임 : 마을의 일을 맡아보고 다니던 사람.

아낙네 행사가 심히 두렵소.」

그 대꾸 끝에 문득 여인의 태도가 누그러진 듯 빈정대는 투가 되면서,

「방물장수가 방물고리는 어디다 팽개치고 빈 몸으로 쏘다니시오?」

최가의 말에 솔깃해서인지 아니면 동정을 살피려 했었는지는 몰라도 궐녀는 부엌의 지게문 틈에다가 얼굴을 갖다 대고 아궁이 앞에 쭈그리고 앉은 최가를 훔쳐보았다.

「댁도 타관바치라 뱃심 하난 어지간하군요. 내가 그렇게 으르는데도 일어날 엄두도 않고 있으니⋯⋯.」

최가가 탈기(奪氣)를 하고 껄걸 웃으며,

「내가 꿈적할 이치가 없질 않소. 동소임이 와서 발을 구르는 것도 아니려니와 아궁이 앞에 앉았으니 늘어진 불알이 열닷 근이나 되어 속이 허한 터수에 일어날 기력이 나질 않소.」

「아무리 거동이 망측하기로서니 말끝마다 패설이시오⋯⋯.」

「괜히 부산 떨지 마슈. 늘어진 불알 올라붙으면 가지 말래도 득달같이 나가 주리다.」

「말로만 들어 도부꾼 행사라더니, 입이 더럽기가 사복개천*이구려. 그러하니 도부꾼이란 것들이 여항의 풍속이나 더럽히고 억매흥정 간사한 꾀로 향시를 어지럽힌다는 말을 듣지 않소?」

매양 소리 내어 웃던 최가는 상판을 쳐들고 몇 각(刻)을 노리다가,

「듣던 중 반가운 말씀이오. 도부꾼들이 외방의 풍속을 더럽혔다면 계림팔도 면면촌촌에 옥수수 낟알 박히듯 한 효부정렬(孝婦貞烈)은 웬일이며, 억매흥정으로 저자의 물리를 어지럽힌다면 장리변을 놓아 몽리를 취하는 양반놈들은 어인 거조며, 매물(賣物)에마다 온

─────────
*사복개천 : 사복시의 개천이 말똥 따위로 매우 더러웠던 데서, 몹시 더러운 물이 흐르는 개천을 이르는 말.

갖 잡세를 거두어 포흠을 일삼는 자는 누구인데, 박한 이문으로 연명이나 하는 도부꾼들을 괄시한단 말이오? 객지 타관을 돌다 보니 객회가 쓸쓸하여 과부를 동여 가나 무단히 소박 놓은 일이 없고 행여 하룻밤 정분을 맺은 계집이 있었다 할지라도 평생을 가슴에 두고 간직하는 도부꾼이 수두룩하오. 간나희를 사되 해웃값을 떼어먹은 일이 없고, 생산한 일이 없었으되 남의 자식을 가로챈 일이 없소이다. 문전 나그네 흔연히 대접은 못할망정 강시 날 사람을 내쫓기에만 급급하니, 아무리 포구 인심이라 한들 이토록 박정하단 말이오?」

잠시 부엌 쪽이 잠잠해졌다. 뭔가 뜸이 들어가는 게 아닌가 하고 모가지를 빼 올려 동정을 살피는데,

「그만하면 알았으니, 어서 가십시오. 도부꾼 사정이야 어떻든 혼자된 아낙도 또한 그대로 사정이 절박함을 알아야지요. 어찌 제 논에 물 댈 일만 생각하시오? 댁네는 지금 나를 심심파적으로 기룽이나 하자고 그러는지는 모르겠으나, 아이는 장난일지언정 개구리는 죽을 지경이더라고 나는 등골에 식은땀이 흐릅니다. 도대체 도부꾼이란 작자들은 집에 남정네가 있으나 없으나 무상출입이니, 이는 마땅히 욕받이가 될 일이오. 저희 집에선 챙길 잡화도 내어줄 곡식도 없으니 나가기나 하시오.」

「어허, 촐첨지* 내쫓듯 하지 마쇼.」

퀼녀는 명치에 걸린 찹쌀 알심같이 거치적거리던 최가가 비척거리면서 삽짝을 나서자, 득달같이 달려가서 삽짝을 단단히 걸어 잠갔다.

---

*촐첨지 : 촐랑거리는 남자를 일컫는 말.

3

최가가 상두받잇집 젊은 과부와 수작을 트고 있을 동안 천봉삼과 선돌이는 포주인으로부터 놀라운 소식을 들었다. 그것은 물화를 맡기고 임치표를 받아 쥐는 사이 포주인이 내민 사발통문 때문이었다. 임치표를 써주고 초일기(草日記)*를 꺼내 그날 거래된 물화를 기재하던 포주인이 갈피에서 봉함이 풀린 환지 한 장을 꺼내었다.

「자네들 혹시 조성준이란 놈을 알고 있는가?」

봉삼이 화들짝 놀라 되물었다.

「조성준이라뇨? 송파 사는 쇠살쭈 말입니까?」

「아니, 그럼 자네들이 그 적당을 알고 있다는 건가?」

포주인의 대답이 심상치 않자 봉삼은 아차 싶었다. 조성준을 일컬음에 지체 없이 적당이라 하였을 뿐만 아니라 그 어조가 자못 도저했기 때문이다. 그러나 이미 내뱉은 말을 어찌하랴.

「예, 알고 있습지요.」

「같은 임방인가?」

「아니, 그런 건 아니구요. 경상도 문경 땅 새재에서 우연히 같은 객점에 들어 통성명을 한 기억이 납니다.」

「그럼 자넨 궐놈과 면분이 있다는 처진가?」

「면분이 있습지요. 금방 헤어지긴 했습니다만 아슴아슴 기억이 납니다요.」

「지금 강경 임방에서 발통(發通)*하여 궐놈을 찾고 있다네.」

「어떤 사단인지 통문을 한번 볼까요.」

---

*초일기 : 상품 매매나 출납에 관한 사항을 조목조목 장부에 적던 일기, 또는 그 장부를 이르던 말.
*발통 : 예전에, 소식을 전하는 글을 돌리던 일.

포주인이 통문의 봉함을 열고 환지를 꺼내 주었다.

사발통문이란 격문(檄文)의 뜻으로서 도임방(道任房), 군임방(郡任房) 또는 팔도의 저자에 흩어져 있는 보부상에게 보내는 통문이다. 발통한 자가 누구인지 모르게 임방의 유사(有司)들이나 보부상의 성명을 사발 모양으로 윤서(輪書)한 것으로서, 통문이란 소리만들어도 먹던 자는 수저를 놓고 자던 자는 이불을 걷어차고 난전을 벌인 자는 전을 버리고 우레 천둥과 같이 뛰어 팔방으로 통달시킬것을 그 임무로 삼았다.

이 사발통문을 발행함에는 수월찮은 비용이 드는데 그 전 비용을발행한 곳이 경사(京司)*면 보부청이, 감영이면 도임방, 군이면 군임방이 부담하였다. 소집 장소가 명기된 통문을 발장시킬 때는 그로인하여 각처로부터 모여드는 동무들의 비용이 엄청났는데 통문을한번 놓자면 얼추잡아도 적게는 몇천 냥이요 많게는 만금에 이르렀으니, 특히 나라가 유사시에는 몇십 만금의 거금이 소비되었다. 그러므로 신상(紳商)이나 공주인(貢主人)* 혹은 포주인들의 지체가 아니고서는 사발통문을 낼 엄두를 낼 수조차 없었다. 대개 꼽을 수 있는것이 첫째는 나라에 변란이 생기거나 국역을 시킬 일, 둘째는 산송(山訟)이 일어나 크게 시비가 붙었을 때, 셋째는 보부상이 가솔을 잃거나 가로채였을 때, 넷째는 보부상들끼리 서로 상종하다가 크게 시비가 붙거나, 보부상과 여항인(閭巷人), 보부상과 관아의 관계에서시비가 났을 때, 또는 보부상이 죄를 짓고 잠주해 버렸을 때였다. 조동모서(朝東募西)*로 굴러다니는 그들이나 이로써 제성토죄(齊聲討

---

*경사(京司) : 조선 시대, 서울에 있는 관아를 통틀어 이르던 말.
*공주인 : 고려 · 조선 시대에, 중앙과 지방 관아의 연락 사무를 담당하기 위하여 지방 수령이 서울에 파견하던 아전 또는 향리.
*조동모서 : 일정한 터전 없이 이리저리 옮아 다님을 이르는 말.

罪)*함을 그들의 율로 삼았다.

조성준이 어찌하여 보부상들에게 추쇄를 당하는 입장이 되었는지 봉삼으로선 그 당장 짐작할 길이 없었다. 그러나 통문을 놓아 잡히지 않은 죄인이 없었고 한번 놓은 통문이 거두어진 일도 일찍이 없었다. 더욱이나 격문의 내용은 놀라운 것이었다.

격문(檄文)·우통유사(右通喩事)는 토끼가 죽으면 여우가 슬퍼하고 지초(芝草)에 불이 타면 난초(蘭草)가 탄식하니 유유상종(類類相從) 환락상구(歡樂相救), 이는 떳떳한 이치로다. 경기도 송파 사는 쇠살쭈 조성준(趙成俊)이란 자가 조동모서로 외방작죄(外方作罪)타가 충청도 강경에 들어 신상(紳商) 김학준(金學準)을 사사로이 참살한 뒤 잠주(潛走)하고 말았으니 이러한 죄인이 팔도의 저자를 굴러다니며 모리를 취하고 원혐 가진 자를 상단(商團)으로 모칭하여 작죄케 되면 장차 외방 저자의 풍속과 인심이 날로 험악해질뿐더러 육로 행상과 여염의 인심이 서로 괴리되어 상민이 설 곳을 잃게 되겠으니 이놈 죄상 경홀 작처(輕忽酌處)*할 수 없어 각도 군임방에 발통하니 이죄인의 처소나 종적을 아는 자는 지체 없이 임방이나 객주에 통기하고 일제취회(一齊聚會)* 경계(經界)*를 분명히 하여 징벌토록 하소서. 통문사의(通文事意)* 이러하니 일호의 어김이 없도록 하소서.

무인(戊寅) 섣달 각 임방 유사(有司) 벌여 쓰고 각 상단 행수 이름

---

*제성토죄 : 여러 사람이 일제히 한 사람의 죄를 꾸짖음.
*경홀 작처 : 가벼이 처단함.
*일제취회 : 모든.
*경계 : 옳고 그른 경위가 분간되는 한계.
*통문사의 : 통문의 내용.

둘러 썼는데, 통문 한 장은 강경의 공원(公員)이 맡아 전라·경상도 객주·여각에 전하라 하였고 한 장은 한산(韓山) 공원이 맡아 충청도와 경기도에, 한 장은 양주(楊州) 다락원(樓院) 공원이 맡아 강원도와 함경도로, 한 장은 고양(高陽) 홍제원(弘濟院) 공원이 맡아 황해도와 평안도로 경각에 전케 하라고 하였다.

통문을 다 뜯어본 봉삼은 다리가 후들후들 떨려 왔다. 그간 외방으로 떠돌다 보니 자연 소홀하여 조 행수와의 소식이 끊어져 마음은 조비비듯 하였고 형편 몰라 노상 끌탕이었더니 뜻밖의 소식이 해괴하기 그지없었다. 통문의 글귀가 또한 너무나 엄중한지라 조 행수가 어디서 적변을 당하거나 호환을 당했대도 사사로이 찾을 길이 없게 되었고 도부꾼들이 처참을 하였대도 조성준으로선 호소할 길이 없게 되었다.

두 사람은 봉노로 나와 앉았다. 선돌이가 저간의 사정을 대강은 알고 있었으므로 걱정스레 물었다.

「김학준이란 자가 강경에 있었던 모양인가?」

「그런가 보이.」

「기어코 사단을 일으켰군. 조 행수란 사람 이제 화적들과 동사하기 전에는 살아남기 어렵게 되었지 않나?」

「원래 성질이 표한(剽悍)했던* 터라 내친김에 염까지 해버릴 작심을 했던 거지. 설마하니 참살까진 하지 않으리라 생각했더니……내 짐작이 빗나갔어.」

「자네 어쩌려나?」

「현장을 목도한 자가 있었던 모양 아닌가?」

「거북이 잔등에서 털을 찾지, 우리가 그걸 어찌 알 수 있겠나.」

---

*표한하다: 성질이 급하고 사납다.

「모둠발 한 번이면 바위에라도 발자국을 낼 사람이었으니 그깟 늙은 목숨 하나 날리는 데야 칼로 두부 자르기였겠지만 우리가 각을 다투어 강경으로 올라가 봐야 하겠네.」

4

상두받잇집 여자에게 퇴짜를 맞은 최돌이는 여각의 봉노로 돌아왔으나 행중의 사람들은 보이지 않았다. 해 질 녘이 되어서야 월이가 지친 몸으로 돌아왔다. 고리짝을 받아 내리며 최가가 물었다.
「임자, 신발차나 벌었나?」
「이녁은 어땠어요?」
이마를 쓸어 넘기는 월이의 얼굴이 핼쑥했다.
「김 두 바리를 샀다네.」
「헐가로요?」
「여부가 있겠나. 석가놈과 짜고 갯가놈 두엇을 그냥 조리돌리다시피 우격다짐해서 헐가로 들여왔지…….」
「조리를 돌리다니요?」
「알 것 없네.」
「무명짐은 하매자가 나선답디까?」
「아마 안매(安買)*가 될 조짐이여.」
「그렇다고 객비를 까먹겠소.」
월이가 짧은 한숨을 내뱉으면서 비워 둔 봉노로 들어갔다. 늦은 저녁참이 되었는데도 세 사람은 코빼기도 보이지 않았다. 여각의 사노란 것들이 쉴 새 없이 문밖에서 설치고 늦게 당도한 도부꾼들이

---
*안매 : 싸게 팔다.

참 없이 지게문을 열어 보곤 하였으므로 오랜만에 두 궁상끼리 일실
(一室)에 단란히 모였다 하나 심금을 털어 얘기조차 나눌 형편이 되
지 않았다.

「차라리 따비밭이나 일구며 살아가는 게 분수지 이런 난리가 없구
려.」

월이가 바람벽에 뒤통수를 기대며 처연히 씨부렸다.

「오히려 다행인지도 모르지. 이 판국에 의초 좋다고 동침 여러 번
이다 보면 자연 자녀를 생산할 터인즉, 식솔이 불고 가환이라도 생
겨나면 그 씀씀이를 무엇으로 감당할까.」

월이는 다시 대꾸가 없었다. 한참이나 뺌가웃 곰방대만 빨고 앉았
던 최가가 무슨 생각에선지 치맛말기를 달고 있는 월이에게 말을 건
넸다.

「임자, 내 잠깐 한뎃바람이나 쐬고 와야겠네.」

「저녁 잡수신 게 관격이 들었소?」

월이가 암팡지게 최가를 쏘아보는데,

「내가 어디 화초방에라도 가려는 게 아닐세. 도선목 구경이라도
하려는 거지. 숨통 막혀 앉아 있질 못하겠네.」

「나루에 배 끊어진 지 오래요.」

「심란해서 그런다네.」

「심란할 것 한 푼 없소. 제가 그 속내를 모를 줄 알구? 눈시울에
납독 오른 막창보다는 육로 행상으로 장승도깨비 같게 된 제 궁상
이 보기 싫어서지요?」

금방 앉은 자리에서 굽을 떼려던 최가가 그 사품에 오갈이 들어
다시 앉으며,

「임자, 그 앙탈 그만 부리게. 내가 언제 임잘 보구 장승도깨비 같다
구 했나.」

「손바닥이 냉천 은어 뱃바닥같이 하얀 막창이 부어 주는 입잔 받아 마시고 옹색이나 풀어 보려는 거지요?」

여편네를 번들거리는 눈으로 한참이나 쳐다보던 최가가,

「이 사람이 불각시에 실성을 했나? 내가 아무리 배짱이 드세고 반죽이 좋기로 임자를 두고 막창을 사겠나? 내가 정녕 그러하다면 노구솥에 지져 씨를 말릴 놈일세. 내 주제에 어디 가서 처신을 경솔히 하겠는가.」

「이녁 주제가 어떤데? 그만하면 범골(凡骨)이지.」

거조가 쓸까스르는 수작이 분명한지라 최가는 짐짓 선웃음을 치며 너스레를 떠는데,

「내 일호의 어김 없이 도선목 구경이나 하고 옴세. 정 미심쩍거든 내 뒤를 밟아 보게나.」

「눈이 화등잔 같은 년이 무슨 할 일이 없어 바깥의 뒤나 밟겠소. 게다가 남편 공양도 변변히 못하는 주제에 그건 염치없는 짓입니다. 하기야 살림이 요족한 여염의 계집이라면 끼니때마다 알이 통통 밴 자반치 구워 공궤하고 들기름 잘 먹인 구들방에 침석을 깔고 밤마다 성적(成赤)하여 매양 작은 소리로 해죽해죽 웃으며 배꼽을 맞춘다면 이런 타박 않아도 될 터이지요. 그러나 떠돌이 행중에 궁박한 지체이니 그 또한 마음뿐입니다.」

타박이 은근히 신세 한탄으로 흐르매, 최가는 때를 놓치지 않고,

「그런 말 말게. 자네야 이팔인데 그깟 굴비짝처럼 비쩍 마른 막창이나 사당에 견줄 일인가. 내 쏜살같이 다녀옴세.」

어쩐 셈인지 월이는 지게문을 열고 봉당으로 내려서는 최가의 뒤통수에 대고 더 이상 닦달이 없었다. 여각의 쪽문을 나선 최가는 꽁무니에 불 단 새앙쥐처럼 뛰어 여염집들이 있는 고샅길로 접어들었다. 낮에 만났던 상두받잇집 과부를 한 번 더 만나고 싶었기 때문이다.

벌써 이슥한지라 불을 끄고 잠든 집들도 많았고 길거리에 인기척도 드물었다. 궐녀의 집에 당도하니 삽짝은 굳게 잠기었으되 낮에 군불을 지피던 건넌방의 지게문에는 희미한 불빛이 서려 있었다. 건넌방을 쓰고 있는 당사자가 궐녀인지 아니면 일가붙이 남정네인지 삽짝 밖에 서서야 알아낼 재간이 없었다. 최가는 바자를 따라 몇 걸음 올라갔다. 옆집의 축담과 연해 있는 곳에 바자가 삭아서 내려앉아 있었다.

그는 괴춤을 단단히 쥐고 소리 나지 않게 바자를 넘은 다음 손바닥만 한 채전을 가로질러 가만히 건넌방 섬돌 아래까지 다가갔다. 방 안에서는 이렇다 할 인기척이 없었다. 그는 손가락에 침을 발라 가만히 문구멍을 내었다.

방 안에는 궐녀 이외는 다른 아무도 없었다. 궐녀가 왜 사랑 거처를 하고 있는지는 몰라도 분명 혼자였다. 궐녀는 등잔 아래 앉아서 바느질고리를 당겨 속곳에 말기를 달고 있는 참이었다. 낮에 수작할 땐 대강의 형용만 봤던 것이나 등잔 아래 고즈넉이 앉아 침선을 하고 있는 계집의 모습이 꽤 사람을 심란하게 하였다. 어딘지 기우는 달처럼 애잔하게 느껴지기도 하였다. 문만 열 수 있다면 손이 닿을 자리에 그런 여인이 누구를 기다리듯 밤을 사위고 앉아 있다는 것이 인연이 아니고서야 그럴 수 없다는 생각이 문득 들었다. 그러나 난데없이 인기척을 하면 궐녀가 화들짝 놀라 소리를 칠 것이요, 그렇다고 종시 한기에 몸서리쳐지는 툇마루에 무릎걸음하고 문구멍 구경만 한다는 것도 사내의 구실할 바가 아니란 생각이 들었다.

나중에야 혼돌림을 당하는 한이 있더라도 우선은 더 이상 지체할 겨를이 없었다. 최가는 나지막하게 기침을 하였다. 두어 번 기침 소리를 내어서야 지게문이 배시시 열리면서 문고리를 잡은 궐녀의 흰 손이 밖으로 나왔다.

「밖에 뉘시오?」

최가가 잠시 어찌할 바를 몰라 주춤하는데 방 안에 켰던 등잔이 바람에 꺼졌다. 궐녀가 등잔을 켜려고 몸을 돌리는 찰나에 최가는 잔나비처럼 뛰어 방 안으로 들어갔다.

「잠시 기다리십시오.」

궐녀가 오지 화로를 끌어당겨 밑불을 헤집더니 등잔 심지에 대고 밑불을 불기 시작했다. 어둠 속에 드러난 궐녀의 조그만 입술이 눈에 황홀했다. 심지에 겨우 불이 붙어 불길이 살고 방 안의 어둠이 걷히자 궐녀는 힐끗 최가에게 일별을 주었다. 그러나 궐녀는 황급히 치마꼬리를 감싸며 바람벽으로 물러나 앉았다.

「어이구머니나, 댁은 뉘시오?」

최가는 기왕 들어온 방이라 해죽 웃으며 화로 앞으로 가서 앉았다.

「뉘시라니, 누군 줄 모르고 문을 땄소이까?」

「이런 작폐가 어디 있소?」

「내가 너무 무례했소이다. 그러나 구면인 터수에 그렇게 놀랄 거야 없지 않소?」

궐녀는 거동이 흐트러짐이 없이 눈꼬리가 팽팽히 당겨지게 사려 뜨고는,

「이 무슨 분수없는 짓이오? 아녀자가 혼자 사는 집에 메뚜기처럼 뛰어들어도 된다는 국법은 없소이다. 여염집을 무단히 월장한 죄로 취박(就縛)*을 당하여 구메밥을 먹고 싶소?」

최가는 짐짓 게트림하며,

「내 일찍이 걸쇠 따기, 개 피하기, 지붕 훑기, 담 넘기엔 이골이 난 위인이외다. 구더기 무서워 장을 못 담그겠소? 사내의 결기로 여

---

*취박 : 잡혀서 묶임.

인의 집에 무단히 뛰어들었을 적엔 이미 그만한 응보야 각오한 바가 아니겠소? 다만 내 인물 됨이 댁과 상적할 만한 낭재(郞材)인가 아닌가만 귀띔해 주오.」

「댁이 아무리 배짱이 드세고 말재주가 능숙하다 하나 남녀지간의 정분이란 게 창졸히 될 일이 아니지 않소?」

「행사가 용납하기 어렵다는 얘기요, 아니면 댁의 지체가 높아 이 고을에서는 가감(可堪)한* 인물이 없다는 거요?」

최가는 괴춤에서 곰방대를 꺼내 밑불을 헤집었다.

「내가 낮엔 감히 축객을 못해 말마디나 대꾸해 주었더니 댁이 그걸 기화로 이런 작폐를 벌이는구려. 망부의 초종을 치른 후 팔 년째나 수절을 하는 여자가 오늘에 만난 타관바치인 댁에게 그럼 살 수청을 들라는 거요? 갯가 풍속이 아무리 못되고 인정물태가 더럽다 한들, 그리고 제가 아무리 궁박하게 살아간다 한들 인두겁을 쓰고 태어난 터수에 어찌 그런 짓을 함부로 할 수 있단 말이오?」

「갓 쓰고 박치기를 해도 제멋이라 하지 않았소? 이미 여염집으로 월장한 사내가 호랑이에게 고긴들 못 달라겠소?」

「공갈을 놓아서 될 일이 아닙니다. 만약 그럴 것이라면 내 일찍이 길가에 나가 길손을 잡았지 왜 향곡에 묻혀 살며 숱한 밤 긴 세월을 동전을 굴리며 지새웠겠소. 다만 낮에 댁이 왔을 때 내가 자발 없이 군 것을 화냥년으로 본 듯하나, 그것이 결코 이런 일을 예견하여 한 짓은 아니었소. 내 댁의 체통을 생각하여 곱게 있을 것이니 득달같이 방에서 나가 주구려.」

딴은 잘못 짚은 거로구나 싶었으되, 궐녀의 몇 마디 꾸짖음에 오갈이 들 최가도 아니었다.

---

*가감하다 : 어떤 일정한 일을 능히 해낼 수 있다.

「거 말은 그럴듯하오. 그러나 댁이 평생 수절을 한다고 해서 그게 무슨 인간의 도리란 거요. 댁의 지체로 나라에서 정절문을 세워 줄 것도 아니지 않소? 음양의 도리를 알아야 그게 인간의 구실을 한다는 거요. 대저 글줄이나 한다는 것들이 법을 만들고 풍속을 억눌러 댁과 같은 청상을 평생토록 밤마다 동전만 굴리게 하니 그 동전이 닳아 구멍이 날 지경인들, 가만히 생각하면 그건 결코 하늘 의 뜻이 아니지 않소? 인간의 도리란 그 마음먹은 바대로 행하는 것이오. 병자년 호란 때만 하더라도 심양(瀋陽)으로 끌려간 수천 의 양갓집 부녀자들이 돌아올 제 홍제원 밖에서 목간만 하면 그 정절이 지켜진 것으로 하라는 나라님의 분부가 있었지 않소? 한번 뒷물이면 끝날 그놈의 정절이 무에 그리 소중한 것이라고 오지랖 에 싸갖고 다닌단 말이오?」

궐녀는 그 말에 분연히 결을 내어 능멸하는 언사로,

「네 이놈, 내 신세가 궁박하여 백사지에 코를 끌어 박더라도 네놈 같은 떨거지에게 살을 주려 팔 년을 수절했겠느냐? 네놈도 나잇살 이나 처먹어 외양이 썩 그릇되어 있거늘 어찌 제 분수를 모르고 날뛰느냐. 장터거리 물리대로 되는 줄 알았다간 큰코다친다.」

「젠장…… 설레발쳐 보았자 암탉이지, 속으로는 솔깃하면서 그러 지 말게.」

「더 이상 중구난방으로 떠들 일이 아니다. 네놈을 이젠 일없이 보 내긴 글렀으니 냉큼 일어나서 바지를 걷어라.」

「바지를 걷으라니? 벗으란 거냐, 걷으란 거냐?」

「혼자 있는 아녀자의 방에 무단히 기어들었으면 합침을 하든지 종 아리를 맞고 쫓겨나든지 두 가지 중에 하나는 치러야 하느니. 너 스레 떨지 말고 어서 바지를 걷어 종아리를 내놓아라, 이놈.」

「정말 내 종아리를 때려야 입맛이 나겠소?」

「네놈이 종시 해죽해죽 웃으며 뜸을 들인다마는, 바로 뒷집이 오라버니 집이니라. 내가 소리치면 노복들이 한 다리로 쏟아져 나와 네놈을 취박하리라. 내 오라버니가 형방 구실을 산 지가 벌써 여러 해째다. 엄중히 차린 형구 아래서 육장이 되도록 사매질을 당하기 싫거든 어서 종아리를 맞아라.」

「아니, 그것이 정말이오?」

「못 믿겠다면 내가 소리를 한번 쳐볼까?」

최가가 금방 식초에 담긴 듯 노글노글해지면서,

「아닙니다요. 종아리를 걷으라면 걷을 일이지요. 내가 짐작 없이 뛰어들었나 봅니다. 그럼 제가 나가지요.」

납죽 엎드리려다 말고 문고리를 잡고 굽을 떼려는데, 궐녀의 앙칼진 한마디가 뒤통수를 박았다.

「이놈, 종아리를 걷지 않으면 내 그예 소리치리라.」

더 이상 버티었다간 무슨 변고가 일어날지 몰라 납죽 엎디는데,

「종아리를 맞겠느냐, 아니면 사매질에 허리가 부러지는 경난(經難)을 겪겠느냐?」

「걷겠습니다요.」

최가가 어느새 발딱 일어나 바지를 걷으매 어찌나 아금받게 걷었던지 사추리가 드러날 정도였다.

궐녀가 의롱 위에 있던 회초리를 내렸다.

「내 한이 풀리면 회초리를 놓으리라.」

궐녀가 지체 없이 종아리를 내리치니 그 아픔이 살갗을 에고 뼛골을 뚫어 오장 육부를 왕방울솥로 헹구어 내는 듯하였다. 그렇다고 나잇살이나 잡수신 처지에 매마다 아프다고 엄살을 떨 수도 없는데 매는 한 푼의 허발도 없이 매양 옹골지게 아픔으로만 뼛골을 후벼 팠다. 그렇다고 수절 과부 한 맺힌 매질에 서숙을 달았다는 사내가

종시 종아리를 대령만 하고 있을 수도 없어 지게문으로 냅다 뛰려는 찰나, 언뜻 매질이 멎었다.

「이제 제정신이 드느냐? 그렇다면 이젠 나가거라. 어쩌다가 액운에 들었다 생각 말고 네 처신이 어찌 되었던가를 생각하여라.」

종아리에 불을 담은 듯하여 한속을 느낄 엄두도 못하며 장터거리로 절뚝거리며 빠져나오는데 그 분통에 이가 갈리었다. 그러는 중에도 문득 뇌리에 스치는 한 생각이 있었다.

최가는 종아리를 맞는 경황중에도 방 안을 둘러보았는데 횃대에 옷가지가 걸려 있지 않았던 것은 물론이요, 봉창에 그을음이 없었던 것으로 보면 오래 비웠던 방이 분명한데, 어인 일로 건넌방에다 낮에 군불을 지피고 이슥토록 앉아 있는 거조였고 보면, 필경 누굴 기다리고 있던 참이 아니던가. 그리고 궐녀는 그가 방 안에 들어갔을 때까지는 흡사 찾아올 사람이 온 듯 거동이 예사롭지 않았던가.

최가는 장터거리로 내려오다 말고 다시 길을 되짚어 올라갔다.

에멜무지로나마 궐녀의 집을 지켜볼 참이었다. 울바자를 지나 옆집의 각담 아래로 가서 가만히 엎디어 앉았다. 곰방대에 불을 붙여 한 대를 태우고 다시 한 식경이나 좋이 기다린 끝에 저편으로부터 인기척이 있었다. 그는 소스라쳐 몸뚱이를 각담 아래 더욱 움츠려 박았다. 양휘항(凉揮項)*을 코밑까지 내려오게 깊숙이 눌러쓴 사내 하나가 마침 울바자 앞에서 발길을 멈추고는 문득 사방을 두리번거렸다. 그러곤 삽짝 틈으로 손을 비틀어 넣어 걸쇠를 따기 시작하였다. 한참이나 실랑이를 하더니 마당 안으로 들어섰고 곧장 섬돌로 올라서는데 그 행동거지가 자못 거침이 없었다. 잔기침 두어 번으로 방 안으로 사라지는데 방 안에서는 이렇다 할 난리가 일어나지 않았

---

*양휘항 : 털을 붙이지 않은 겨울 모자.

다. 최가는 열어 둔 삽짝으로 들어가 뚫어 놓은 문구멍으로 방 안을 살피었다. 그리고 최가는 일순 놀랐다. 방 안으로 들어간 사내는 놀랍게도 여각의 포주인이었기 때문이다. 나지막하나마 걸걸한 포주인의 목소리가 들려왔다.

「전번 약조한 날짜를 내 깜빡 잊어 먹을 뻔하지 않았겠나.」

계집이 지체 없이 말을 받으매,

「오늘 밤 아니 오셨으면 쇤네는 이 긴 밤을 꼬박 앉아 새울 뻔하지 않았습니까.」

「내 아무리 무심하기로 이심전심인데 설마 날짜를 잊어 먹기야 하였겠나, 괜한 우스갯소리지.」

한쪽 무릎을 세우고 앉아 있는 계집의 통 넓은 속곳 속으로 드러난 허연 허벅지가 등잔불에 흐벅진데, 포주인의 한 손이 가만히 치마 밑으로 기어드니 계집은 몸을 사리는 듯 말 듯하며 사내의 손등 위로 치마꼬리를 슬쩍 덮었다.

저런 난리가 있나 싶은데 계집이 배 씹는 목소리로,

「잘못하면 이 밤에 쇤네가 실절을 할 뻔하지 않았습니까.」

포주인이 치마 속 거웃으로 들어간 손을 훨씬 안쪽으로 디밀면서 물었다.

「이 무슨 망측한 소린가? 누가 자네 집에 월장이라도 했다는 얘긴가?」

「어쩜 그렇게 잘도 아십니까? 두어 식경 전에 참으로 난데없는 도부꾼 한 놈이 느닷없이 뛰어들어 기절초풍을 했습니다.」

「그게 정말인가?」

「쇤네가 희언*을 하는 줄 아십니까?」

---

* 희언 : 객쩍은 소리.

「저런 박살할 놈이 있나? 그놈이 열명길로 들려고 아주 작정을 한 놈이군그래. 어느 여각에 든 놈이었나?」

「그걸 제가 미처 물어보지 못하였습니다.」

「그놈이 어인 변죽으로 하필이면 자네 집으로 뛰어들었단 말인가? 전사에 한두 번 곁을 주었거나 눈찌검이라도 해두었던 거지.」

포주인의 말버슴새가 자못 삐뚜름한데 계집은 화들짝 놀라 곱지 못한 눈으로 쳐다보며,

「곁을 주다니요? 제가 길가에서 잔술이나 파는 들병이란 말입니까? 괜한 말씀 올려 되레 곡경입니다.」

「내가 잠시 희언을 하였네. 내가 어찌 자네 흉중을 모르겠나. 결삭이구 바싹 들어앉게.」

「뒷물이나 하고 와야지요.」

계집이 뭉그적거리고 다가앉으며 간릉을 떠는데 포주인은 그 말에 대답은 않고,

「어허, 이런 난리가 있나. 자네 기물은 어찌 이리 푸짐하고 질척한가그려.」

「그러지 마십시오. 누가 듣겠습니다.」

「듣긴 누가 들어. 벌써 삼경이 깊어 개도 잠든 판국인데.」

「그래도 속대중만 하고 계셔얍지요. 점잖으신 지체에 시정의 상것들처럼 기물 타령을 하시는 게 아닙니다. 제 기물이 푸짐한 걸 이제야 아셨습니까, 어디?」

「그야 그렇지만, 언제 봐도 버금차서* 그러네.」

「어쩌나, 뒷물을 해야 하는데…… 그만 등잔을 끌까요?」

「등잔을 끄면 자네의 월용화태가 어둠에 잠기니 그 또한 난감하고

---

*버금차다 : 분수에 넘치다.

애석한 일이 아닌가?」

「그렇다고 이대로 앉아서 밤을 지새울 수야 없지 않습니까. 홰를 치면 가셔야 하는 분이니까요.」

「어허, 너도 소실치레를 한답시고 벌써 투기인가?」

「별말씀을, 어찌 쇤네가 감히…….」

연놈이 공기 받기로 주고받는 수작이 한 잎에서 난 듯하였다. 포주인이 한 손마저 치마 아래로 가져가더니 통 넓은 속곳을 벗기려 하자, 계집도 내외를 하는 체하면서 엉덩이를 뭉그적거렸다.

「어허, 이러다 자리 젖겠네.」

「대주께서 건드리시니까 그렇지요.」

「이 기물이 아까워 자네 망부가 어찌 눈을 감았을까?」

「말씀이 아름답지 못하십니다.」

최가는 잘못하다간 지게문째 안고 방 안으로 굴러 떨어질 듯하여 발꿈치에 빠득하니 힘을 실어 부었다. 등잔이라도 끄고 수작을 부렸으면 그래도 정신이나마 차리겠건만 이는 차라리 형벌이었다. 몇 각이 되지도 않은 사이에, 손끝이 맵고 차던 계집이 음사를 낭자히 퍼지르니 이는 천고에 없는 구경거리이긴 하였다. 그런 계집에게 속절없이 당한 꼴을 생각하면 당장 뛰어들어 으름장이라도 놓아 볼 만하였지만, 상종하고 있는 사내란 놈이 자기가 묵고 있는 여각의 포주인이니 그 또한 섣불리 범접할 도리가 없었다.

포주인이란 것들은 대개 지방의 관아에다 연줄을 트고 있어 섣불리 비위를 건드렸다간 임치해 둔 물화 처리는 고사하고 주장맛을 톡톡히 봐야 할 거였다. 아직 이불 속으로는 들어가지 않았으나 계집은 속곳이 벗긴 맨치마 바람이었다. 계집이 엉뚱한 한마디를 물었다.

「서울서 온다는 공주인(貢主人)은 다녀갔습니까?」

「응, 아직은 내려오질 않았다네.」

「언제 오신답니까?」

「아마 다음 파수가 되어야 할 것일세. 그 인편에 당화(唐貨)에 대단(大緞) 네댓 필도 묻어올 것인즉, 물화가 당도하는 대로 내 자네에게 한두 필 떼어 줌세.」

「공주인이 잠상질도 합니까?」

「밀매를 한 물화이든 아니든 자네가 알아서 뭣 하겠나. 또 밀매를 한 물화들이라 할지라도 서울 시전(市廛) 도중(都中)에서도 말발깨나 있다는 신석주(申錫周) 수하의 차인들이 가져올 터이니까 대단 두어 필에 자네가 관재 입을 걱정이야 없지 않은가.」

「신석주라는 분이 어떤 분인데 관청 사람을 휘어잡수?」

「난들 알 수 있나. 나 역시 일면식도 없지. 다만 종루에 드팀전을 내고 있는 내로라하는 신상으로 행세깨나 한다는 송상(松商)들도 나라님 어음은 안 믿지만 신석주 어른의 어음이라면 개가 물고 와도 두말없이 받는다는 거여. 그 수하의 차인들이 동래 가는 길에 하동에 들르게 되어 있네.」

「하동엔 왜요?」

「전주에서 내려오는 길목이니까.」

「대주께서도 이 기회에 종루의 신상과 연줄을 놓아 보시지요.」

「글쎄나…… 신석주 어른은 고사하고 그 수하의 차인놈들이란 것부터가 뒷덜미에 칠성판을 댄 듯 모가지가 뻣뻣하단 소문이여. 차인놈들부터가 여각의 포주인과는 지체가 틀리다는 거조란 거여. 그놈들부터가 씀씀이가 호탕하고 기상이 호특해서 외방 나루의 별장(別將)쯤은 종놈 부리듯 한다네.」

「흡사 화식전(貨殖傳)에 나오는 사람 얘기 같습니다.」

「벼슬을 못하면 재물이 있어야 사람이 녹록히 보이지 않지. 나 역시 설산만 한다면야 명색이 향족(鄕族)이란 것들도 내 손아귀에 넣고 까불어 댈 수가 있는 세상이 아닌가.」

「대주께서도 그만하시면 외읍에서야 이재에 밝다는 말을 듣지 않습니까.」

「그야 그렇지……. 어쨌든 그 차인들이 당도하면 선통을 놓아* 시전과 연줄을 틀 요량만은 하고 있네.」

「이제 불을 끄지요.」

「벌써 불을 끄다니, 자넨 성미도 급하네그려.」

포주인이란 놈이 은근히 면박을 주자 계집이 냉큼 되받아 가살을 치는데,

「한번 한 말 곱씹게 마십시오. 하, 숨이 가빠 그럽니다.」

「아무리 숨이 가빠도 그렇지, 이제 겨우 변죽만 울린 터에 벌써부터 앞뒤 분간을 못하고 앙탈인가.」

「대주께 비하면 쉰네야 아직 어리지 않습니까.」

「자네도 나이를 먹어 보게. 손재미란 것도 매양 재미없음도 아닐 테니.」

「정히 그러시다면 불이나 끄고 어찌하시든지, 누가 볼까 봐 간이 콩만 해집니다. 아직 가지기(家直)*로 들어앉지도 못한 터수에 말입니다.」

「허, 내가 핫아비*로서 분수 밖의 일을 도모하다 보니 허긴 가좌차서(家座次序)*를 가릴 처지가 아니긴 하네…….」

불을 끄고 침석을 내려 깔고 연놈이 물 묻은 손에 깨 엉키듯 하여 돌아가는 판에서야 아무리 반죽 좋은 최가이기로서니 매양 바라볼

---

*선통을 놓다 : 미리 알리다.
*가지기 : 정식 혼인을 하지 않고 다른 남자와 사는 과부나 이혼녀.
*핫아비 : 아내가 있는 남자.
*가좌차서 : 집터의 번지순을 이르던 말.

수가 없어 문구멍에서 그만 눈을 떼어 버리고 말았다. 희학질 소리가 툇마루 바같에까지 낭자하고, 사내가 오력을 하느라고 자리끼를 엎질러 버렸는지 맨바닥에 사발 뒹구는 소리까지 겹치는 걸 보면 기왕 일을 저지르는 김에 아주 결딴을 낼 작정임이 분명하였다. 연놈들의 처사가 아주 맹랑하다 할지라도 최가가 끼어들 수는 없는 처지이니 종시 헛물을 켜고 지키고 서 있을 까닭이야 없었다. 그러나 이상하게도 발길이 금방 돌려지지 않았다. 그는 뒤꼍을 돌아가서 옆집 각담 아래에 쪼그리고 앉았다. 한 식경이나 되었을까. 문득 지게문이 곱게 여닫는 소리가 들려왔다.

포주인이란 놈이 양휘항을 뒤집어쓰고 삽짝을 나가 멀리로 사라지는 것을 기다려 최가는 계집이 혼자 있는 봉노 앞으로 가서 예사롭게 잔기침을 하였다. 계집이 호들갑스럽게 문을 딴 것은 포주인이 되짚어 온 것으로 짐작한 게 분명하였다. 팔짱을 끼고 섰던 최가가 지체 없이 으르딱딱거렸다.

「난 전참에 종아리 맞고 쫓겨났던 도부꾼이오.」

「아이, 기함이야. 이 어인 놈이 아직까지 제정신을 못 찾고 곰배곰배* 되돌아드나그래?」

「허, 어인 놈이라니? 낮에는 정절이 송백(松栢)같이 굳은 양 행실을 가지다가 일력이 다하기 바쁘게 외간 사내를 손쳐 불러 음행을 퍼지르는 화냥년이 도부꾼보고 호놈을 해? 더군다나 네 본부가 숨을 거둔 방에서?」

「아니, 이놈이 웬 행악이냐? 억탁의 말로 여염의 아녀자에게 죄를 뒤집어씌우다니?」

「이년이 보아하니 아직 제정신이 아니로구나. 방금 포주인놈과 저

---

* 곰배곰배 : '곰비임비'의 사투리. 거듭해서.

지른 음행은 그럼 도깨비와 한 짓이었더냐?」

궐녀는 더 이상 대꾸가 없었다. 궐녀야 대꾸가 있건 없건 최가는 진신발* 신은 채 방 안으로 성큼 들어섰다. 궐녀가 앉은걸음으로 바람벽 쪽에 썩 비키어 앉았다.

「네년의 입으로, 사내가 아녀자의 방에 들어왔다면 합침을 하든지 종아리를 맞든지 해야 한다구 했겄다? 아깐 종아리를 맞았으니 이번엔 동품할 일만 남았다는 것도 알겠다?」

「아니, 그게 어떤 소이에서 하는 말입니까?」

최가는 짐짓 뒤축을 구르며,

「침석을 다시 깔고 자리옷으로 바꿔 입으렷다, 이년.」

궐녀가 앞으로 엎디어 어깨를 떨었다.

「계집 하나 활인하십시오. 명색이 여염의 수절 과부가 어찌 창졸간에 한 침석에서 두 서방을 상종하라시는 겁니까? 전사에는 불각시에 저지른 소행이니 용서하십시오.」

「아까는 네년의 말이 매섭기 칼날이요 준열하기 서릿발 같아 내가 굳이 종아리를 맞아 가면서까지 네년의 굳은 정절은 월악(月嶽)이 무너진대도 변치 않으리란 생각으로 뜨끔하였다. 그러나 이제 보니 손방인 줄 알았던 네 요분질 솜씨는 능히 열 놈을 말아먹고도 남을 솜씨이니 그놈과 층하를 두지 말고 나와 동침커라. 대저 반상을 막론하고 그 일에는 층하가 없는 법이다.」

궐녀가 그때 무슨 생각에서였던지 발딱 일어났다.

「잠깐만 지체하십시오.」

안방을 다녀온 궐녀의 손에 무명 한 필이 들려 있었다.

「제 실수가 무명 한 필로 탕감되리라곤 믿지 않사옵니다만, 이것

---

*진신발 : 진창에 젖어 더러워진 신발.

은 장내기로 짠 피륙이 아니니 금어치가 상당할 것입니다. 거두어 주십시오.」

최가는 밀어 주는 피륙은 거들떠보지도 않고,

「네가 도부꾼을 지체가 없다 하여 아주 우습게 보는구나. 멀쩡한 사내에게 종아리 친 죄를 북덕무명 한 필로 탕감하려 든다는 거냐?」

궐녀가 육신을 떨면서 나가더니 다시 무명 한 필을 더 가져왔다.

「이것이 마지막입니다. 종아리 몇 대에 무명 두 필이라면 그토록 억울하지는 않습니다요.」

「그려, 네 말이 옳다. 그러나 음행을 낭자히 저지른 연놈의 행티를 꼼꼼히 구경할 제, 내 사추리가 무단히 용을 쓴 품은 어디 갔느냐? 그 기물 또한 괄시해서 될 일이 아니지 않느냐?」

그제야 궐녀가 낯짝을 쳐들고 눈시울을 모질게 뜨고는,

「아니, 누가 그걸 엿보라 하였습니까? 그길로 총총히 하처 잡은 곳으로 돌아갔으면 일없었지 않습니까.」

「요런 반죽 좋은 계집 보았나. 내 명색이 사내대장부로 네년의 농간에 뼛골이 쑤시도록 종아리를 맞았는데도 아퀴를 짓지 않고 매양 처소로 돌아갈 것 같았더냐? 그 원혐을 갚기 위해서라도 네년을 좀 더 지켜볼 것이라는 건 당연한 이치가 아니냐?」

「그렇다면 저보고 어찌하라는 겁니까? 이다지 죽이라고 지다위하시는 소이가 어디 있나요?」

「내가 무명 두 필을 해우채로 내어 줄 것이니 아래품을 팔아라.」

「무명 두 필이라니요?」

「금방 네가 내놓은 두 필 무명이 있지 않느냐? 그렇다면 나는 두 필 무명을 손해 보되 네겐 두 필 무명을 도로 찾으니 본전이 아니냐. 내 명색이 대장부로서 어찌 아녀자에게 손재를 끼치겠느냐.」

궐녀가 손사래 치면서,

「아니 됩니다. 그깟 무명 두 필 주어 보았자 제가 손재 볼 일이야 없습니다. 어서 거두십시오.」

「허긴 그렇구나. 서울에서 차인 행차가 닿는 길로 네년은 대단으로 크게 이를 취할 것이니, 허기야 무명 두 필이 대순가.」

「빨리 돌아가지 않으시면 나는 자진이라도 해야 합니다.」

「그년 사람을 구워삶는 데는 아주 이골이 났구나……. 정히 그러하다면 나중에 다시 보기로 하고 오늘은 일없이 돌아가리라.」

「제발 제 일이 입초에 오르지 않게 해주십시오.」

「그건 내가 알아서 할 일, 네년이 가타부타 떠들 일이 아니다.」

최가는 그만 궐녀의 집을 나서고 말았다. 얼핏 삼경에 가까운 것 같았다. 포구 쪽에선 바람 소리만 스산하였고 사방은 불이 켜진 집이 없었다. 멀리서 개 짖는 소리가 들렸다. 궐녀와 너무 오래 다투다 보니 몇 경이 일없이 흘러간 것 같았다.

초저녁참에 최가를 밖으로 내보낸 월이는 치맛말기를 마저 꿰매고는 가만히 지게문 밖의 바람 소리에 귀를 기울였다. 행중의 세 사람도 어딜 갔는지 그때까지 코빼기도 보이지 않았다. 옆 봉노에 든 도부꾼들은 저희들끼리 투전판을 벌였는지, 걸걸한 목소리들이 잠시 오가더니 가장질한* 동패를 잡고 주먹다짐이 오가곤 하다가 조용해졌다. 그때 쪽문 밖이 잠시 소연해지더니 모주꾼인 석가가 벌컥 지게문을 열고 들어섰다. 방 한가운데 오도카니 앉아 있는 월이를 보고는,

「어허, 제수씨 혼자서 독수공방으로 동전을 굴리고 있소그려.」

입에서 문뱃내가 물씬하여 바람벽으로 얼른 고개를 돌리는데 그

---

*가장질하다 : 노름판에서 패를 속이다.

눈치 알아챈 석가는,

「별로 마시지 않았습니다.」

「제가 알 바 아니지요.」

「허, 이거 서방님은 어디 두고 날 물고 타박이시오?」

「찾으러 나서야겠습니다.」

「보나마나 남의 술추렴에 끼었거나, 아니면 투전판에 끼여 가리나 틀고 앉았겠지요.」

「아무리 못난 서방이고 앙숙이라 하더라도 말을 함부로 하시오?」

「알았소이다. 오초(吳楚)의 흥망 내 알 바 아니로되 우리 좋은 의초 상할까 봐서 내가 나가서 찾아보리다.」

석가가 나자빠지다 말고 벌떡 일어나더니 곧장 툇마루로 나섰다. 매사에 한다는 소행이 우격다짐에 방자하기 그지없었으되 때로는 염의를 차리는 구석도 없지 않은 게 석가였다.

밖으로 나선 석가는 등토시 속에 손을 깊숙이 찌르고 모가지를 움츠려 넣었다. 밤바람이 몹시 차가웠다. 그는 문득 오늘 아침 옹기전 어름에서 김 바리를 살 적에 최가에게 한 소행이 너무 과했다는 생각을 했다. 미리 화응(和應)을 꾸미고 한 짓이긴 하였으나 정녕 심한 구석이 없지 않았다. 살풀이라도 해야겠다며 석가는 혼자서 씁쓰레하게 웃었다. 꼭히 최가에게 눈길을 박고 지켜보는 것도 아닌데 항상 어느 매듭에 가선 두 사람이 앙숙처럼 맞닥뜨리곤 하였다. 그러나 곰곰 돌이켜 보건대 그런 것에 까닭이 있다면 분명 없지도 않았다.

그것은 월이란 여자였다. 때때로 번들거리는 석가의 탐욕스러운 눈길이 월이의 이마에 가 멎어 있곤 하였다. 물론 궐녀는 떠돌이 행중이긴 하였으나 엄연히 핫어미의 신분이매, 설혹 곁눈질을 한다 한들 자칫 거동이 흐트러지거나 호락호락하니 곁을 줄 여자가 아니란 것쯤은 석가도 알고 있었다. 그런데도 불구하고 최가의 행사가 개차

반이거나 언행 수작이 곱지 못할 때는 혼찌검을 내어 행중에서 내쫓고 싶은 결기가 불끈 솟아오르곤 하였었다.

그는 여각의 봉노를 나와 근 한 식경이나 도선목과 장터의 많지도 않은 숫막과 휘장 곁을 뒤져 보았으나 최가의 종적은 감감무소식이었다. 갈밭을 훑고 지나는 스산한 강바람은 귓밥을 에듯 차가웠는데, 그럴 때마다 석가는 자신도 모르게 어금니를 사리물었다. 그는 다시 월이를 머릿속에 떠올렸다. 월이의 속내를 한번 건드려 본 적은 없지 않았다. 그것이 연일(延日) 부조장(扶助場)에서였다. 마침 전도가로 돌아와 방물고리를 내리고 똬리를 벗는 월이의 신색이 보기 딱하여 슬쩍 객적은 한마디를 퉁겨 보았던 것이다.

「이제 초례 치른 지가 몇 삭이오?」

툇마루에 풀썩 주저앉던 월이가 석가를 모질게 쳐다보며,

「제게 물어볼 것이야 없지요. 신랑 매단다고 호통을 치던 댁네가 더 잘 아실 텐데요.」

「살년에 장사는 안 되고 양식 변통도 힘들어 궁박한 데다 분수 모르는 남편 공양하랴, 밤이면 동품은 고사하고 한기 서린 봉당 쪽마루에서 밤새워 바느질하랴, 경난을 겪고 있는 이녁이 보기 딱해 하는 소리요.」

「딱하실 것 없습니다. 상전에게서 도망 나온 제가 어떤 고생인들 마다할 처지인가요.」

「그래 가지구선 속전 이천 냥을 벌기도 지난하거니와 우선 연명하기조차 힘든 일이 아니오?」

「어찌해서 남의 몸값은 그리 잘 알고 계십니까?」

「그것 역시 무심하지 않아서지요.」

「추쇄당하지 않고 있는 것만으로도 다행으로 알아야지요.」

「하필이면 그 목자와 결발부부*가 되었소…….」

「그런 말 마십시오. 종년 팔자에 한껏 시집을 가야 역졸일 텐데, 도부꾼의 안해 되었으니 저로서는 여라가 소나무에 붙은 격이지요.」
「그 목자가 강시라도 난다면 어쩌하겠소?」
「걱정도 팔자시군요. 아무리 두 분 사이가 못마땅하기로 동배간에 그런 모진 말을 함부로 내뱉소.」

수작은 그쯤에서 말았지만 그러나 숫막에 머무르고 객주·여각을 거치고 저자를 만나 한숨을 돌릴 때마다 석가의 시선이 월이에게 머무르고 때로는 수상한 낌새를 느낀 최가가 두 사람을 미심쩍은 눈으로 흘기긴 하였으나, 백정의 소생으로 태어난 월이의 가슴에 맺힌 포한(抱恨)이 남다르고 성품이 또한 맵짜니 석가가 헤살을 놓는다 한들 별 소동 없이 하동 포구에까지 이른 것이었다.

그런 생각으로 줄곧 고개를 움츠리고 여염집들 쪽으로 발길을 놓고 있는데,
「이 목자야, 어딜 그렇게 바쁘게 내닫고 있나? 불알 떨어지겠다.」
저만치 희미한 달빛 속으로 고개를 들었더니 최가란 놈이 마주 다가왔다.
「어딜 갔다 이제사 코빼기를 내밀어?」
「어딜 가?」
「염의를 차려. 내권이 눈 빠지게 기다리는 것도 모르고 어딜 잔나비처럼 깡충거리고 쏘다녀.」
「그놈 기특도 하이. 행중의 사람 찾아 나선 걸 보니 대강 물리는 틔었구먼.」
그 말에 석가는 오장 육부가 뒤틀리는 것 같았다. 남의 초상집에 와서 거짓 읍곡으로 끼니를 구걸하던 인사가 어찌해서 낭자 고운

* 결발부부 : 총각과 처녀가 혼인하여 맺은 부부.

계집까지 얻고 난 후부터는 이제 사람 보기는 개똥인가 싶었기 때문이다.

「이제 뭐라고 했지, 이 망종아?」

「이놈아, 어디서 악증이냐. 개아들놈이라구 했다.」

석가는 대뜸 최가의 멱살을 잡아끌었다.

「이놈, 혼꾸멍을 내줄 테다.」

그때, 석가는 최가가 안고 있는 무명 두 필을 보았다. 그는 드잡이 한 손을 느슨히 놓았다.

「아니, 이건 또 무슨 난리인가?」

「품을 팔았네.」

「아니, 이 밤중에 어디 가서 무슨 품을 팔았다는 거야?」

「네놈이 귀신 찜 쪄 먹은 놈인들 그걸 알 턱이 없지. 내 이 무명 두 필 때문에 육도삼략*에 있는 재간을 다 부렸지.」

「흥, 내가 그걸 모르겠나. 필경 여염집에 월장을 해서 화적질을 한 거지. 어느 오줄없는 놈이 네놈에게 상목 두 필을 공으로 주겠나.」

「나귀에 길마 얹기도 손방인 내가 화적질을 해? 아니, 그렇다면 내가 적굴놈들과 동사한다는 수작이여? 이놈 이제 보아하니 우격다짐으로 생사람을 잡겠다는 거 아닌가?」

「그게 화적질한 물화가 아니라면 이 밤중에 잠깐 품을 샀다 하여 상목 두 필을 선뜻 내어 줄 놈이 하동 포구엔 있다는 거야?」

최돌이는 상두받잇집 과부와 수작하던 이야기가 목구멍에서 삐죽삐죽 기어 나오는 것을 가까스로 참았다. 만약 그 일을 토설하였다가는 분명 월이의 귀에 들어갈 터이며 그 경난을 또한 예측하기 어려웠기 때문이다. 또한 석가놈도 이 일을 빌미 삼아 무슨 방망이를

---

*육도삼략 : 중국 병서의 고전인 《육도(六韜)》와 상략·중략·하략으로 된 황석공(黃石公)의 《삼략(三略)》을 아울러 이르는 말.

들이댈지 알 수 없는 노릇, 적당히 꾸며 대어 경난에서 벗어나는 길 밖엔 딴 도리가 없게 되었다.

「우리 사이에 무슨 휘할 말이 있다고 그러나? 서로가 호구(糊口) 하자고 하는 짓이란 걸 난들 모르겠나. 그러나 아무리 사세 급하기로서니 사대육신이 멀쩡한 자가 여염집에 들어 화적질을 하다니?」

「이 까치 뱃바닥 같은 놈이 종시 사람을 화적으로 몰아붙이네그려? 내 체수에 사오 장이나 되는 축담을 수월히 넘을 것 같은가? 개를 쫓아도 구멍을 두고 쫓으라 했어.」

「이 목자야, 그러다가 형방으로 끌려가서 가새주리*라도 틀리고 나면 평생 하초를 못 쓰게 된다네.」

「이끼, 이 화적 같은 놈.」

바르르 떨던 최가가 한 손을 허공으로 들어 석가의 귀쌈을 보기 좋게 한 대 갈기었다.

5

심란했던 김에 횟술을 먹으러 나갔던 천봉삼과 선돌이는 도선목 근처의 휘장 친 술국집을 기웃거리다가 배추 겉절이와 마늘장아찌를 안주하여 목을 축이는 중에 마침 동저고리 바람에 옹구바지 입은 주상단(舟商團) 사람으로부터 전주 쪽에서 내려온 상단이 묵고 있는 숫막이 있다는 소문을 들었다. 전주에서 왔다면 혹시나 강경포 파시를 거쳐서 내려온 외방 돌림들일 테니 재수만 좋다면 조성준의 소식을 들을 수도 있겠거니 하였다.

---

*가새주리 : 지난날, 죄인을 다루던 형벌의 한 가지. 두 다리를 동여매고 정강이 사이에 두 개의 주릿대를 꿰어, 가위다리처럼 벌려 가며 잡아 젖히던 형벌.

겨냥했던 숫막 앞에 당도하니 외방 장꾼들 전대들을 노려 꾀어든 설레꾼 몇이 삽짝 밖에 서성거리다가 아랫도리가 껑충한 두 사람이 들어서자 곁눈질을 하며 길을 비키었다. 삽짝 앞에서 선통을 넣었더니 한저녁을 나르고 있던 중노미 녀석이 쭈르르 달려 나왔다.

「어디서 오신 동무들이시오?」

「요 위 여각에 묵고 있는 도부꾼들일세만, 이 숫막에 전주에서 내려온 동무들이 들었다기에 찾아왔네.」

　떠꺼머리 주제에 이쪽의 하대엔 배알이 뒤틀렸던지 녀석은 대답 없이 주걱턱을 들어 봉노 하나를 가리키었다.

「실례하오. 이 봉노에 전주에서 온 동무님들이 들었습니까?」

　지게문이 열리지 않은 채 봉노 안에서 금방 퉁명스러운 대답이 건너왔다.

「거 뉘시오?」

「시생들도 동무요.」

　그제야 지게문이 열리면서 구레나룻 수염이 텁수룩한 사내가 고개를 내밀었다. 얼핏 방 안에 어긋지게 누운 사내들이 일고여덟 명은 되어 보였다.

「혹시 강경포 파시는 거쳐 오지 않으셨소?」

　잠시 우물쭈물하는 사이에 하관이 가파른 사내가 반몸을 일으키며,

「알기는 오뉴월 똥파릴세. 우리가 그쪽에서 왔소이다.」

「잠깐 들어가도 될까요?」

「소간사가 있거든 얼른 들어오슈, 봉노 바닥 다 식겠수.」

　그들이 방 안으로 들어가자 더러는 일어나 앉기도 하였고 털북숭이 사내만 두 사람과 인사수작들을 나누었다. 봉삼이 먼저 운을 떼었다.

「강경포 도고상인 김학준이란 사람의 소식을 들으셨습니까?」

「남원에서 얼핏 들은 것 같소이다.」

상단 행수로 보이는 털북숭이 사내는 겉으로는 한눈을 파는 체하였으나 두 사람을 매섭게 관찰하고 있었다.

「살인한 죄인은 잡혔다 합디까?」

「아직 그런 소문은 못 들었소만, 그 죄인이 장돌림이란 소문은 들었소.」

그렇게 대답을 하고 있는 상단 행수는 풀어놓았던 행전을 끌어당겨 치고 윗대님까지 매었다. 그러고는 하던 말 중동무이하고는 짐짓 딴청을 부리며,

「한저녁을 허겁지겁 먹었더니 술 생각이 나는걸. 우리 이러지 말고 맞춤한 숫막에라도 찾아갑시다.」

가만히 쳐다보매 행수란 사람의 눈치가 예사롭지 않았다. 뭔가 짚이는 구석이 없지도 않아 두 사람은 행수를 따라 숫막을 나섰다. 다시 도선목 쪽으로 되짚어 내려가서 그중 한가해 보이는 숫막을 찾아 들어갔다.

썰렁한 술청을 지키고 앉았던 주모가 세 사람이 들어서자 손을 들어 허공을 헤집으며 간릉을 떠는데,

「에구, 새벽달 보자고 초저녁부터 기다린다더니 오늘은 공치는 줄 알았죠.」

「술청이 초상난 집처럼 썰렁하오.」

목로판을 잽싸게 훔치던 주모가 뒤도 안 돌아보며,

「유월에 삼남에 흉년이 들고부턴 일 년 내내 이렇다오. 그래도 관선(官船)이라도 선창에 닿으면 한참은 흥청거린다오.」

「주상들이야 쏨쏨이가 호탕하고 관선놈들이야 세곡을 팔아서 술을 사니까.」

주모는 그 말에는 쓰다 달단 말이 없이,

「알이 통통한 비웃*이나 구워 올릴까요?」

「술국이 인심이 좋아 뵈서 들어왔더니 꽤 수선을 떠네그려. 겨로 배를 채우는 형편에 비웃 즐기다간 치패(致敗)*하기 십상이오.」

주모가 금방 샐쭉해지며,

「그럼 안주는 뭘로 할까요?」

「값 눅은 걸로 내놓으시고 덧거리도 좀 내놓으시오.」

주모가 말없이 술 한 방구리와 푸새김치 안주 사발을 목판에다 날랐다. 그럴 때까지 털북숭이 행수는 한마디 말이 없었다. 술이 한 순배나 돌고 나자,

「동무들이 송파 사는 쇠살쭈 조성준이란 사람을 찾고 있는 거지요?」

두 사람은 가슴이 뜨끔하였다. 얼른 대꾸를 못하고 있자,

「걱정 말고 대답하시오. 그 동무를 징치하라는 통문이 돌고 있다는 것을 알고 있소. 그러나 동무들이 그와 연비 간이라 하더라도 임방 객주에 고자질하진 않으리다. 시생이 동무들을 여기까지 끌고 나온 것은 동무들의 본색을 우리 행중에서 눈치 채지나 않을까 해서였소. 그러니 내게 의심 두지 말고 속내를 밝히시오.」

선돌이가 먼저 물었다.

「그 먼저, 왜 우릴 임방에 발고치 않으리라고 작정하게 되었소?」

「그건 간단하오. 강경 인근 외방을 돌고 있는 선길장수들치고 김학준의 침학(侵虐)과 농간에 녹아나지 않은 사람이 없소. 그 위인이 된급살을 맞아 식은 방귀를 뀌었다는 소문이 저자에 퍼진 이후 시생이 만났던 선길장수들치고 기뻐하지 않은 자가 없었소. 도고(都賈)는 물론이요, 지체를 빙자하여 계방(契房)*을 차리고, 동저

---

*비웃 : 청어.
*치패 : 살림이 아주 결딴남.

고리 바람들인 도부꾼의 물화를 시세를 불문하고 빼앗다시피 염매(廉賣)시켰다 하오. 약차하면 사람을 사사로이 장방에 가두는 작폐를 저질렀다는 거요. 그러하니 조 동무님이 설혹 살인을 했다 한들 평소 김학준과 화객 간인 여각·객주의 전주인들이야 눈이 시뻘게서 추쇄할 터이지만 우리들이야 그럴 수가 없지 않소?」

그제야 봉삼은 목판에 놓던 입잔을 들어 목을 축였다.

「조 행수로 말하면 겨울 전에 시생과 동패였다가 예기치 못한 경난으로 헤어진 터요.」

「조 동무님도 그렇게 말하더군요. 더군다나 조 동무는 쇠살쭈였다 하더군요. 우리도 소몰이꾼들이오. 구례·하동의 소들을 강경까지 몰아 줍니다.」

「그러고 보니 우릴 먼저 알고 있었군요?」

「전주 인근에서 만났소. 하룻밤을 같은 봉노에서 지냈소. 천봉삼이란 사람을 만나면 소식을 전해 달라는 부탁을 받았소.」

「행수님, 고맙소이다.」

「고마울 거 없소. 사해가 형제지간이라 하지 않았소.」

「그럼 행수 어른께선 무엇을 전하랍디까?」

「삼개 염전머리가 아니면 송파 장터에서 만나잡디다. 일행이 셋이 되었는데 그때가 김학준을 참살한 연후였는지, 아니면 그전이었는지는 알 길이 없소.」

「시생과 헤어질 땐 단신이었소.」

「가외는 모르는 사람이겠군. 하기야 한 사람은 바로 그 봉노에서 행중에 끼였소만.」

「신수는 어떻고 행탁은 어떠합디까?」

---

*계방: 조선 후기에, 백성들이 군역·잡역 따위를 덜거나 불법 행위를 묵인받기 위하여 구실아치에게 뇌물을 주던 일.

「말은 안 했지만 겨우 호구나 하는 형용입디다. 장삿일에 매양 매달릴 처지가 아닌 것 같았소. 뭔가 사람을 쫓고 있는 형편 같아 보였소.」

「그 위인의 성명은 들었소?」

「모릅니다.」

「어쨌든 행수님을 만나서 다행입니다. 그러나 조 행수가 추쇄를 당하는 입장이니 드러내고 수소문할 것이 못 되어 낭패입니다.」

「무슨 표(標)나 패(牌)를 갖고 다니지 않는 바에야 잡히기 십상이오. 통문이란 것도 이제 와서 무단히 도부꾼을 치는 것이 되어 버렸소. 항간에 이르러 간사한 도고들이 사사로이 화응(和應)하여 통문을 내리니 그로 인하여 무참히 당하는 도부꾼들이 없지 않지요. 이는 통문의 전통을 더럽히는 것이니 환난상구하던 도부꾼들이 이제 발붙일 곳이 없게 되었소. 저자의 풍속이 날로 험악해지고 서로 의심 두고 모리를 취하니 참으로 좋지 못한 징조가 아닌가 하오.」

「시생들도 그렇게 생각하고 있습니다. 시생과 동사하던 조 행수 역시 사사로운 원혐을 가졌던 것은 분명하나 사람을 참살하리만치 표한한 성품은 아니었기에, 여기엔 반드시 어떤 계략이 숨어 있는 듯합니다. 계배(計杯)*는 시생이 대지요.」

「그러지 말고 십시일반 서로 추렴들 합시다.」

「아닙니다. 그런 인정이 어디 있습니까.」

소몰이 상단 행수와 헤어져 여각으로 돌아오는 봉삼의 심기는 자못 착잡하였다.

봉노로 돌아와 보니 석가와 월이만 봉노 한복판에 동그마니 앉아 있었다. 삼경이 가까운 판에 최가가 보이지 않으니 선돌이가 물었다.

---

*계배 : 술잔을 세어 술값을 계산함.

「성님은 어딜 갔소?」

두 사람이 서로 약조나 한 듯이 대답들이 없었다.

「술추렴인가…… 원, 그렇더라도 삼경이 넘으면 돌아오긴 해야지. 그러나 나가서 수소문이라도 해보아야지 천장 갈비만 세고 앉았으면 어떡하우?」

그제야 고개를 떨구고 앉았던 월이가 발끈 결기를 긁어 올리며,

「그만두십시오. 두 발 가진 짐승이니깐 제출물로 찾아오겠지요.」

어디 투전판에나 끼어들어 공술을 얻어 마시거나 숫막의 막창이나 기웃거리겠거니 하여 네 사람은 자리를 잡고 제각기 목침을 당겨 누워 버렸다. 그러나 이튿날 날이 뿌옇게 샐 참까지도 최돌이는 돌아오지 않았다. 중화참을 넘기고 어둑발이 들 때까지도 최돌이는 코빼기도 보이지 않았기에 네 사람은 포구를 뒤지며 종적을 찾아 나섰다. 그러나 이튿날에도 최가의 행적은 묘연하였다.

그들이 종시 최돌이 종적을 찾지 못하고 이틀 밤을 허송한 뒤에 하동 포구를 오르내리는 주상들 입에서부터 도부꾼 차림의 사내 하나가 포구 갈밭에서 무참히 참살되었다는 소문이 낭자히 퍼졌다. 도선목 사공막에서 활 서너 바탕 상거로 갯가를 따라 내려가면 강심에까지 뻗은 질펀한 갈밭이 나왔다.

그가 종적을 감춘 지 이틀이 지난 중화참에 갈밭 앞을 지나던 주상들이 갈밭 위로 자옥이 갈까마귀 떼가 날며 짖어 대는 것을 보았다. 심상하게 지나칠 일이 아니라는 조짐이 든 주상들이 뱃길을 돌려 갈밭께로 갖다 대었더니, 갈까마귀 떼들이 앞다투어 허공으로 날아오르는 갈밭 웅덩이 사이로 희끄무레한 것이 보였다. 누비배자 껴입은 위에 난데없이 북덕무명 두 필을 베고 누운 사체는 이미 숨이 끊어진 지 오래였다. 형용이 도부꾼임은 분명한데 행색으로 보아 끼니를 잇지 못하고 굶어 죽은 입장은 아니었다. 뒷덜미가 돌로 찍

힌 흔적이 역력했기 때문이다. 전고에 없었던 변괴에 심히 놀란 주상들이 거적 한 장을 얼른 덮고는 배를 몰아 하동 관아에 통기하였다. 하릴없던 이방(吏房)이 그래도 작청(作廳)의 어른값을 하느라고 나졸들을 영솔하여 득달같이 현장으로 달려갔다. 나졸을 시켜 거적을 들치고 수형리(首刑吏)를 불러 대어 타살인가 아닌가 아퀴를 지으라고 공연히 소매를 떨치고 목자를 부라리며 방자히 굴었다. 살옥검시(殺獄檢屍)에는 이골이 난 수형리가 시신을 이리저리 살피더니 타살이 틀림없다는 결정을 내리었다. 그러나 호패를 차지도 않았으니 망자의 신분이나 거처를 알 길이 없었고 목에 베고 있는 무명필의 소종래도 알 길이 없었다. 무명을 벗겨 내어 자세히 살펴본즉 승새로 보아 장내기로 짠 것은 아니었고 가용에 쓸 요량으로 올을 꼭꼭 박아 짠 것이었다. 이는 본곳 토산 무명이 분명하였다. 이방은 살옥발미(殺獄跋尾)*에 타살이 분명하다고 이문(移文) 작성하여 감영으로 띄우기로 작정하고 각 동소임과 양민의 장정들을 불러내어 각처 병문을 지키게 하였다. 연이어 나졸들은 가가호호 집뒤짐을 하라고 호령하였다. 우선은 그 무명필 임자부터 찾아내는 것이 살인한 놈을 포착하는 단서가 될 것이었기 때문이다. 나졸들은 홰를 쳐들고 밤새워 포구를 뒤지고 다녔다. 일변으로는 동리의 늙은이들을 불러내어 무명 짠 솜씨가 뉘 집인가를 추달하였다. 이는 나이 먹은 늙은이들이란 동리의 젊은 아낙네들의 길쌈 솜씨를 눈여겨보는 버릇이 있었기 때문이다.

거기에 지목된 여자가 상두받잇집 과수였다. 나졸 두 놈이 새벽녘에야 혼자 집을 지키고 있던 과수 집에 들이닥쳤다. 포승을 꼬나들고 어깻바람을 일으키며 삽짝을 짓밟고 들어선 나졸들은 안방에서 새우잠을 자고 있던 맨저고리 바람의 과수에게 불문곡직하고 오라

---

*살옥발미 : 살인 사건에 대하여 시체를 검사하던 관원이 검안(檢案)에 기록하던 의견.

를 지웠다.

궐녀가 모르쇠로 포달을 떨고 핵변이 낭자하였으나 나졸들은 되레 관령을 거역한다 하여 버티는 궐녀를 맨땅에 잡아 꿇리었다. 궐녀를 관아로 끌고 오긴 하였으나 혐의도 없이 결곤을 하기는 뭣하다 하여 형장 제구만은 갖추지 않은 채 잡아 꿇리고 이방이 구초를 받기로 하였다. 영문을 모르고 잡혀간 궐녀가 초장부터 육신을 떠니 이방은 탱중하여* 몇 각을 노리다가 옆에 놓인 무명필을 냉큼 집어 들었다.

「이 피륙이 네 집 소산이 분명하렷다?」

계집이 가까스로 고개를 들어 보니 분명 자기 솜씨였다. 살옥 동티에 무명필이 연유하였다는 소문을 궐녀도 듣고 있었던 처지라 얼른 대답을 못하고 주저하는데, 가잠나룻*이 듬성듬성한 이방은 소매를 떨치며 으르딱딱거렸다.

「네 솜씨가 분명하렷다.」

「예.」

궐녀가 겨우 대답하였다.

「이것을 장에 내다 팔았느냐, 아니면 이웃에 양식과 환매(換賣)하였느냐?」

「곡식과 바꾼 일은 없습니다요.」

「물볼기 치기 전에 바른대로 발고해야지 언감생심 변백으로 나를 속이려 하였다간 모진 닭달에 네 목숨이 살아남지 못할 것인즉, 내가 묻는 말에 곧이곧대로 대답커라.」

「이 일로 앙화를 입는다 한들 어느 존전이라고 쉰네가 기망(欺罔)* 하겠습니까요.」

---

*탱중하다 : 화나 욕심 따위가 가슴속에 가득 차 있다.
*가잠나룻 : 짧고 성기게 난 구레나룻.
*기망 : 남을 그럴듯하게 속임.

「네가 바른대로만 대면 그것으로 핵변함이 될 터인즉 일호의 어김이 있어선 안 된다. 이 피륙을 양식과 바꾸지 않았다면 장에다 내다 팔았다는 거냐?」

「예.」

「그게 언제냐?」

「대엿새 전입니다요.」

「네 이년, 일순도 안 되는 날짜를 두고 그토록 분간을 못해 대엿새 전이라 하느냐? 아주 아퀴를 짓거라. 닷새 전이냐, 엿새 전이냐?」

「예, 분명 닷새 전입니다요.」

「분명하렷다?」

「예.」

「그렇다면 이 피륙을 장터거리로 가지고 나갔다는 얘긴데, 그때 증거할 사람이 있느냐?」

「아침나절이라 본 사람이 없습니다요.」

「드팀전 장주릅이나 동패하는 도부꾼도 옆에 없었다는 거냐?」

「워낙 이른 아침이었는 데다가 때마침 그 도부꾼이 고샅을 지키고 섰다가 제 무명필을 보고는 먼저 수작을 건네 왔습지요.」

「노면(露面)을 하면 내외(內外)가 아니지 않느냐?」

「명찰(明察)하십시오. 망부의 초종을 치른 지 팔 년째가 되어 궁박한 가계를 제 혼자서 꾸려 나가다 보니 저자 출입을 피할 재간이 없습니다.」

「네년의 살결이 옥설 같고 눈동자가 새까맣고 살신이 포르족족한 걸 보니 아주 도화살이 끼었는데 그러느냐?」

「정문(旌門)이 내리길 바란 적도 없으나 훼절한 적도 없습니다. 지분(脂粉)*을 다스리지 못한 지가 팔 년째이온데 어찌 외간 사내를 집 안으로 불러들이겠습니까요.」

「네 정절이 굳다는 건 알겠다. 그렇다면 그자에게 몇 필의 무명을 팔았느냐?」

「두 필이옵니다.」

「몇 냥을 받았느냐?」

「금새대로 받았습지요.」

「몇 냥을 받았느냐고 하지 않았느냐?」

「나락 반 섬 값을 받았습니다.」

「그걸 어디다 썼느냐?」

「집에 두었습죠.」

「네 이년, 장내기도 아닌 무명필을 새벽바람으로 저자에 내다 팔았을 적엔 가게에 그만치 다급한 연유가 있었을 것인즉, 가전(價錢)*을 한 파수가 지난 지금까지도 집에다 둬?」

이방이 앉은자리에서 굽은 떼지 않았으되 결기만은 예사롭지 않았다.

「그렇다면 그 도부꾼이 가전을 건넨 다음 어디로 가더냐?」

「도선목 선착장 어름으로 내려가는 것 같았습니다.」

「그것이 그 도부꾼과는 마지막이었더냐, 아니면 다시 만났더냐?」

「그럼입죠. 상부한 계집이 무엇을 바라 난뎃사람 뒤를 바라볼 것이며 다시 보기를 언약하겠습니까요.」

「너 도선목 갈밭 수향(水鄕)* 속에서 난뎃사람 하나가 척살되었다는 소문을 들었느냐?」

「예, 소문뿐이겠습니까. 그 사단으로 제가 문초를 당하고 있는 것이 아니옵니까.」

---

*지분 : 연지와 백분(白粉)을 아울러 이르는 말.

*가전 : 값. 대금.

*수향 : 못이나 하천의 아름다운 지역.

「척살이 된 도부꾼이 네 솜씨로 짠 무명필을 베고 있었다.」

「그 사람이 쇤네에게서 산 무명필을 지니고 있었다 하여 무고히 오라를 지우시니 이는 법에 없는 일로 장차 쇤네의 혐의가 풀리어 놓아진다 하더라도 고개를 들고 살 수 없게 되었으니 장차의 일을 어찌하면 좋습니까?」

「고년 당찬 계집이로고. 네 정녕 그 위인을 죽이지 않았다는 거냐? 내가 보기엔 이건 분명한 모살(謀殺)인데두?」

그제야 퀄녀는 화들짝 놀라 이방을 흡떠 보며,

「백성은 사세 위급한 터에 나으리께선 희언을 하시는군요. 쇤네가 그자와 전사에 원혐을 둔 처지도 아니요, 또한 무명필 역시 화매를 한 터수에 그자를 쳐죽일 까닭이 없습니다. 그자는 키가 껑충하고 드센 사내요 저는 일개 아녀자가 아닙니까. 쇤네가 설혹 살의를 품었다 한들 여력이 모자라 일을 도모치 못했을 게 분명하지 않습니까?」

이방이 적이 고개를 끄덕이면서 잡아 꿇린 퀄녀를 한참이나 굽어보았다. 그러다간 곁에 선 나졸에게 이르기를,

「요 박살할 년, 안 되겠다. 저년을 닦달해야지 허술히 다루었다간 큰코다치겠다. 저년을 끌어내어 물볼기를 되우 쳐라.」

하였다간 잠깐 손을 들어 나장이들을 물리친 후에,

「고얀 년, 네년이 곧이곧대로 발고를 하면 물볼기만은 내치려 하였다. 그 도부꾼은 닷새 전이 아니라 사흘 전에 진주에서 하동에 당도한 사람이니라. 네년의 말대로라면 그 도부꾼은 엿새 전에 하동에 당도했어야 한다는 수작이 아니냐? 더군다나 그 척살된 도부꾼이 사흘 전 밤에 네 집에서 피륙을 훔쳐 도망하는 것을 동소임이 목도했다지 않느냐. 또한 네 입으로는 그 무명을 저자에 내었다 한다만 본래 장내기로 짠 것이 아닐진대 도둑맞은 것이 분명하

고 네 또한 당찬 계집으로 알짬을 뽑아 간 도적이 무사타첩되도록
둘 리가 만무하다. 네년이 그자의 뒤를 쫓던 중 사세 위급한 경우
를 당하여 욱한 김에 돌을 들어 척살하지 않았느냐. 그자가 숨을
거두자 네년은 허겁지겁 집으로 돌아간 게 분명하다. 네가 결백한
입장이라면 사흘 전 사람을 닷새 전이라고 거짓 발고할 까닭이 없
고 또한 밤을 사위어 길쌈한 무명을 도둑질한 화적을 소리 한 번
치지 않고 보낼 이치가 아니지 않느냐? 여자 혼자 사는 집에 사내
가 범방을 하였다는 소문이 이웃의 입초에 오를까 무서워 그자를
은밀히 뒤쫓다가 척살을 시킨 게 분명하다. 이년, 네가 뉘 앞에서
감히 거짓이냐? 나라님의 녹봉(祿俸)을 먹고 사는 관아 사람을 허
술히 보았다는 것만으로도 너는 물볼기 맞아 마땅하다.」
　궐녀의 눈발이 자못 날카로웠으되 이방의 으름장엔 입을 다물고
말았다. 참살당한 도부꾼과는 전후사 이만저만하다고 변백을 늘어
놓기에는 이미 때가 늦어 버렸다는 것을 깨달았기 때문이다. 상부한
지 8년이 되는 동안 훼절한 일이 없다고 스스로 오금을 박았고 도부
꾼과도 밝은 날 새벽참에 병문에서 만났다고 발명을 해둔 지금에 와
서 포주인과 사통한 일이며 도부꾼과의 일을 곧이곧대로 늘어놓았
다간 간사한 이방놈이 또 무슨 간계로 사람에게 올가미를 씌울지 예
측하기 어려웠기 때문이다. 그러나 꿇어앉아 듣건대, 매양 이대로 있
다간 영락없이 살인자로 몰릴 판국이라 마음속은 조비비듯 하는데
옳다구나 싶었던 이방은 겨를을 주지 않고 옥죄고 들었다.
　「대저 살인이라는 것도 그 도모하는 자가 따로 없느니라. 경향의
양민이나 상인배들의 목숨을 날리고 재물을 탈취하는 명화적(明火
賊)이란 것들도 당초엔 네년과 같은 향곡의 양민이었거나 천출의
노비들이었다가 잠시 심기를 잘못 두어 사람을 죽이거나 해코지
를 하다 보니 그 업보에서 헤어날 길을 찾지 못하는 것뿐이다. 너

또한 그러한 것인즉 관아에서 취박하지 않았더라면 집을 나가 적굴놈들과 동사하는 길만이 잠시라도 연명할 방도라고 생각지 않았겠느냐. 그게 인지상정이란 거다. 너도 손톱을 써는 듯한 궁박한 가계에 상목 두 필을 빼앗기고 나니 눈이 뒤집히게 마련이었던 거지. 한 가지 애석한 일은 네가 아녀자의 몸이란 거다. 그러나 이는 본성이 당초부터 여귀에 덮어쓴 바가 되어 처음엔 너의 서방을 잡아먹고 그 한을 채우지 못해 저자로 나가 도부꾼을 또한 참살하고 말았으니 네년을 다시 세상에 내어 놓았다간 또 어떤 변괴를 낭자히 저지를지 알 수 없으니, 차후로는 세상 구경을 할 요량은 고쳐먹거라. 그것이 바로 너를 구하는 길이니라. 내 직임을 걸고 너를 구하려 한들 팔자부터 잘못된 계집이니 다른 방도가 있을 수 없게 되었다.」

이방이 퀄녀를 짓이기는 데 도통 기탄함이 없으면서도 자못 동정 어린 시선으로 퀄녀를 내려다보는데,

「쇤네는 결단코 작죄한 일이 없습니다. 쇤네가 팔자 기박하여 돌림병으로 서방님을 불각시에 잃은 적은 있사오나 사람을 무단히 참살한 일은 없습니다.」

「대저 술 취한 놈이 술 먹었단 말을 하는 적이 없고 도적질한 놈이 양상군자로 자처하는 법이 없었느니라. 하물며 사람을 죽인 자가 무슨 반죽으로 살인을 자처하겠느냐. 네 흉중이 또한 그러하다는 걸 작청의 어른인 내가 모르겠느냐.」

이방이란 놈이 오금 박는 품이 어찌 보면 객소리에 농지거리 같기도 하였지만 언중유골인 것만은 틀림이 없었으니 이대로 갔다간 톡톡히 봉욕을 당할 것 같았다. 퀄녀는 코를 땅에다 끌며 모르쇠로 버티었다.

「원하옵건대, 어서 쇤네의 누명을 벗겨 주십시오. 제 소행이 아니

72

란 것쯤은 안전께서도 짐작하시지 않으십니까.」

마뜩찮은 기색으로 적이 내려다보기만 하던 이방이 그 말 한마디에 오금을 발딱 일으켜 세우며,

「이년, 누명이라니? 그럼 내가 지금 네년을 무고로 추심을 한다는 거냐? 네년이 정녕 무관하다면 그 도부꾼을 참살한 위인이 누구란 걸 득달같이 대거라.」

「쇤네가 살인한 자를 알고 있다면 왜 이런 곡경을 겪고만 있겠습니까요.」

「네 이년, 바로 그것이다. 네년이 그 도부꾼을 참살한 자를 발고치 못하면서 어찌해서 네년이 무고라고 주장하느냐? 네가 사람을 죽였다는 증거는 있으되 죽이지 않았다는 증거는 오직 네 변명뿐이지 않느냐? 네년이 욕을 당한다 하여 다시 무고한 백성을 잡아들여 결곤을 한다면 이는 관아라는 게 있으나마나요, 증거라는 게 있어 무엇 하느냐. 네년의 정곡을 헤아리지 못하는 바는 아니다마는 그렇다 하여 무고한 사람들을 끌어들인다는 건 물귀신이 아니고서야 할 짓이 아니지 않느냐.」

물귀신이라면 바로 이방놈일 것이었다. 이대로 초사를 받다 보면 늪에 빠진 형용으로 점점 더 빨려 들 조짐만 보이었다. 섣불리 말대답조차 할 수 없게 되었으니 이는 무단히 앙화를 입은 것이 분명하다는 것을 깨달은 궐녀는 땅이 꺼질 듯이 한숨을 내쉬었다. 이제 궐녀는 마지막 남은 한마디를 뱉어 낼 수밖엔 딴 방도가 없었다.

「쇤네가 무고하다는 것을 증거해 줄 사람이 있습니다.」

「그래? 섣불리 덧들였다간 또한 낭패를 본다는 것을 잊지 마라. 그렇다면 그 위인이 누구냐?」

「아래 여각의 포주인 되시는 분입지요.」

「아래 여각의 포주인이라? 박치구(朴致久)란 위인 말이냐?」

「그러하옵니다.」

「네 일찍이 그 위인과 과갈 간이었더냐?」

「그것은 그분에게서 알아보시면 알게 될 터입니다.」

「네 어찌해서 그 위인의 성명 삼 자를 겁도 없이 들먹이느냐? 그 자가 살옥 동티에 방조를 했다는 거냐, 아니면 타살한 죄인을 박가 란 위인이 알고 있다는 거냐?」

「쇤네가 무고하다는 것을 알고 계시는 분이기에 감히 입설에 올렸 던 것입니다요.」

이방이 고개를 삐딱하게 꼬고는 잠시 생각에 잠기는 듯하더니,

「이년, 공연히 불측한 일을 꾸며 관아를 욕뵈려 하였다간 살아남 지 못하리라?」

「제가 어느 존전이라고 일을 꾸미겠습니까.」

이방은 추심을 뒤로 미루기로 하고 우선 궐녀를 토옥에다 하옥시 키었다. 이방 역시 당초부터 기연가미연가하였다. 도부꾼이 타살된 것임은 분명하나 그가 가졌던 무명필이 궐녀의 소유였다 하여 죄를 덮어씌운다는 건 억지가 없지 않았다. 그러나 달리 혐의 가진 자를 포착하지 못하였으니 일단은 궐녀라도 닦달하고 봐야 작청의 체통 이 서지 않겠는가. 그러한즉 처음부터 아주 아퀴를 짓자고 달려든 일이 아니었는데도 궐녀의 대꾸가 가리산지리산이었고 종내엔 여각 의 포주인까지 들먹이었으니 오리무중이라 한들 어딘가 맹랑한 구 석이 없지 않다는 생각이 든 것이었다.

이방은 사또에게 살옥 동티의 전말을 모르는 것도 알거냥하여* 적 당히 꾸며 대고 난 뒤 어둑발이 내리는 길로 퇴청하였다. 방자를 놓 아 아래 여각의 포주인 박치구를 자기 집으로 불러들였다. 향곡의

---

*알거냥하다 : 아는 척하다.

작청에 빌붙어 지내는 아전의 지체라 한들 그 행사와 쓰임새가 또한 막중한지라 선통을 놓은 즉시 박치구가 득달같이 달려왔다.

반상의 구별이 엄연하고 지체가 달라 그 도모하는 바가 서로 다르다 할지라도 쓰임새에 있어선 상호 부조의 관계에 있었으니 예의를 외면할 수 없는 처지였다. 그것이 손 안에 드는 한 줌의 흙에 비견할 것으로되 이방은 아전의 권세를 건사하고 있는 처지요, 박치구는 상인배이긴 하되 이방으로선 함부로 넘볼 수 없는 외방의 상권을 쥐고 있는 위인이었다. 이방은 기명이 정결한 다담상을 들이게 한 다음 술이 서너 순배 돌기까지 뜸을 들인 연후에 은근히 부리를 헐었다.

「혹시 선창 어름에 있었던 살옥 동티를 아시오?」

이방이 난데없이 자기를 불러들인 곡절을 몰라 종내 좌불안석이던 포주인이 그 말을 냉큼 받아넘기었다.

「알다마다요. 참살을 당한 자가 저의 여각에서 묵새기던 도붓쟁이였는뎁쇼. 듣자옵건데 한 과수댁이 혐의를 받고 시방 추심 중에 있다는 소문을 들었소이다만?」

이방이 눈자위를 가늘게 뜨고는 짐짓 딴청을 부리는 시늉으로,

「혐의를 받고 있다고 하나 아직은 구초를 더 받아 보아야 알겠소.」

「그 여편네가 그 도붓쟁이를 참살시켜야 할 곡절이라도 있었답니까?」

「살옥이라는 것이 어디 꼭 연유가 있어서 한답니까? 잠시 심기가 뒤틀리면 그리 되는 것이지요. 확증이 잡히는 대로 장계를 꾸며 곧장 감영으로 이송을 할 작정입니다만…… 그런데 그 여자에게서 구초를 받는 중에 은근히 자기를 구명할 사람이 있다는 눈치를 보이더란 말이오.」

「아무리 상것들이라 한들 제 나름대로 연비가 있을 법하고 일가붙이가 없을 수가 있겠습니까.」

「혹시 그 여자와 연비 간이 아니시오?」

「이크, 그런 말씀 농으로라도 마십시오. 안전께서도 알고 계시다시피 저의 집안이 누대에 걸쳐 포구에다 여각을 열고 장사치들을 상대하여 겨우 가계의 치패나 면하고 있습니다만 일찍이 그런 망종들과는 상종한 일이 없다는 것을 안전께서도 알고 계시지 않으십니까?」

「괜히 엄살을 떠시는구려.」

「엄살이라니요? 제가 엄살을 떨 연유가 없지 않습니까?」

「그 죄인이 사또에게서 초사를 받는 중에 낱낱이 발고한 일이 있습니다. 내가 까닭 없이 밤중에 지목하여 사람을 부를 리가 없지 않습니까? 아시다시피 우리 안전께서도 도임하신 지가 일천한 터라 아직 작청에 별반 공사가 없었던 터수에 일어난 살옥 동티라 이번 일로 하여 감영에다 본때를 보이고 낯을 내려 하고 있소. 도임 후의 첫 공사라면 사를 두지 않고 엄히 다스린다는 건 일껏 보아 온 일이 아닙니까? 그러한 지경에 여기에 연좌된 꼬투리만 보여도 반상을 막론하고 잡아들일 것은 뻔한 이치가 아니겠소?」

포주인 역시 호락호락한 위인이랄 수는 없었다. 그는 짐짓 의뭉을 떨며,

「그야, 그럴 법한 일이군요.」

「그 여편네가 박치구란 사람에게 은밀히 통기를 하면 자기를 구명할 것이라고 불어 버렸습니다그려. 이는 물에 빠진 사람이 지푸라기라도 잡는다는 심사로 한 짓이겠으나 그 계집이 이미 뱉어 놓은 말을 안전께서 들었다면 귀를 씻어 그 말을 후벼 낼 재간이 없지 않소?」

「그 과수가 무슨 억하심정으로 나를 찍어 죄안(罪案)을 날조하여 모함하려는 것인지 당장 알 길이 없으되 이번 살옥 동티와 시생은

전혀 무관입니다.」

도리머리를 흔들어 대는 박치구의 형용을 영 마뜩찮은 얼굴로 바라보고 앉았던 이방은 혀를 끌끌 차면서,

「그 과수댁과 사통한 일은 있으되 살옥 동티와는 무관한 형편이란 걸 난들 모르겠소? 그러나 이번 살옥이 형세로 보아 워낙 위중하고 다급하니 현청에서는 방조한 기미만 보인다 하더라도 우선은 잡아넣고 보자는 심산이 아니겠소?」

생게망게하던 박가의 울대가 그참에 가서 오르락내리락하더니,

「사또의 분부가 어떤지는 모르겠소만 무단히 양민을 치는 것이 공무의 본분이 아니란 것쯤은 존전께서도 알고 계시지 않습니까?」

포주인의 언사가 거북하매 위인이 짐짓 대답을 주저하는 눈치더니 내친김에 오갈이 들 수는 없다고 생각했던지,

「허, 안돈을 하시오. 살옥 동티에 일단 혐의를 받은 자라면 무고하다는 것도 홍살문 안에서 밝혀져야 할 것이고 방조를 했다는 것도 홍살문 안에서 밝혀져야 할 일이잖소? 엎어지나 자빠지나 낯짝에 똥칠하기는 매일반이란 거요. 그 계집이 끝까지 물고 늘어진다면 대주께선 노중에 동티가 나지 않는 한 무모한 군노들에게 잡혀 감영에까지 끌려가야 한다는 거요. 이번 살옥 동티에 연좌된 사람이라면 사또인들 함부로 백방을 할 처지가 아닙니다.」

「그렇다면 그 과수댁을 포착하였다는 이문도 감영으로 띄웠습니까?」

「허어, 이 눈치 없는 사람을 보았나? 그 과수댁을 잡아들였다는 계를 내었으면 내가 실성을 하지 않고서야 대주를 내 집으로 은밀히 부를 까닭이 없질 않소?」

「감영 이문은 언제 띄웁니까?」

「늦어도 내일 중화참까지는 파발을 띄울 조짐인가 봅니다.」

「이런 봉패가 없군요. 제가 잠시 액운에 든 것입니다.」

「관아에서 공사로 하는 일이 사사로이 박정하단 생각은 거두시고 신관이나 편히 지낼 꾀를 쓰시는 게 상책이오.」

포주인에게 술잔을 권하는 이방의 손짓이 자못 은근한데, 이제껏 외면하고 있던 포주인이 소매를 걷어 그 술잔을 받았다.

「무슨 말씀인지 알겠습니다. 저는 살인을 방조한 일도 없고 다만 그 위인을 여각에 들인 죄밖엔 없습니다. 과수댁과 사통한 일은 있습니다만 그 일로 하여 일없이 애꿎은 관재를 입을 수야 없지 않습니까.」

이방이 그제야 탈기를 하고 껄껄 웃으며,

「잘 생각하셨소. 사또도 직임을 유지하자면 진상품이 끊길 사이가 없어야 한다는 것을 알고 있지 않소?」

「내일 해전에 겸인들을 시켜 댁으로 피륙을 들이지요…… 안팎 곱사라더니 이제 제 형용이 그리 되었습니다.」

「그건 또 무슨 해괴한 말이오?」

「가근방 도부꾼들이 저의 여각에 모여들어서 초종을 치르느라 그런 난리가 없습니다. 마침 저의 집에 묵다가 일어난 살옥이라 객주로서 외면할 도리가 없습니다.」

6

포주인 박치구가 이방의 집에서 은밀히 뇌물 바칠 것을 약조하고 있는 동안 여각의 마당에는 40, 50을 헤아리는 장돌림들이 모여들었다. 살옥 죄인을 잡아들여 치죄하는 일은 관아에서 할 일이되, 보부상이 객사하면 동무들이 모여서 초종범절을 치르는 것은 그들이 지켜 온 오랜 관습이었다. 고향에 처자들이 있어 돌아오기를 기다리고 공양할 부모들이 있다 하여도, 추위에 얼어 죽고 적변을 당하여 척살당하기 일쑤이며, 또한 노자가 떨어져 구걸로 연명하다 강시 나기 일쑤이니, 한마디 유언은커녕 제 고향의 이름조차 남기지 못함이 태반이었다. 설령 죽은 자의 고향을 알고 있다 하여도 그 생시에 도모하려던 바대로 저자로 이어지는 길가의 잡초 속이나 비탈에 묻어 주는 것을 오히려 다행으로 삼았다. 시신이 노변에 그대로 널린다면 갈까마귀가 떼 지어 날아 시신을 찢어 가고 벌레가 일어 열명길에 들어서도 궁상을 면치 못하겠기에, 동무들끼리 약소한 행탁을 풀어 정성껏 시신을 거두었다. 가난한 행탁을 풀었으니 그 장례가 호화스러울 리 없었고, 상제가 따로 있을 수 없으니 모두가 상제였다. 살아 있는 그들도 역시 언젠가는 타관의 저자 길에서 차가운 땅에 시린 등을 붙이고 허공에 얼굴을 드러낸 채 한스러운 일생을 마감할 것을 생각하였다.

최돌이의 짧은 인생이 남긴 행각이란 것도 그렇게 떳떳하달 수가 없었고, 근본이 상놈이었으니 벼슬과 권세 또한 그와는 인연이 닿을 리 없었다. 반평생을 저자에서 저자로 돌며 때로는 동무님들을 모함하였고 때로는 여항의 양민을 속이어 모리를 취하기도 하였다. 때로는 두 푼의 꽃값으로 사당의 계집을 사기도 하였으며, 때로는 축담을 뛰어넘어 과수댁과 사통을 하기도 하였다. 행탁이 비어 버리면 대궁밥을 빌어 구차히 연명하였으며 백정의 소생을 보쌈질로 도망시켜 초례를 치르기도 하였다. 그러나 이제 그 초개 같은 한목숨이 이승을 하직함에 있어 그의 행리에는 저승길 주막에 들러 잠시 목을 축일 고린전 한 닢도 변변히 지닌 것이 없었다. 썰렁한 시신에 한 가닥 차가운 바람이 지나갈 뿐 그는 역시 가난한 도부꾼의 행색으로 낡아 찌그러진 패랭이 하나만을 그 못난 삶을 경영하던 이승에 남겼을 뿐이었다. 바자 치고 흙벽 올린 제 거처가 있을 수 없으니 제상을 차려

올릴 납작소반 하나도, 저승길을 밝혀 줄 밀초 한 쌍을 밝힐 촛대도, 하물며 여막(廬幕)*을 칠 한 뼘의 땅도 없었다. 망자의 영혼이 잠자지 못하면 생시에 도모하던 대로 동무님들을 따라 산과 여울의 허공에서 동행할 터요, 살아생전 그 한을 다했으면 한 줌의 흙으로 곱게 삭아 잡초를 키울 것이었다.

월이는 갈밭 수향 속에서 시신을 거두어 오는 길로 줄곧 굳은살이 박인 최돌이의 두 발을 가슴에 끌어안고 숨죽여 울었다. 오랜만에 같은 삿자리 위에 가시버시가 눕고 엎디었으되 하나는 아직도 이승이었고 하나는 저승으로 가는 사람이었다. 비명횡사한 시신은 집 안에 들이지 않는다 하여 대문으로 들어오지 못하고 여각의 담을 무너뜨린 편법으로 겨우 마당에까지 시신을 모시었으나, 이 모진 추위에도 봉노에다 시신을 모시지 못하는 것이 월이의 가슴을 더욱 찢고 들었다. 시신의 차가운 발을 잡고 궐녀는 별빛이 쏟아지는 섣달의 밤하늘에 턱을 걸고 끝없이 흐느끼었다.

보부상이 여각에 들었다가 병고에 시달리게 되면 그 구완이나 끼니 수발을 여각에서 맡아 신기를 되찾을 때까지는 무단히 내쫓지 못하였다. 그러기에 여각에 거처를 정한 보부상이 앙화에 들어 그 목숨을 잃었다 할지라도 포주인이 범절 차려 장례를 치러 줄 의무가 있었다. 만약 이를 능멸하거나 그 뒷수습에 일호의 어김이 있었다간 보부상이 작당하여 포주인을 어육으로 만들고 발길을 끊었다. 박치구도 장례를 위해 모여든 보부상을 드러내어 홀대할 수는 없었기에 여각이 번다하기 그지없어도 참는 수밖에 없었다.

마당 귀퉁이에 화톳불을 놓고 둘러앉은 패들은 하동 인근의 저자를 돌고 있는 상단의 대두(隊頭)들이었다. 구레나룻이 텁수룩하고

---

*여막 : 궤연 옆이나 무덤 가까이에 지어 상제가 거처하는 초막.

눈발이 서글서글한 사람은 봉삼의 일행에게 조성준의 소식을 전해 주었던 소몰이꾼의 행수였고, 유자코에 찌그러진 패랭이를 이마에 걸고 있는 위인은 경상우도에 건어물과 소금을 풀어먹이고 내려온 상단의 행수였다. 옹구바지 차림에 동저고리 바람으로 화톳불을 쬐면서도 곧잘 떨고 있는 위인은 옹기장수 상단의 행수 격이었고, 누비등거리에 모가지를 깊숙이 파묻고 당초부터 곰방대만 빨고 앉은 키 큰 위인은 담배장수들의 행수 격이었다. 서로가 구면인 처지도 있긴 하였지만 거개가 초면들이었다. 그들은 도부꾼이 급살을 맞았다는 소문이 나루에 퍼진 이후로 모두 노정을 고쳐 여각으로 모인 축들이었다.

그들은 범절 없는 초종이나마 그런대로 차서를 차려서 수의 명색들도 만들고 상제인 월이의 옷도 지었다. 동패이던 세 남정네에게 흰 옷 입히고 두건 씌운다고 의차(衣次) 무명과 두건감 북포(北布)도 구처하였다. 시신은 입관만 마치었다. 장지는 포구가 내려다보이는 도선목 비탈 근처에 잡아 두었다. 이제 날이 밝는 대로 산역하여 면례를 치를 작정이었다. 면례할 거리로는 상둣도가를 찾아가서 상포백지와 기직자리 한 닢, 그리고 시신을 잘 썩게 하는 칠성판을 사왔다. 애간장을 끊어 낼 듯한 젊은 여상주의 흐느낌이 화톳불 가에 번져 왔다간 다시 불길을 타고 칠흑같이 어두운 밤하늘로 날아오르니 모두들 말을 잃었다.

「거 상제는 앞으로 어떻게 작정할 것인지 물어들 보았소?」

소몰이 상단의 행수가 오랜 침묵을 깨고 맞은편의 천봉삼에게 물었다. 잠시 거북한 낯빛을 짓던 그가 대답했다.

「고향이 있고 다솔식구가 있으되, 그러나 돌아갈 수 없는 처지의 여자입니다.」

「저승 간 망자가 일점 혈육을 남기지 않아 불행 중 다행이랄 수도 있겠소만, 그러나 청상의 몸으로 어떻게 선길장수로 뜬다는 거요?」

「푸주질하는 백정의 소생으로 전도가 집에 사환비였다가 도망 나온 처지이니까요…… . 아마 속전을 벌기 전에는 돌아갈 수 없을 겁니다.」

「그런 난리가 없구려. 그러나 혼자된 몸으로 버티기가 난당일 거요. 동무님이 잘 타일러 고향으로 돌려보내지요?」

그때, 가만히 두 사람의 수작을 듣고만 앉았던 석가가 느닷없이 결기를 긁어 올리며 불쑥 내뱉었다.

「걱정들 마시오. 우리 행중에서 안면을 바꾸면 시생이 뒤를 봐줄 것이오.」

「동무님이 뒤를 봐준다 하더라도 여상단의 처지로 저자의 왈짜들 틈에서 고린전을 챙기는 건 고사하고 몸가축 하나도 온전치 못할 거요.」

소몰이 상단 행수가 때 아니게 불쑥 말머리에 끼어드는 석가에게 마뜩찮은 눈초리를 보내며 한마디 던졌던 것인데, 그것은 모두가 발설을 않고 있었지만 최돌이가 비명횡사한 까닭이 석가로부터 연유되었다고 생각했기 때문이다. 사소한 언쟁 끝에 동무를 길가에 세워 두고 혼자서 하처로 돌아와 버린 석가의 처신은 동병상련하는 행중의 의리로선 벌역을 받아 마땅하다고 생각하기 때문이었다. 그러나 형제의 우의에 어긋난 일이 있었으되 최돌이가 척살되지 않았다면 그 또한 한낱 사소한 일에 불과한 것이었다.

어쨌든 날이 밝는 대로 그들은 시신을 장사 지냈다. 곁꾼이 여럿이라 산역(山役)은 금세 끝이 났고 봉분 앞에 엎드려 앙탈을 하는 월이를 들쳐 업다시피 하여 여각으로 돌아왔다. 선돌이가 여각으로 들려는 참에 소몰이 상단의 행수가 선돌이를 불러 세웠다. 그들은 여각의 축담 아래 쭈그리고 앉았다.

「동무님, 우리 행중의 사람 하나가 포주인의 수상한 거동을 보았다는 겁니다.」

「포주인이라니요?」

「그 위인이 어젯밤 이곳 길청*에 아전 구실을 사는 놈 집에 드나들었고 우리가 면례를 치르는 동안 겸인·나귀쇠 들을 조발해선 그 아전의 집에다가 무명 서 동과 본곳 물산 건어물들을 그놈의 집으로 들였다는 겁니다. 무슨 연유인지 모르겠소?」

「그야 으레 관아에 바치는 인정이 아니겠습니까?」

「한 가지 고이얀 소문이 있소.」

「소문이라니요?」

「포주인이 그 이방놈에게 인정을 쓴 것은 살옥 동티로 오라를 지웠던 과수댁을 백방한다는 밀약 때문이란 거요.」

「그럴 리가 있습니까. 외방의 향족들이 썩어 냄새가 나고 백성의 재물을 뇌물로 챙김에 여념이 없다 한들 살옥 혐의를 받고 있는 죄인을 인정과 바꾸었다는 소문만은 듣지 못했소이다.」

「그건 옳은 소견이오. 그러고 보면 최 동무님을 척살한 위인이 그 과수댁이 아닌지도 모르지 않소? 추심을 받는 중에 그 과수댁이 살옥 동티와는 상관이 없는 것이 드러났고, 그러고 보니 궐녀와 사통한 일이 있는 포주인에게 으름장을 놓아 뇌물이나 챙기자는 간계가 선 게 아닐까요?」

등토시 속에 두 손을 찔러 넣고 소슬히 앉았던 선돌이는,

「우리가 짐작만으로 분주를 떨 게 아니라 은밀히 염탐꾼을 놓아 이방이란 놈의 거동을 탐지해 보는 게 어떻겠소?」

---

*길청 : 군아(郡衙)에서 아전이 일을 보던 곳.

「간자를 놓아 본다 한들 두 사람이 약조한 일을 어떻게 탐지하겠소?」

「오늘 늦게 진주 목사에게 가는 파발이 뜬다 하니 우리가 변복들을 하고 후미진 곳을 골라 목을 지키다가 파발 인편에 가는 보장을 빼앗아 봅시다. 수염의 불 끄듯 다급하게 대들었다간 소동만 커지고 건질 건 없게 됩니다.」

섣불리 덧들이기보다는 불측한 일을 꾸민 증거를 빌미 삼아 쇄골박살(碎骨撲殺)을 낼 꾀를 써야 뒤탈이 없을 것이란 것은 십분 옳은 소견이었다. 소몰이 상단 행수는 여각에 남아서, 곧장 하동을 뜨려는 상단들을 구슬려 하룻밤을 더 묵새기도록 잡도리하기로 하고 40, 50명 상단 중에서 완력깨나 써보이는 장한 넷을 조발하였다. 그들은 도선목 휘장 친 팥죽집에서 대강 허기를 끈 다음 두치 장터를 떠났다. 시오 리 남짓한 하동 부중을 지나서 횡천강(橫川江)을 건넜다. 횡천강을 건너면 정안성(鄭晏城)이 바로 올려다보였다. 파발이 진주 목사에게 간다면 이 길밖에 없었으므로 허탕을 칠 사단이야 생길 리 없었다. 횡포 역참에 슬쩍 방자를 놓아 해전에 파발이 뜰 것이라는 소식을 미리 알고 있었지만, 다섯 사람이 정안성 아래에 어살을 치고 기다린 지 몇 경이 흘러 일력이 다해 가는 즈음에도 파발이 닥치는 낌새는 보이지 않았다.

파발과 만났을 때 가근방에 다른 길손이 있으면 일없이 작경을 하는 무뢰배로 가장하여 역졸을 지체시킬 작정이었고 길손이 보이지 않으면 아예 명화적으로 가장할 작정이었다. 해가 거의 뉘엿뉘엿 넘어가고 산그늘이 내려 계곡에 어둑발이 내려앉을 즈음에야 산모롱 잇길 멀리로 파발이 나타났다. 다섯 사람은 패랭이와 누비등거리 같은 상단 사람 냄새가 풍기는 차림새들을 전부 벗었다. 두 사람은 종시 숨어만 있기로 하고 옹구바지에 동저고리 바람인 세 사람만 길로 나섰다. 허둥지둥 길바닥으로 내려서는데 활 한 바탕 거리로 파발이 달려오고 있었다. 길을 바싹 줄이기를 기다려 바위 뒤에 숨었던 선돌이가 불쑥 몸을 일으켜 사슬낫을 윙윙 돌리며 벼락 치는 소리로 야단을 치는데,

「이놈, 게 섰거라.」

사슬낫이 허공을 가르는 소리가 자못 위협적이자 역졸이란 놈은 엇 뜨거라 싶었던지 말갈기를 바싹 끌어당겨 파발마를 멈추었다. 그러나 역졸이란 놈도 여러 번 봉적한 경험이 있는 터수라 문득 파발마를 멈추는가 싶더니 재빨리 말머리를 돌려세워 막 되짚어 뛰려는 거조인데,

「예끼, 이놈, 어디서 야료를 부리느냐.」

뒤편 바윗등 속에서 쑥메기처럼 시커먼 한 놈이 불쑥 몸을 일으키자 역졸보다 파발마가 먼저 놀라 후딱 걸음을 멈추었다. 숨어 있던 한 사람이 나는 듯이 달려나가 우두망찰인 역졸을 길바닥에 끌어내려 엎치었다.

「그놈을 단단히 죄어라.」

두어 칸 앞에 선 선돌이가 소리쳤다. 그제야 잔망스럽게 생긴 역졸이 포달을 떨었다.

「난 가진 게 없소이다. 보시다시피 진주로 가는 횡포역 파발이오.」

결박 짓던 사내가 놈의 등줄기를 사 두지 않고 찍어 밟으며,

「이 박살할 놈, 어디다 딴청이냐. 우리가 물색 모르고 네놈을 잡아 엎치겠느냐.」

「노자 몇 푼도 지닌 게 없소이다.」

「허, 그놈, 혼찌검이 안 나서 대거리가 분주하구나. 그놈을 서캐 잡듯 뒤져서 재물 될 만한 것은 전부 꺼내어라.」

사슬낫을 꼬나 잡고 땅을 구르는 선돌이의 서슬이 퍼렜다.

선돌이가 그런 우격다짐으로 적굴 사람 흉내를 하였던 것은 역졸이 지닌 이문 따위에야 관심 있는 사람들이 아니란 것을 은연중에 내비치기 위함이었다. 뒷결박 지은 채 몸을 뒤지던 사내가 짐짓 낭패한 표정을 짓고는,

「이거 정말 아무것도 없는뎁쇼.」

「지닌 것이 없으면 그놈을 거꾸로 매달아 처먹은 것이라도 토해 내게 하거라.」

고개를 기웃거리며 다시 몸을 뒤지던 사내가 역졸의 품 안에서 봉서 하나를 꺼내 들어 보이며,

「고린전 한 푼 지닌 건 없고 이것뿐인뎁쇼.」

「그 안에 어음표라도 들었는지 아느냐? 개봉해 보아라.」

선돌이가 자못 아는 체하자, 역졸이란 놈은 입가에 묘한 웃음을 흘렸다.

「진서글로 된 그깟 보장을 보아서 뭣 하겠다는 겁니까. 댁네들이나 나나 쇠눈깔이긴 매일반이 아니오?」

「이 도륙을 낼 놈, 내가 진서글은 모른다 하되 어음표 생긴 형용이 어떻다는 건 알고 있다, 이놈. 애들아, 그 봉서를 내가 봐야겠다.」

사내에게 봉서를 넘겨받은 선돌이가 아주 심드렁한 얼굴로 한참이나 보장을 뒤적뒤적하다가 사내에게 다시 내밀면서,

「이속이란 것들이 저희들끼리 아는 말로 괴발개발 그려 놓았는가 보다. 이놈을 박살을 내려 하였으나 보아하니 다솔식구가 딸린 처지임이 분명하고 형용이 초췌하니 일없이 놓아주어라.」

두 사내가 눈이 휘둥그레져서 겁먹은 얼굴을 하고,

「아니, 이놈을 일없이 놓아준다면 교졸을 풀어 우릴 추쇄하려 들 것 아닙니까?」

「그러지 말고 내친김에 이놈을 아예 물고를 내고 말이나 잡아서

먹지요.」

「이놈아, 넌 말고기 먹다가 죽은 귀신이 씌었느냐. 축일(逐日)을 두고 말고기 타령이냐.」

「그럼 저놈이라도 잡아먹읍시다.」

「그놈 신색 보아하니 살점이 붙은 곳이라곤 볼기짝뿐인데 몸가축을 못해 구린내가 등천하게 생겼다. 초췌한 저놈을 구워 보았자 우리 열두 식구 간에 어디 기별이나 가겠느냐. 놓아주어라.」

사내가 역졸에게 다가섰다.

「이놈, 여기서 도륙을 낼까, 아니면 목숨이 살아서 나가고 싶으냐?」

「에구구, 살려만 주십시오. 제가 여기서 적굴 사람들을 만났던 사실은 능장을 맞더라도 발설하지 않으리다.」

「만약 네놈이 봉적을 하였다는 사실을 낭자히 퍼뜨리고 다녔다간 너의 다솔식구 전부가 구몰을 당할 줄 알아라.」

역졸을 놓아주고 행리를 다시 챙겨 30여 리 길을 되짚어 돌아오니 아직 늦은 저녁참이었다. 선돌이가 행수들이 모인 봉노에서 봉서를 뜯어본 일을 말하였다.

「나는 그 이문을 읽는 순간, 피가 거꾸로 솟구치는 것 같았소. 그 봉서에는 목사에게 올라가는 이문이 여럿이었는데, 그중에 이번 살옥 문서가 들어 있었소. 뜯어본즉 하동 포구에서 상인배가 적변을 당해 척살되었다는 소문은 있으나 작청에서 긴히 임검을 한 결과 실족해서 목숨을 잃은 상인배였다는 거짓 보장을 내고 있었소.」

봉노에 둘러앉은 상단 행수들의 얼굴이 그 순간 굳어지고 살기가 돌기 시작하였다.

「그놈을 끌어내어 치죄합시다.」

「아니요, 그놈의 일가붙이는 구몰을 시키고 현감이란 자를 끌어

냅시다.」

「공무를 한다는 이속들이 인명을 허술히 여기는 건 물론이요 살옥을 빙자하여 뇌물을 챙기다니, 아무리 힘없고 권세 없는 우리이긴 하나 이런 작폐를 두고만 볼 수는 없는 일이오.」

「그놈을 진상 가는 꿀병 동이듯 동여 내어 매타작을 해야 앞으로의 공사가 바로잡힐 것은 물론이요, 상놈의 지체들이라 한들 서푼의 결기는 있다는 본때를 보여 주어야 합니다.」

아귀세고 외곬으로 생겨 먹은 사내들이라 어느 한 사람 이속들의 소행에 분개하지 않는 이가 없었다.

「어서 갑시다. 우리가 놈들에게 행패한다는 소문이 관아에 입문되기 전에 그놈을 덮쳐야 합니다.」

일찍이 상인배들이 작당하여 양반이나 이속들을 징치한 일이 드물었으매 결김에 일을 저질렀다가 뒤끝이 무사할는지는 아무도 예상할 수가 없었다. 그러나 지금에 와서 그런 걸 걱정하고 앉았을 처지가 아니었다. 공론들이 오직 한결같으니 설혹 뒤가 메슥메슥한 위인이 있었다손 치더라도 왼고개를 치고 나올 수만은 없었다.

그들은 이방의 처소를 찾아 나섰다. 이 밤으로 일을 치르고 새벽참에는 저들이 좋을 대로 가근방의 저자로 흩어져 버릴 작정들이었다. 이경이 넘은 터라 저자와 병문엔 인적이라곤 없었고 멀리 바라보이는 도선목에선 사공막에서 내건 불빛이 바람 속에 가물거렸다. 그들은 바람을 등지고 반 마장가량이나 걸었다. 이방의 처소는 집 앞뒤로 높은 축담이 쳐져 있었고 집 안은 역병이 든 것처럼 괴괴하였다. 10여 명이 축담을 기어 넘었다. 우선 내사의 사방들을 살펴보았으나 사내 것으로 보이는 볼 넓은 당혜(唐鞋)*는 보이지 않았다.

---

* 당혜 : 울이 깊고 코가 작은 가죽신의 한 가지.

일행은 다시 내사와 사랑채를 나눈 일각문들을 열고 사랑방 앞으로 나아갔다. 선돌이를 따라 두 사람이 사랑의 누마루로 올라섰다. 문고리를 당기니 덧문이 소리 없이 열렸다. 이방은 방 아랫목에 침석을 깔고 코를 탈탈 골며 잠들어 있었다. 소몰이 상단 행수가 자는 놈의 모가지를 밟는 것과 때를 같이하여 득달같이 아갈잡이를 하였다.

선돌이가 얼른 등을 돌려 이방을 들쳐 업었다. 내사로 통하는 일각문을 다시 지나 뒷담으로 이방을 넘기니 밖에서 기다리고 있던 축들이 얼른 받아 안았다. 저잣거리 어귀에 있는 풀뭇간에다 잡아 엎치고 아갈잡이한 것을 풀었다. 아랫도리가 껑충한 장한들이 쥐새끼처럼 엎딘 이방을 둘러쌌다.

「자네들이 어인 사연으로 이 작폐를 저지르고 있는지 알 수는 없으되 양반 잘못 건드렸다간 살아남지 못할 것이니, 나를 전에 있던 자리로 도로 업어다 놓아야 하네.」

양반의 체통이 있고 결기 있는지라 이방은 애써 태연을 가장하며 작당한 사람들의 심기를 떠보았다. 선돌이가 껄껄 웃으며,

「이놈이 제 업혀 온 양만 짐작해서 호강시키려 데려온 줄 아는가보구나.」

「네 이놈, 양반의 체모가 시방 다소 틀려 있기로서니 대중없이 하대를 하다니, 네놈은 하늘에서 금방 떨어진 놈이냐?」

「시골 아전놈도 명색이 양반이냐?」

「보아하니 네놈들도 하천의 무리임이 분명한데, 그렇다면 서릿발 같은 양반 앞에서 경솔히 굴지 못한다는 것쯤은 알고 있을 터이렷다?」

「양반이란 것들은 열에 하나같이 제 허물을 모르는 것엔 흡사치 않음이 없군…….」

「너희놈들이 전사에 내게 원험 가진 바가 있다손 치더라도 섣불리

분잡을 떨었다가 주장맛을 톡톡히 볼 터이다.」

「이놈, 너희놈들은 주장 맞힐 기력도 없어서 그것도 상것들을 시켜 도모하지 않느냐. 불알 두 쪽만 대그락대그락하는 놈이 웬 놈의 입정은 그리도 사나우냐?」

「허, 이놈들이 아직 작사청 찬물을 마셔 보지 못해서 작폐로고.」

이방놈의 대거리가 자못 맵고 짠지라 상단 사람들은 은근히 겁이 났다. 아전이란 것들이 이른바 사추리에 붙어 있는 서캐처럼 벼슬아치들에게 붙어서 갖은 간릉을 떨고 아첨하여 양반의 행세를 하고 한 줌의 권세와 재물을 얻어 구차한 목숨들을 건사하건만, 그 뒤에는 벼슬아치들이 전짓대를 걸고 있어 중인(中人)의 지체이면서 양반의 행세는 도맡아서 하는 무리였다. 그러므로 거조가 매양 방자하기 이를 데 없었고 말버슴새가 까닭 없이 뻣뻣하게 마련이었다. 그러나 이제 살기등등한 십수 명의 장한에게 둘러싸인 바 되었으니 제놈의 간담인들 써늘하지 않을 리가 없었다. 그때, 한 사내가 들었던 몽둥이를 높이 쳐들어 이방의 어깻죽지를 힘껏 내려쪽었다.

「에구구…….」

비명을 내지른 이방은 벌레처럼 사지를 오그리고 떼구루루 구르는데 옆에 섰던 사내가 그 이마에다 퉤 하고 가래침을 내뱉었다.

「이놈, 네놈이 포주인 박치구로부터 공사를 빙자하여 사사로이 뇌물 챙긴 일을 알고 있다. 그러고 나서 진주 목사에겐 보부상이 강시가 나서 죽었다고 이문을 띄우게 한 간계를 부리지 않았느냐. 이는 백성을 긍휼히 여기고 백성이 그 나라의 주인 됨을 망각한 처사로서 네놈을 작청에서 다루어 마땅하나 그게 또한 한통속이 아니냐. 네놈을 우리가 징치하지 않으면 할 놈이 없기로 감히 너를 잡아 꿇린 것이니, 네가 사사로이 벌역을 받고 있으되 백성의 이름으로 징치하는 것이니 근본으로 보면 이것은 사사로운 일이 아니다.」

옆으로 나뒹군 채 숨이 끊어질 듯 코를 끌어 박고 있던 이방은 상투가 풀어져 봉발인데 그래도 귀는 뚫려 있었던지 겨우 반몸을 일으키고 변백하기를,

「나를 이 지경으로 만드는 것이 아닐세. 나로 말하면 지체가 한낱 아전붙이에 불과하지 않은가. 사실대로 말하자면, 내직으로 승탁된 전임 사또가 포흠 진 것이 많아 감영에서 점고를 나오기 전에 신임 사또가 그걸 벌충하려고 지금 눈이 뒤집혀 있네. 그러자니 자연 재물이 있는 사람을 불러 닦달할 수밖에 없지 않은가. 이게 어제오늘에 있었던 난리도 아니요 자네들이 손재를 볼 일도 아니지 않은가. 살옥 동티야 차차 형리를 놓아 죄인을 추쇄하여 근포(跟捕)를 하면 될 일이 아닌가.」

이방이 두동지게* 대답한즉, 선돌이의 입가에 싸늘한 웃음이 지나갔다.

「네 이놈, 우리가 누군 줄 알고 거짓 발명이냐. 대저 서리(胥吏)란 것들은 벼슬아치와 양민 사이에 쥐새끼처럼 끼어들어서 벼슬아치가 열을 취하면 너희는 그 다섯을 챙기며, 양민은 침탈하고 벼슬아치에겐 지모(智謀)와 교사(狡詐)를 지어 바치지 않느냐. 네놈이 그렇게 청빈하다면 마흔 칸이나 넘는 저택은 웬 거며 곳간의 자물통은 왜 그리 크냐. 너희놈들이란 흡사 사추리에 붙어 있는 서캐 같은 놈들이어서 수령의 면전에선 죽는시늉을 하다가 비켜나면 몰래 비웃고 시시덕거리면서 모사를 일삼고 몰래 뇌물을 받아 차역(差役)을 기피하거나 수세(收稅)함에는 거의 반강제가 아니냐. 백성을 종처럼 부리며 사역(使役)을 은폐하고 또한 널리 전장(田庄)

---

*두동지다 : 서로 모순이 되어 앞뒤가 맞지 아니하다.

을 두고 마름은 물론 백성을 잡아다가 경종(耕種)케 하지 않느냐. 틈만 있으면 마을을 기웃거리면서 양민의 재물을 침탈하여 어느새 자기 재산으로 만들고 수령에게 아부하여 자기의 본역(本役)을 회피하기 일삼고 관의 위세를 빌려 백성을 결곤하는 건 여반장이요, 양갓집 여자나 노비를 첩으로 삼기를 주저한 적이 없지 않느냐. 어디 그뿐이냐. 나라가 살년에 들어 사창을 열고 구휼미를 풀게 되면 너희는 허기지고 부황이 난 백성을 상대로 되레 모리하는 기회로 삼았지 않느냐. 구휼미로 고리(高利)의 변놀이를 능사로 삼는 게 너희놈들 지방의 방백(方伯)*들과 향리의 토호들이 아니냐. 수령이 과만*되어 직임이 갈려도 너희놈들은 관아에 그대로 남아 다시 탐학할 것을 노렸다가 네놈처럼 전임 수령의 포흠을 빙자하여 또다시 양민의 재물을 터니, 그것이 바로 사모 쓴 도둑놈이란 거다. 재물이란 천하에 공변된 것이다. 세상의 만물이 줄어들고 자라나는 이치와 또한 차고 기우는 변화는 곧 조화의 상도(常道)라 할 수 있다. 너 또한 그런 만물의 조화 중에 기생하는 한낱 미물에 지나지 않는다. 어찌 자라나기만 하고 줄어들지 않으며 차기만 하고 기울 것을 바라지 않는단 말이냐. 과욕이 사람을 그르친다는 것을 너희 책상물림들이 또한 모를 리 없지 않느냐.」

「아니…… 이럴 수가 있는가. 나는 어찌하란 건가. 나도 권속들이 있고 가계를 경영해야 하는 터수에, 일 년 내내 공사에 종사해야 하면서도 봉록은 내리지 않으니 나 또한 살아갈 방도만은 도모해야 하지 않겠나?」

「이놈, 어디서 악증이냐. 재물이 비록 중하다 할지라도 공사란 명분이 그보다 엄중해야 하지 않느냐. 네놈들이 언제 그런 속투(俗

---

*방백(方伯) : 관찰사.
*과만 : 벼슬의 임기가 다함.

套)*를 벗어난 적이 있다고 어설픈 핵변이냐」

그동안 말없이 두 사람의 수작을 듣고만 있던 패들이 더 이상 참지 못하고 이방놈에게 발길질을 해댔다.

「이놈이 아직 제정신을 차리지 못하고 속이 뻔한 수작만 늘어놓고 있는 게 아닌가.」

「이놈, 아주 물고를 내버리자구.」

허우대가 깍짓동 같은 일고여덟 명의 장한들이 겨끔내기로 질러대는 발길질에 체수 작은 이방이 배겨 낼 재간이 없었다. 반주를 거나하게 들고 침석에 몸을 뉜 지 얼마 되지 않아 풀뭇간에 끌려 나온 이방은 이제 모진 닦달에 삭신이 헤실헤실 풀어졌다.

「이놈을 보꾹에다 매답시다.」

소몰이 상단 행수가 말했다. 선돌이가 잠시 생각하는 중에 한 사내가 불쑥 나서서,

「기왕 매달 바엔 백성들이 볼 수 있도록 저자로 끌고 나갑시다.」

「그건 위험합니다. 일찍 소문이 퍼지면 나장이들에게 쫓길 염려가 있소. 우리가 하동을 빠져나갈 말미를 벌자면 소동을 크게 벌여 놓아선 안 됩니다.」

그때, 풀뭇간 밖 저자 길이 잠시 소연해지더니 동헌방으로 현감을 동이러 갔던 패거리들이 들이닥쳤다. 체구가 헌칠한 동무 하나가 헐떡거리고 풀뭇간으로 들어와서 뒷결박에 아갈잡이한 사또를 땅에다 모질게 끌어 박았다. 풍자(風姿)가 제법 준수하고 배짱이 드세 보이는 사또는 동곳*이 뽑힌 상투가 풀려 봉두난발인데 두 눈만은 번들번들 살아 살기등등한 도부꾼들을 홉떠 보았다.

「이놈이 본곳 사또란 위인이오.」

＊속투 : 세속적인 관습.
＊동곳 : 상투를 튼 뒤에 그것이 다시 풀어지지 아니하도록 꽂는 물건.

업어 왔던 사내가 이마의 땀을 훔치며 사또란 위인을 발로 툭 건드렸다. 그러자 지금까지 실신한 듯 처박혀 있던 이방이 벌벌 기어가서 사또의 발 앞에 엎디었다.

「존전께서 이 무슨 경난이십니까. 반상의 구별이 엄연한 터에 이놈들이 무단히 관헌을 능멸하니 이는 도둑괭이가 제사상에 오른 형국입니다. 이놈들의 행악을 어찌하면 좋습니까, 나으리.」

이방놈의 너스레가 푸짐하였으되 사또는 그래도 어른값 하는 데는 이골이 난 터라 난리 중에서도 거동에 흐트러짐이 없었다.

「이보게, 이놈들이 한밤중에 왜 이런 작폐를 보이는지 모르겠으나 이미 당한 일이니 수모를 당하기로 하고 작정은 나중에 하세.」

매를 맞아도 동행이 있으면 격이더라고 그 총망중에서도 사또가 나타난 게 훨씬 기운이 솟았던지 야살을 떠는 이방의 목소리가 한결 청아하고 구성졌다.

「나으리, 몸 수구를 하십시오. 이놈들이 작폐를 저지르는 거조가 도통 겁이 없고 매질에는 물리가 트인 놈들입니다.」

「이 사람, 궁상떨지 말게. 내 오십 줄에 들어 겨우 백두(白頭)를 면하고 환로에 들어 외임(外任) 말직에 있으나 이 방자한 놈들의 작죄를 두고만 볼 것 같은가. 관령 거역에 양반을 무단히 욕뵈니, 이는 역모와 진배없게 되었네. 살아남기만 기다리세.」

이방이 눈물을 철철 흘리면서,

「하불실(下不失),* 살아남기야 하겠지요. 그러나 그 흔한 고뿔 한 번 앓으시지 않던 나으리께서 불각시에 이런 경난을 치르시게 되었으니 시생에게 당장 방도가 없어서 그럽니다.」

「지각없이 안채지* 말고 가만히나 있게.」

---

*하불실 : 아무리 적어도, 적은 만큼의 희망이 있음을 이르는 말.
*안채다 : 앞으로 들이치다.

「시생이야 이 떨거지들에게 교살당하여 칼산지옥에 떨어진대도 서러울 게 없습니다만, 이놈들이 톡톡히 북새를 놓기로 한다면 존전께서 이 사단으로 하여 저자에 조명 나고 고황에 드시면 공사는 고사하고 자리보전하시지 않으시겠습니까……. 어이쿠, 고뿔 한 번 않으셨던 분이…….」

두 놈의 수작을 가만히 내려다보고 섰던 선돌이가 그참에 이르러 더 이상 두고 볼 수 없었던지 버럭 소리를 질렀다.

「진상은 꼬챙이로 꿰고 인정은 바리로 싣는다더니 바로 네놈들을 두고 하는 말이다. 너희놈들이 서로 간사를 부리고 은연중 공갈을 놓는다 하여도 이미 우린 사잣밥을 짊어진 터수로 네놈들을 허술히 다루진 않으리라. 동무님들, 이놈들을 홀딱 벗깁시다.」

아니나 다를까, 둘러섰던 사내들이 와락 달려들어 두 놈의 저고리와 바지를 홀딱 벗기니 볼기짝은 고사하고 그래도 수청기녀들에겐 기운이 절륜인 음경이 드러났다. 보자 하면 그런 구경거리가 없는데, 분수없는 작희에 놀란 사또가 으르딱딱거렸다.

「어허, 봉패로고. 이놈들, 이 무슨 못된 짓인가?」

「동무님들, 이놈들에게 물을 끼얹으시오.」

나중에야 추심을 당하여 산수털벙거지에 흑철릭 떨쳐입은 나장들의 오라를 받을지언정 지금 당장은 과천(果川)이 아니었다. 장차 다가올 고초가 혹독하고 엄하다 한들 여기서부터 오갈 들어야 할 이치야 없지 않은가. 이미 벌여 놓은 씨름이요 벗겨 놓은 계집이었다. 신바람이 난 소몰이 상단 행수는 단쇠를 식히던 물이 담긴 여물통을 번쩍 들어 두 놈을 미역 타래처럼 흠뻑 적셔 놓았다. 두 놈은 금방 재채기를 쏟아 놓았고 푸짐하던 음경이 오뉴월 가뭄에 탱자처럼 쪼그라들었다.

소몰이 상단 행수가 씨부렸다.

「이놈들, 나도 소싯적에는 내로라하는 왈짜였느니. 세상에 못된 짓을 낭자히 저지르고 다녔지만 지금 보아하니 아무래도 너희놈들보다는 가벼운 죄다. 이제 겨우 한겨울에 물 뒤집어씌우기로 네놈들을 골탕 먹이니 차후부턴 심기를 바르게 가져라.」

이방이란 놈 그 말에는 대꾸를 않고 턱을 달달 떨면서,

「나으리, 그러시다가 강시 나겠습니다. 몸 수구를 하십시오.」

한 사내가 선돌이에게 물었다.

「이놈들을 보꾹에다 매달까요, 아니면 멍석말이를 시킬까요?」

「귀찮게 멍석말이시킬 건 뭐가 있소. 아예 이놈들의 양물을 발깁시다.」

「저자로 내쫓읍시다.」

모두들 한마디씩 중구난방으로 떠들어 대는데, 선돌이가 두 놈에게 이르기를,

「수령의 직임을 받아 부임한 벼슬아치라면 응당 고을을 돌아 기민이 있으면 구황미를 풀어 진휼(賑恤)*하거나 억울한 백성은 그 처지를 헤아려 누명을 벗기고 여항의 소문을 낱낱이 들어 그를 정사의 본으로 삼아야 하거늘, 네놈들은 호사한 옷과 질탕한 음식으로 배를 불리고 앉아서 기생 점고나 하다가 뇌물을 챙겨 호지 집을 거느리고 경사(京司)의 권문세가와 친분 트기만 노리게 되니, 너희 같은 탐관에게 공사를 맡기고 살아가는 백성의 가슴은 얼마나 아프겠느냐? 하물며 도선목에서 난 살옥 동티는 분명한 모살이거늘 너희놈들은 죄인을 근포하려는 작심은 않고 거짓 이문을 띄워 목사를 속이고 이 일을 빌미 삼아 뇌물을 들이니 너희놈들이야말로 백성의 다스림을 받아야 마땅한 탐관오리가 아니냐.」

---

*진휼: 관에서 흉년에 곤궁한 백성을 구원하며 도와주던 일.

딴은 말이 옳고 사리가 분명하매 사또는 감히 눈을 부라려 변해하지 못하였다.

「우리가 쥐도 새도 모르게 너희놈들을 물고 내기로 작정들을 하였으나 이는 우리들의 일이 아무리 옳다기로서니 사사로이 벼슬아치를 징벌하는 일이겠기에 이만 하고 물러난다. 그러나 우리들의 연충을 헤아려 감히 추쇄할 작정은 마라. 행여 나장이들을 풀어 분잡을 떨었다간 팔도에 흩어진 우리 동무님들이 나서서 너희들 일가를 구몰시킬 테다. 또한 살옥 진범을 잡는 데 만에 하나 게으름을 피우거나 차후 거짓 보장으로 목사를 농락하려 했다간 너희들을 가만두지 않으리라.」

발가벗긴 두 놈을 단단히 죄고 난 뒤 풀뭇간 천장 보꾹에다 곱사배기 엮음으로 매달았다. 풀뭇간이란 게 겨우 비바람이나 막아 줄 정도로 이엉을 올리고 벽이란 것도 겨우 외얽이로 엮어 지탱하는 터라 두 놈을 보꾹에다 매단즉슨 곧장 무너질 듯이 삐걱거렸다.

「이놈들, 행여 몸부림하였다간 보꾹에 깔려 죽으리라. 꼼짝 말고 매달려 있는 게 되레 살아날 방도다.」

단단히 오금을 박고는 모두들 여각으로 돌아왔다. 여각을 지키던 축들은 행리를 챙기고 길 떠날 채비를 하고 있었다. 날이 몹시 추웠고 강바람이 매서웠지만 이 밤으로 길을 뜨지 않으면 동티가 크게 날 조짐이라 어느 누구도 남아 있겠다는 사람은 없었다.

7

선돌이는 문간채로 나가서 겸인 내외를 깨웠다. 그들이 임치한 진목(晋木)의 가전(價錢)을 챙겨야 길을 뜨겠기 때문이었다. 눈을 비비고 나온 늙은 겸인이 내사로 들어갔다 나오더니 왼고개를 쳤다.

「대주께서 내사에 계시지 않으시우.」

「그럼 어딜 가셨다는 거요?」

「낸들 알겠소?」

「출타하셨소?」

「글쎄요…….」

하는 눈치가 행방을 알고 있는 듯하여,

「만약 행방을 알려 주지 않으면 큰 난리가 날 거요.」

　상단 패거리들의 서슬이 퍼레진 걸 겸인인들 모를 리 없겠고, 또
이들이 시방 무슨 짓을 꾸미고 있는지 대강은 짐작하고 있었던 터라,
겸인은 포주인의 행방을 알리지 않을 수가 없었다. 그 시각에 포주
인은 아침나절에 관아에서 백방이 된 과수 집에 있었다.

　포주인 박치구는 그 간특한 이방놈에게 적몰당하다시피 한 재물
을 되찾을 재간이야 없다는 것을 알고 있었지만 그 자발없는 과수란
년의 행티가 또한 분하고 박정하였다. 전생에 맺힌 인연도 없는 터
수에 제 꽁무니에 불이 댕겨졌다 하여 한통속으로 끌어들인 것에 박
치구는 분기탱천해 버린 것이었다. 상행(喪行)의 제반 범절을 몸소
주관하여 마무리를 지어 주어야 했건만 심기가 처음부터 뒤틀려 있
었던 터라 일찍부터 도선목 근처의 숫막으로 나가 탁배기만 들이켰
다. 일력이 다하고 이슥토록 기다리다가 과수년을 아주 도륙 낼 심
산으로 찾아간 터였다.

　삽짝을 열고 마당으로 들어서며 잔기침을 건네니 외짝 바라지가
와락 열리면서 궐녀가 버선발째로 토방을 밟고 내려섰다. 솟은 결기
대로라면 댓바람으로 귀쌈을 날려야 순서이겠으나, 자발없는 것이
난데없이 복장거리라도 하고 대들면 그 또한 위중한 터라 바람을 일
으키며 방으로 들어갔다. 까치다리를 꼬고 앉아 팔목을 걷어붙이고
눈깔을 부라리는데,

「요 맹랑한 년, 네년이 지각없이 구는 통에 내가 무단히 욕본 건 고 사하고 그 쥐새끼 같은 이방놈에게 적잖이 뇌물을 빼앗기지 않았느냐.」

궐녀는 그 닦달에는 쓰다 달다 말이 없이 바람벽에 그림같이 기대 섰다가,

「잠깐 지체하십시오. 안방에 상을 보아 오겠습니다.」

보아하니 지분과 아미를 곱게 다스리고 살쩍*을 고이 지은 터라 무슨 작희를 놀려고 저러나 싶은데, 안방으로 갔던 궐녀는 기명이 정결한 다담상을 들고 들어왔다. 너비아니에 제육과 탕반을 곁들이고 볶음에다 어회(魚膾)가 범절 있게 놓이고 송절주(松節酒) 한 방구리가 또한 곁들여 있었다. 소반을 박치구 앞에 소리 죽여 놓은 다음 치마폭에 바람 재우고 큰절을 올리는데 살쩍 지은 이마가 제법 선명하였다.

「대주 어른, 쉰네를 죽여 주십시오. 대주 어른 상심케 하여 득죄하고 또한 재물을 축내었으니 쉰네가 무슨 유세가 있었다 할지라도 죽어 마땅하옵니다.」

부아가 꼭뒤까지 치밀어 오른 박치구가 버르르 떨며,

「요변 떨지 마라, 이년. 네 일찍이 범절도 그만하고 국량도 있어 뵈기에 적선하는 셈 치고 너와 터놓고 동침을 하였거늘, 이번 사단으로 말하면 네 소위가 어디에 있었건 나로 봐선 백지 무근한 일로 입채를 선 꼴이 되었으니 그로 인하여 인연을 다한 꼴이 되었다.」

궐녀가 귀밑머리 아래로 눈물을 적시면서,

「대주께서도 알고 계시다시피 앞뒤 주변해 줄 종반 간이나 일가붙이는커녕 의지가지 알음도 없는 처지에 쉰네가 때 아닌 관재를 입

---

* 살쩍 : 관자놀이와 귀 사이에 난 머리털.

게 되었으니 뒷배를 봐줄 분이라곤 대주 어른뿐이어서 염치 불고하고 함자를 대었던 것입니다.」

「이 염불 빠진 년을 보았나? 네 수작하는 거조를 보아하니 네년이 급살을 맞아 이승이라도 하직하려면 내 발목을 잡을 년 아닌가? 태는 밉지 않게 빠진 년이 물귀신 삼신이 씐 거로구나.」

「이참에 대주께서 무슨 말씀을 하신들 쇤네는 다만 분수에 넘칠 뿐입니다.」

「네 처지를 알 만은 하나 대장부가 일개 아녀자의 농간에 들었다면 이는 저자의 깔따구들도 웃을 일이 아니냐.」

「분기를 삭이시고 잔을 잡으십시오. 쇤네가 한잔 쳐올리겠습니다.」

「만정이 뚝 떨어진다. 또 무슨 모함을 잡으려고 배 씹는 소리냐. 다 부질없는 짓이다. 내가 들어올 땐 아예 도륙을 낼 심산이었으되 네 형용이 육탈이 되어 초췌하고 얼혼이 빠진 터라 이대로 가겠다마는 다시는 네년과 합침진 않으리라.」

시반(侍飯)*을 한답시고 술방구리를 들었던 궐녀가 소스라쳐 일어나며, 소매를 떨치는 박치구의 행전을 잡고 늘어졌다.

「지금 가시려면 아예 쇤네를 죽여 주셔야 합니다. 쇤네가 허무하게 관재를 입었다는 건 대주께서도 아시지 않으십니까? 설혹 쇤네가 잠깐 실수로 대주 어른의 염낭을 보았기로 끝내 홀대를 하시면 아니 됩니다.」

방귀가 잦으면 똥 나오더라고 궐녀가 염치 불고로 잡아당기니 박치구도 강잉히 좌정하면서,

「그 도붓쟁이는 도대체 어느 놈이 모살하였더냐?」

「모르는 일입니다. 쇤네는 다만 궐놈을 종아리 때려 내쫓은 죄밖

---

*시반 : 어른의 식사 때 곁에 모시고 서 있음.

엔 없습니다.」

「그럼 그 무명필의 소종래는 어떻게 된 노릇이냐?」

궐녀는 비로소 그날 밤 포주인이 합침을 하고 나간 후에 엿듣고 들어온 궐자를 달래기 위해 상목 두 필을 주어 내보낸 일을 소상히 일러바쳤다. 가만히 듣고 있던 박치구가 처연한 낯빛으로,

「너나 나나 잠시 도깨비에 홀린 거다. 너 또한 죽은 놈에게 실물을 당하였고 나 또한 죽은 자로 인하여 실물하지 않았느냐. 죽은 도붓쟁이가 살아 있는 양민 열을 잡아먹는다더니 옛말 그른 것 없구나. 너 또한 죽은 자로 인하여 무단히 욕을 당하였고 나 또한 죽은 자로 인하여 기러기가 되었으니* 이를 액땜이라면 너무나 과중하고 농간에 들었다면 억울한 일이다. 그러나 그 또한 지나간 일임에는 틀림없는 것, 어서 잔이나 치거라.」

궐녀가 속치마를 걷어올려 아미를 적신 눈물을 닦으매 그 형용이 또한 측은한지라, 박치구는 초다듬이부터 언사가 과격했던 것을 금방 후회하였다.

「자네도 한잔 들게나.」

박치구는 전에 없던 한마디를 궐녀에게 던졌다. 궐녀가 화들짝 놀라며,

「쇤네가 술 먹는 것을 보았습니까?」

「못 보았으니까 한번 자시라는 것 아닌가.」

「곁반이 입에 들지 않으셔서 투정을 하시는 겁니까?」

「그게 아니다. 내가 아깐 너무 과격했다는 생각이 들어서 그런다.」

「대주 어른의 은근하신 분부를 모르는 것은 아닙니다만, 쇤네가 감히 잔을 들 수야 없습니다.」

---

*기러기가 되다 : 손재를 입다.

「어허, 속 지르지 말고 어서 잔을 받거라. 이참엔 파격(破格)이 되어야지 독작을 하란 건가?」

「정 그러시다면 입내라도 하겠습니다만, 한 가지 쇤네와 더불어 약조를 하신다면 잔을 받겠습니다.」

「네가 원한다면 무리꾸럭* 아니라 내 신근(伸筋)*이라도 쑥 빼어 주마.」

「아이, 대주 어른께서두, 그것이 어디 솟을대문을 거는 빗장걸이인가요, 뺐다 꽂았다 하게요?」

박치구가 그참에 날름 술잔 가녘을 핥으며 수작하기를,

「그래, 내 언사에 주착이 없었다. 언약을 달라는 건 뭐냐? 뜸만 들이지 말고 냉큼 일러라.」

「오늘 밤은 누추한 처소이지만 묵고 가셔야 합니다. 매양 이렇게 오셨다가 쇤네에겐 기갈만 남기고 홀쩍 떠나시니 쇤네는 도깨비와 정분을 트고 있는 처지와 흡사합니다. 이것도 홀대라면 홀대이겠지요. 단 한 번이라도 이튿날 해가 뜰 때까지 침석에 모시지 못하였으니 이는 되레 쇤네 가슴에 한만 남기는 일입니다.」

「내가 화처(花妻)*를 둘 지체가 되지 못해서 그러네.」

「쇤네가 아직 대주 어른의 가직으로 들어앉을 지체가 못 되는 처지로 분수 밖의 일을 바란다 하겠으나, 기왕 훼절한 계집인 바에야 이웃에 드러냄이 또한 도리로선 떳떳한 일이 아니겠습니까.」

「어허, 임자는 어우동이란 색녀(色女) 한둘은 찜 쪄 먹은 입장일세. 집에 내권이 있는 처지로 화처를 들인다면 강짜가 보통 아닐 텐데…….」

---

*무리꾸럭 : 남의 빚이나 손해를 대신 물어 주는 일.
*신근 : 척추동물에서, 사지를 뻗는 작용을 하는 근육을 통틀어 이르는 말.
*화처 : 노리개처럼 데리고 노는 젊은 첩. 노리개첩.

「그렇다고 기루의 계집 다루듯 매양 바람같이 다녀가시니 쉰네 또
한 할 짓이 못 됩니다.」

궐녀의 말본새를 보매 내친김에 아주 아퀴를 지을 거조인데 박치
구는 그냥 덤덤했다. 박가가 한 발로 소반을 밀치며 궐녀를 끌어안
았다.

「그렇다면 오늘 밤은 내가 여기서 자지. 듣고 보니 임자가 아주 기
갈이 심했던가 보군.」

「부질없는 말씀이 아닙니다.」

「어서 자리나 깔게.」

「성미도 급하셔라. 상이나 치우고 들어오겠습니다.」

궐녀가 잽싸게 다담상을 치우고 의롱 위의 침석을 내려 깔았다.
박가가 침석 위에 멀뚱하게 누웠는데 바람벽을 마주하고 내외를 하
고 있던 궐녀가 기어드는 소리로,

「정분도 품앗이라는데 매양 그러시고 누웠지만 마시고 치맛말기
라도 좀 당겨 보십시오.」

누웠던 박가는 그 말에는 대꾸도 않고 고개만 돌리고는 멀뚱한데,
궐녀가 샐쭉하여 옷고름을 제 손으로 풀려다 말고 윗목에 놓아 둔
요강으로 가더니 소피를 쏟아 붓는데, 누웠던 위인이 그제야 색기 동
하는 눈으로 쳐다보며,

「임잔 어찌 그리 분잡을 떠나그래? 삼이웃에 자던 아이들 잠 깨겠
네그려.」

궐녀가 그 말 냉큼 받아,

「공방살이 팔 년 신세에 소피 소리나 커얍지요. 그것도 아니라면
이 집에 사람이 사는지 귀신이 사는지 알기나 합니까. 이제 불을
끌까요?」

궐녀는 대답을 기다리지 않고 등잔을 불어 끄고는 치마저고리를

벗어 횃대에 걸었다. 그리고 금방 이불 속으로 손을 집어넣어 박가
의 하초를 훌렁 벗기었다.

「엇, 차거라. 뜨거운 구들에 엉덩이나 익히지……. 탱중하던 색념
이 일시에 가시지 않는가.」

「우환도 많으셔라.」

궐녀가 벗긴 바지를 횃대에 걸고 풀때가 빳빳한 이불 속으로 들어
오매 박가는 궐녀를 냉큼 받아 안았다. 느닷없이 궐녀가 울기 시작
하였다.

「허어, 고이연, 울긴 또 왜 우나?」

「관아에 잡혀가서 고초를 당하는 것은 참을 수가 있었으나 이제
다시 대주 어른을 상면치 못한다고 생각하니 앞이 캄캄하였습니
다. 다행히 초벌 추심으로 풀려나 이제 대주 어른 품 안에 있으니
생시인가 꿈인가 싶어 그러하옵니다.」

「이젠 안심하게. 오라 받을 일이 없네.」

박치구는 처연한 상판을 들어 쩍 하고 계집에게 입을 맞추었다.
계집이 울음을 삼키며 가슴으로 모질게 파고드는데 멀리 저잣거리
로부터 공허하게 개 짖는 소리가 들려왔다.

포주인 박치구는 등잔을 끄는 대로 허겁스레 계집을 끌어안았다.
만지고 쓰다듬고 올라갔다 내려가며, 비꼈다가 짓찧으면서 자빠졌
다 엎어지며, 씹었다가 뱉어 내며, 올라가는가 하면 또한 내려오고
붙었다가 떨어지면서 어우러졌다가 흩어지며 치켜들었다가 내리꽂
으며, 울었다 웃는 계집과 사내의 숨 가쁜 감창(感愴) 소리가 그 아
니 낭자하니, 추녀의 이엉 속에 들었던 참새와 마당 건너 바자 틈에
들어앉아 한속을 달래던 들쥐들이 놀라 뛸 지경이었다. 구들장에 무
릎 괴는 소리가 초례청 차린 집 절구 찧는 소리였고 그 몰아쉬는 숨
소리는 고샅길에 몰아넣는 멧돼지 튀는 소리였다. 객담이 소용없고

또 무슨 격식이 소용할까. 등골에 식은땀이 흐르고 콧등에 단내가 등천하여 눈자위가 짜울 지경이었다. 눈앞에 별이 들쭉날쭉하고 발바닥은 화톳불을 실어 붓는 듯하였다. 그참엔 이웃의 누가 종지를 들고 고추장을 빌리러 온대도 동이째 갖다 먹으라 할 판국이었고 도끼를 들고 들어와도 찍으라 할 판국이었다. 그런데 정말 도끼를 꼬나든 위인인지는 몰라도 뭔가 귓가에 길게 통자를 넣고 있는 사람의 목소리가 들리긴 하였으되 먼 데 섬진나루 도선목에서 내지르는 사공들의 외마디 소리겠거니 할 따름이었다. 계집의 몸뚱이가 용틀임을 하고 사내는 용마루를 타 넘는 이무기처럼 몸을 쥐어틀어 잡는데, 사람을 부르는 다급한 목소리는 그치지 않았다. 틀어 잡은 몸뚱이가 어느덧 풀이 꺾이려는 참에 귓가에 아련히 들리던 사람의 목소리는 바로 마당 건너 삽짝 앞에까지 와 있었다.

「이리 오너라.」

때 아닌 야밤에 어느 상놈 하나가 배포 좋게 양반 흉내로 길게 통자를 넣고 있었다. 그 사내의 굵직한 목소리를 귓결에 주워 담으며 여각에서 부리는 겸인놈의 목소리가 아니란 것만 짐작이 갈 뿐 도통 맥을 잡을 재간이 없었다. 박치구는 이불자락을 걷어 젖히고 횃대에 걸린 옷을 내리게 하여 다급히 주워 입었다. 계집이 먼저 옷매무새를 수습한 뒤 외짝 바라지 밖으로 모가지를 삐쭘하니 내밀고 칼이 새파랗게 선 목소리로 물었다.

「도대체 누굴 찾으시관데 그렇게 목 놓아 사람을 찾으십니까?」

바깥은 어둠이 짙어 서너 칸 밖의 사람도 못 알아볼 지경이었다. 어둠 속에서 금방 대꾸가 건너왔다.

「이 삽짝을 좀 땁시다. 야밤에 범절이 아니긴 하나 워낙 다급한 일이라서 그럽니다.」

계집이 그 말 냉큼 되받아치는데,

「십 년을 수절하는 과부 집에 삼경 깊은 밤에 다급한 일이라면 여울 건너다 토사(吐瀉)* 만난 도깨비란 말이요, 모진 바위에 엎어진 씨내리*라도 업고 왔단 말이오? 여긴 댁네들이 찾는 사람 없으니 횡허케 비키시오.」

「우린 아래 여각에 묵고 있는 화주(貨主)들이오.」

어둠 속에서 건너오는 대답이 제법 의젓하자, 바람벽에 기대어 땀을 식히던 포주인이 계집을 건드리며,

「조용히 안으로 들이게. 그놈들 거동 보아하니 뭔가 다급해 보이고 또한 내가 여기 있는 걸 익히 알고 온 모양인 듯하니, 문전 박대하였다간 삼이웃에 소동만 커지겠네.」

궐녀가 금방 풀죽은 목소리로,

「그럼 어서들 들어오십시오. 삽짝은 손을 넣어 따시고요.」

「고맙소이다. 하마터면 문전 축객당할 뻔하지 않았소.」

보아하니 말버슴새가 예사로우나 은근히 날이 서 있었다. 등잔을 켜고 궐자들을 방 안으로 들이니 도선목에서 된급살 맞은 자와 동패였던 북관 도붓쟁이들이었다. 화로를 내밀어 잠시 한속들을 들이게 한 다음 포주인이 물었다.

「야심한데 어찌 찾아왔는가들?」

엄장 크고 낯짝 읽은 자가 대답하였다.

「하직하러 왔소.」

「하직을 하다니?」

옆에 앉은 선돌이가 대답했다.

「우리들이 임치시킨 진목의 가전을 쳐주십사 하구요.」

---

*토사: 상토하사. 위로는 토하고 아래로는 설사함.
*씨내리: '씨받이'의 반대말. 지난날, 혼인한 부부의 남편에게 이상이 있어 대를 잇지 못할 경우에 남편 대신에 합방하여 아이를 배게 하던 남자.

「진목이라면 전주 여각에서 화객들이 당도해야 화매가 된다고 하지 않았던가?」

「일이 좀 다급하게 되었습니다.」

「아무리 다급하기로서니 여기서 파매(罷賣)*들을 할 작정인가? 며칠을 기다리기로 작정한 터, 곱게 기다리지 못하고 왜들 난리인가?」

은근히 꾸짖는 시늉이면서 포주인은 뒷덜미가 매슥매슥한지 행전을 찾아 치고 윗대님을 매었다. 도붓쟁이들이 삼경 넘은 야밤에 은밀한 처소로 들이닥쳤을 적엔 어딘가 불미스러운 연유가 있어서였다는 것을 저자 바닥에서 뼈가 굵고 물리를 익힌 포주인이 짐작 못할 까닭이 없었다.

「저희들이 동패의 살옥 동티를 빌미 삼아 이곳 현감과 이방놈을 저자로 업어 내어 아주 혼돌림을 시켰소이다.」

선돌이 말에 포주인의 눈자위가 허공에 떴다.

「자네들 이제 뭐라고 했나?」

「공사에는 허술하되 장사치 뺨치게 이재에 밝은 사또와 이방놈을 옭아내어 육장을 만들었단 얘깁니다.」

「허어, 이런 난리가 있나? 관헌들 손찌검했다면 자던 범에게 코침 준 것이나 진배없지 않은가? 차라리 포청 문고리를 잡아 빼는 게 낫지, 서슬이 칼날 같은 벼슬아치들이 자네 같은 성명없는 왈짜들에게 봉패를 당하고만 있을 것 같은가? 미련한 놈 가슴에 고드름이 안 녹더라고 그 앙심을 매양 삭일 것 같은가?」

두 사람의 표정이 굳어 있고 또한 사리를 따져 보아 그만한 작폐는 능히 저지를 위인들이란 짐작은 갔다. 그러나 박치구도 무지렁이

─────────

* 파매 : 흥정하는 것을 그만두다.

는 아닌지라 은근히 빗대어 속셈을 떠보는데,

「이방이라면 모를까, 사또로 말하면 동헌 마당이 길고 수직하는 나장이들도 있을 터, 게다가 관아의 담이 사오 장이나 되는 터수에 업어 내기란 경솔히 될 일이 아니잖은가? 또한 관의 추쇄를 따돌릴 방도도 미리 생각했어야 될 터인데? 사또의 발호(跋扈)를 따돌릴 재간이 있는가?」

「옴니암니 따질 경황이 없습니다. 가전이나 쳐주십시오.」

「정 그러하시다면 물화를 도로 내가게나.」

「그럴 수가 없습니다. 추쇄를 따돌려야 할 지경에 느린 나귀를 몰고 갈 수야 없지 않습니까?」

「자네들이 무슨 연고로 내게 이다지 지다위하는가?」

「우린 이 밤으로 하동을 떠야 합니다.」

「속에 천불이 날 일이군. 내가 자네들 장단에 일없이 춤을 출 수야 없지 않은가. 자네들 행중이 뜨고 나면 나는 그 언걸로 십중팔구 결곤을 당할걸세.」

포주인이 우거지상을 해가지고 손사래 쳤다. 선돌이가 오금 박듯,

「대주께까지 장기튀김이 되지 않도록 닦달을 하였소이다. 실은 그래서 야밤에 은근히 찾아뵈었소이다.」

「그럼 가전을 찾아가는 외에 딴 소간사가 있다는 건가?」

「어음을 먼저 떼시면, 되레 관속들과 연줄을 튼튼히 할 방도를 일러 드리지요.」

「보아하니 업어다 난장 맞히겠다는 수작 아닌가?」

「주객 간에 그럴 수야 없지요. 우리가 행중의 이문만 탐하였고 빠져나갈 궁리만 하였다면 당초부터 대주의 울대에다 칼을 들이대었겠지요.」

옆에 앉아 있던 석가가 기다리기 진력났던지 잽싸게 한마디 끼어

들었다.

「합덕 방죽에 줄남생이 늘어앉듯 둘러앉아서 재미 붙을 수작들만 늘어놓기요?」

포주인이 씹어 비틀듯 한마디 쏘아붙이는 석가를 곁눈질하더니,

「그럼 내가 이번 동티로 앙화를 입지 않을 방도란 뭔가? 그 사정을 토파(吐破)하게.」

석가가 그 말 되받아,

「어서 어음부터 내놓으시오. 늙은 곰 가재 뒤지듯 부지하세월로 하회를 기다리고 있을 처지가 아닙니다.」

석가의 악증이 자못 위협적이자, 포주인은 쓸개 씹은 얼굴로 횃대에 걸린 전대를 내려 4백 냥짜리 어음 한 장을 꺼내었다.

「자네들이 남원이나 전주로 간다면 이 어음이면 어느 객주에서나 직전으로 바꿀 수가 있을걸세.」

「사백 냥이라면 그간의 임치료나 숙식 행하, 구문은 따로 셈을 해야겠군요.」

「내게 관재만 따돌릴 방도가 있다면 그깟 식대, 구문 따위가 대순가. 토사귀*나 진배없는 그 사모 쓴 도둑놈들이야 일이백 냥의 인정전(人情錢)*인들 코대답이나 하던가. 어서 그 방도라는 것이나 털어놓게.」

「행중이, 거짓 이문을 띄운 사또와 대주께 뇌물 빼앗을 간계를 꾸민 이방놈을 병문 밖 풀뭇간에다 매달았습니다. 날이 밝아 고을 백성들에게 발각되어 조명 나기 전에 대주께서 손수 두 놈의 결박을 풀고 겸인들을 놓아서 동헌의 곳간을 지키는 체 일을 꾸민다면 지체와 체모를 중히 여기고 곳간의 재물이 온전하매 요행으로 생

---

*토사귀 : 극악한 심성을 가진 귀신.
*인정전 : 뇌물로 주는 물건이나 돈.

각하여 감히 대주를 능멸하진 않으리다.」

화로 옆에 앉아 불돌로 눌러 놓은 잎나뭇불을 헤치고 손을 쬐던 과수댁은 뜨악한 낯빛이 되었고 포주인 또한 선돌이를 마뜩찮은 기색으로 흡떠 보았다.

「고이연 사람들, 어폐가 이만저만이 아니군. 내가 만약 그랬다간 모주꾼으로 몰리기 십상이 아닌가. 글줄이나 읽은 덕택으로 사람의 의중을 꿰뚫기에는 물리가 터진 위인들인데, 내가 자네들의 사주에 한통속으로 놀아난다는 걸 눈치 채지 못할 리가 있나?」

「그렇다면 대주께선 구전과 길미를 밝혀 물화를 넘기고 받는 일 이외에 전사에 우리 도붓쟁이들과 결탁하여 내밀한 일에 동사한 일이 있었소이까?」

석가가 덧거리로 불량스러운 눈을 하고 면박을 주는데,

「또 미진한 게 있소? 행중이 시방 동무 한 사람을 잃고 피를 보지 못해 상성을 하였소. 타박하고 핑계 말고 어서 하직해 버립시다.」

이미 간이 배 밖에 나온 사람들의 서슬인지라 포주인도 딴 도리가 없었다. 어쨌든 과수댁이 살옥 동티에 연루되지 않았다는 것이 드러났고, 그 또한 그간 관아에 바친 인정전이 수월찮으니 도붓쟁이들과 은밀히 결탁되어 꾸민 짓이란 의심을 둔다 할지라도 당장은 증거할 것이 없는 데다, 자신들의 공사에도 적잖이 잘못이 있었으니 섣불리 오라를 지울 수야 없다는 생각을 한 것이었다.

8

4백 냥짜리 어음을 받아 가지고 쫓기듯 밖으로 나온 두 사람은 짚신을 꿰는 둥 마는 둥 단숨에 여각으로 쫓아갔다. 봉삼이 나귀에 길마를 얹어 막 마방을 나서는 길이었고, 월이도 채비를 하고 토방에 내려서 기다리고 있었다. 궐녀는 머리에 아직도 천테[喪冠]를 쓰고 있었고, 북포(北布) 치마에 먹댕기를 드리운 차림이었다.

그들은 섬진나루를 건너 광양 땅 내륙으로 들어가 갈미봉(葛美峯)을 돌아 백운산(白雲山)을 멀리 끼고 양전(良田) 쪽으로 작로하는 길을 버리고 사뭇 섬진강 줄기를 따라 그 상류에 있는 구례까지 닿는 노정으로 고쳐 잡았다.

구례 땅 토지골[土旨面]까지는 60리가 빠듯한 행보이고 내처 찬바람을 안고 성엣장*을 건너고 강굽잇길을 쉴 참 없이 걸어야 아침동자참에 구례 어름에 닿을까 말까였다. 돌티미나루에서 다압(多鴨)나루, 입직(立直)나루를 지나 고소성(故蘇城) 앞까지는 사방이 훤히 트인 시오 리 남짓한 길이 그런대로 반반하였지만, 고소성을 지나 화개 땅 탑골[塔里]까지는 강폭이 좁고 계곡이 깊어 얼음장을 스쳐 오는 밤바람이 눈자위를 후벼 갈 듯 세차고 차가웠다. 탑골에서, 섬진강은 왼편으로는 그대로 흘러 구례 땅으로 빠지고 한 가닥이 쓸쓸히 헤어져 나가 지리산 계곡으로 게으름을 피우면서 기어올라 화개천(花開川)으로 이름을 바꾸었다. 전라와 경상을 가르기도 하며 어우르기도 하는 섬진강을, 저자를 도는 사람들이 80리라 일컬었다. 그러나 그것은 다만 저자에 면해 있는 섬진강을 일컫는 말이다. 대저 강이란 그 시작이 있고 시작이 있으므로 그 끝 간 데가 있게 마련이다. 그러나 섬진강만은 그렇지 않았다. 그 끝 간 데는 분명하되 시작이 묘연한 강이 바로 섬진강이었다. 그러므로 섬진강은 아무리 건너 봐도 나루가 지천으로 깔리었고, 그 시작이 필경 구천에 닿았으므로 흐름이 가볍지 않았고 숲이 멀지 않았다.

월이는 언제부턴가 성엣장 아래로 흘러가는 섬진강의 무거운 울

---

*성엣장 : 물 위에 떠내려가는 얼음덩이.

음소리를 들었다. 그 울음소리는 궐녀의 폐부에 스며 들어와 앵혈(櫻血) 자국처럼 선명한 핏빛 멍을 짓고는 흐트러지지 않았다. 몸이 죽을 지경에 들어 죽지 아니함은 죽어도 못 잊힐 임을 위함이요, 가슴에 맺히는 핏빛 멍이 풀리지 아니함은 앞으로 남을 한을 예비하는 것이며, 흘러가는 강을 기어코 거슬러 올라감은 아녀자의 한 몸 용납할 곳이 편치 못하다는 뜻이리라. 궐녀는 자신도 모르게 또한 한 줄기 눈물이 귀밑을 적시고 있는 것을 느꼈다.

궐녀는 이녁이 남기고 간 수저 한 벌을 가슴에 품었다. 살아생전 그 못난 목숨에 끼니를 공궤하던 수젓집을 시신의 괴춤에서 거두었을 적에 궐녀는 아픈 가슴으로 혀를 깨물었다. 그것이 서방이란 사람이 이승에 살아남은 계집에게 남기고 간 유일한 재물이었다. 그것은 낡고 닳은 쇠붙이였다. 그것이 또한 싸늘한 것이되 이제 와선 이녁의 체온을 감지할 수 있는 유일한 물건이기도 하였다. 수젓집을 가슴에 품으면서 궐녀가 죽어 시신이 되고 그리고 무덤에 갈 때까지 한사코 간직하리라 마음 다져 먹었다. 애당초 그를 애틋해하고 연모하고 가합한 혼처라 하여 가시버시가 된 것은 아니었다. 이녁과 월승을 맺은 것은 다급하게 살아남고자 한 편법일 수도 있었다. 소가지가 있어 성깔이 소태 같은 계집이라 한들 타관 객지 우환질고(憂患疾苦)*를 혼자 감당하기 어렵다는 걸 이팔의 나이인들 모를 리 없었다.

그러면서도 계집의 심기란 요망한 것이라 사모 쓴 신랑이 천봉삼이길 은근히 바란 적도 없지 않았었다. 그러나 한번 합근(合巹)을 맺은 이상 떠돌이 행중의 남진계집으로서 남편 공궤에 소홀한 적이 없었고, 처신이 또한 남의 입초에 오르지 않게 하였다. 그러나 이젠 여축없는 청상이 아닌가.

---

* 우환질고 : 근심과 걱정과 질병과 고생을 아울러 이르는 말.

대저 계집의 혈기란 그 근본이 음양에 있고, 정욕이 또한 그 혈기에 모일 것이었다. 동구 앞 장승 밑 솟대 아래서 아픈 발을 쉬거나 차가운 허리를 만질 제 고적한 마음이 가슴을 저밀 것이요, 외기러기 울음소리같이 애간장을 태우는 듯한 슬픔은 또한 생각에서 우러나올 것이었다. 청상이란 어느 고을 어느 저자인들 고독하지 않은 곳 없고 고독한 곳에 처하게 되니 또한 아프고 슬픈 마음이 끊일 사이가 없을 것이었다. 하루를 참고 보면 또한 하루의 시름이 기다릴 것이니, 시름으로 이어지는 못난 인생이 또한 역마처럼 흘러갈 것이었다.

청상이라 한들 어찌 정욕이 없을까. 청상일수록 힘센 사내의 품이 그립고 때로는 사추리를 도려내고 싶도록 모진 음욕에 시달리겠지. 이제 음양의 도리를 알게 되었으니 옆 봉노의 희학질 소리만 들어도 목침을 끌어당겨 사추리를 비비고 눈을 부릅떠 도깨비라도 손쳐 부르려 할 것이었다.

타관 객지 객줏집 봉노를 밝히는 등잔이 청상의 마음처럼 타 들어가면 옆에 있는 그림자가 흔들리고, 처마에 빗방울이 천연스럽게 떨어지고, 혹은 퇴창에 달빛이 찢어질 때, 오동잎 하나 둘 뜰에 떨어지고 외기러기 먼 하늘 울어 예는데 잠 못 이루는 고충을 누구에게 하소연하며 누군들 끌어당겨 팔베개를 하여 줄까. 밤새도록 엽전을 굴린들 또한 날이 새면 허무하고 싱거운 것, 일행(日行)에 백 리를 걸어 발에 물집이 잡히고 버들고리를 인 고개가 짜부라진들 어느 누가 기꺼이 따뜻한 한 모금의 숭늉을 권할까.

자궁이 기박하여 그나마 피붙이조차 남기지 못한 지지리도 못난 인사가 무슨 용력이 뻗쳐 이팔의 편발 처녀를 보쌈질했더란 말인가. 궐녀는 종내 최돌이를 원망도 하여 보았다. 그러나 이제 위인은 저승으로 가고 팔자 기박한 계집이 혼자 이승에 남았으니 한이 맺힌 목숨을 허술히 저버릴 수야 없었다.

　나무 밑동에 감로(甘露)*가 떨어져 땅속에 들어가면 천 년을 묵어 복령(茯笭)*이 되고, 산삼이라면 사지(四肢)가 달리고 땋아 내린 머리채가 동자(童子)와 흡사하며, 구기자도 천 년을 묵으면 사람을 보고 짖는다지 않던가. 일구월심으로 사노라면 그 끝 간 데가 있을 것이요, 그 시작한 데를 찾을 것이었다. 궐녀는 그참에 생각이 이르자 머리를 저어 저승으로 간 서방을 애써 잊으려 하였다.

　나귀를 모는 석가와 선돌이가 이슬받이로 서고 오랜만에 홀가분한 차림인 봉삼과 월이는 뒤를 따랐다. 방물고리와 지게는 길마에 얹었다. 워낭 소리만 나귀의 잠을 쫓고 있을 뿐 네 사람은 당초부터 말이 없었다. 그 오랜 침묵은 네 사람의 가슴을 썰렁하니 가시고 있을 뿐 어느 한 사람도 먼저 입을 떼려 하지 않았다. 그때 문득 앞선 석가가 뒤를 돌아보며 누구랄 것도 없이,

　「누가 이바구라도 한자리 하라구.」

　「…….」

　「허, 모두들 입도 얼어붙었나.」

　「석 동무님께서 한자리 하구려.」

　말채로 허공을 치면서 선돌이가 대답했다. 석가가 그 말에 대답 않고,

　「허어, 이놈의 나귀…… 벌써 다리를 저나그래……. 나야 이젠 바닥이 났다는 걸 행중이 다 알지 않나?」

　「이바구란 자꾸 생기는 것 아니겠소. 석 동무님이야 행중이 깜짝

---

*감로: 여름에 단풍나무·팽나무·떡갈나무 따위의 나뭇잎에서 듣는 달콤한 즙. 하늘이 상서로 내린다는 이슬.

*복령: 구멍장이버섯과의 버섯. 벤 소나무의 땅속뿌리에 기생함. 한방에서 약재로 쓰임.

114

놀랄 이바구 한자리 있을 텐데 그러우.」

「이바구가 무슨 자반뒤집기인가. 똑같은 걸 가지고 이리 뒤적 저
리 뒤적 하게.」

「또 의뭉을 떤다.」

선돌이 대답이 농인 것 같으면서도 어딘가 가시가 돋친 것 같아
예사롭지 않았고, 석가 또한 말을 지어내는 거조가 어딘지 모르게
주눅이 들어 있었다. 그때 선돌이가 나귀를 때려 석가의 나귀를 앞
질러 세우더니 아예 서너 칸 앞으로 썩 내몰았다. 나귀가 저 혼자 갈
기를 흩뿌리며 길을 따라 걷기 시작하자, 선돌이가 다시 제자리로 돌
아왔다.

「그럼, 내가 한자리 할까?」

「그것 좋군.」

「마침 바람이 죽었으니 뒤에 선 우리에게도 들리것다.」

맨 뒤끝인 봉삼이 불쑥 한마디 던졌다. 잠깐 뜸을 들이던 선돌이
가 이야기를 꺼내었다.

윤 모(尹某)라는 지체 좋은 무변이 있었다. 위인이 원래 성격이 표
한하고 경망스러우며 남의 것을 좋아하는 병통이 있었으되 다행히
호연지기(浩然之氣)를 가진 체하였고 글재주가 범상하지 않아 재상
의 문하에도 무상출입하였고 동문수학한 동접들도 많아 재상들 간
에서도 글재주로썬 인정을 받고 있는 위인이었다. 위인이 충청도에
서 살 적에 생활이 곤궁하여 가솔들이 주림을 당하여 조석 공궤도
물론 지난하였고 그 자신 춘포(春布) 창옷 단벌 호사*였다. 자연 파

---

*춘포 창옷 단벌 호사 : 춘포(강원도에서 나는 베)로 지은 옷 한 벌밖에 없어 입
고 나가면 늘 호사한 것같이 보이나, 실상은 그것 하나밖에 없는 경우를 비유
적으로 이르는 말.

락호(破落戶)*와 같은 생활이 계속되었다. 글줄이나 하는 덕에 송상(松商)과 거래를 트고 있는 한 장사치와 자별하게 지내는 사이가 되었다. 바람벽을 안고 낮잠이나 자는 것이 일과인 주제로 윤가는 그 장사치에게 돈을 빌려 달라고 간청을 하였다.

물론 그 장사치도 짧은 밑천이매 수월하게 돈을 빌려 줄 여유가 없는 사람이었다. 그러나 선비의 지체로 상것에게 돈을 빌려 달라고 했을 적엔 또한 작정한 바가 없지 않았겠다고 생각한 장사치는 여든 냥짜리 어음을 건네면서 송방(松房)에 가서 찾아 쓰도록 일렀다. 윤가는 그 어음에 쓰인 열십 자를 일백 자로 살짝 고쳐서 8백 냥으로 꾸며 서울로 올라가는 전주(全州)의 공납전(公納錢)을 돌려받았다. 물론 위인은 기한을 어겨 돈을 상환치 못하였다. 전주 감영으로부터 조사를 받아 마침내 그 못된 소행이 드러났고 감영에서는 교졸을 풀어 위인을 잡아들이라는 엄명을 내리기에 이르렀다. 교졸이 동네에 들이닥치자 위인의 집안이 발칵 뒤집히고 울음소리가 낭자하였다.

어음을 빌려 준 장사치가 위인의 집으로 달려갔다. 교졸이 집에 닥치기 전에 윤가를 만나 자초지종을 들었다. 위인의 행사가 당초부터 인간의 구실이 아니었으나 사단의 시초가 자기가 건네준 어음의 불찰이요, 자기는 상것으로 세상을 바라볼 것이 없고 또한 설산을 할 낌새도 없는 사람이었다. 그러나 윤가로 말하면 앞으로 환로에 들 양반의 지체로 한번 진영으로 잡혀가면 그보다 더한 망신이 없고, 또한 환로 자체가 막힐 것을 생각하였다. 장사치는 결심하여 자기가 대신 잡혀가기로 하고 정한 기한 안에 돈을 갚도록 하라고 신신당부하였다. 윤가는 감격하여 맹세로써 잡혀가는 장사치와 작별하였다.

---

*파락호 : 행세하는 집의 자손으로서 허랑방탕한 사람을 이르던 말.

장사치는 물론 곤장을 맞고 옥에 갇히는 신세가 되었다. 그러나 날이 흘러 기한이 지나도 위인은 그 돈을 갚지 않았다. 그는 하는 수 없이 자기 평생을 적공(積功)하여 모은 가산과 전장(田庄)을 모조리 팔아 빚을 갚고 1년이나 지난 후에야 옥에서 풀려났다. 감옥에 있을 동안 장독(杖毒)에 해소(咳嗽)까지 얻어 사람이 마치 버섯이 서 있는 꼴이었다. 윤가의 행사로 농량(農糧)*은 말할 것도 없고, 심지어는 입던 의복까지도 전은자모가(錢銀者母家)*에 잡혀 먹었을 만큼 온 집 안이 또한 결딴나 버렸다. 그렇다 하더라도 윤가에게서 돈이 나올 구멍이 전혀 없다는 것을 알고 있는 이상 뒷날을 기다리며 한 번도 입을 열어 위인을 원망하지 않았다. 식솔들이 참다못하여 그 일을 입초에 올려도 끝내 쉬쉬하였다.

그 후 윤가는 환로가 틔어 단천 부사(端川府使)의 직에 올랐다. 장사치는 비로소 세마를 내어 타고 천 리 원로에 그 윤가를 찾아갔다. 윤가가 자기를 보면 십중팔구 손을 잡고 반기리라 믿었다. 그러나 막상 단천에 당도하고 보니, 혼금(閽禁)*에 막히어 부사를 현신하기는커녕 달포가 넘도록 문밖 숫막에 지체하게 되었다. 객비가 떨어지고 숙식 행하가 밀리어 숫막의 술아비에게 독촉을 받기 시작했다. 실로 진퇴양난이 된 감이 없지 않았다.

어느 날, 부사가 문밖으로 행차한다는 소문을 듣고 길에서 기다리고 섰다가 마침 승교(乘轎)바탕*을 타고 뻣뻣하게 지나가는 윤가를 발견한 것과 때를 같이하여 앞으로 나아가 내가 여기 온 지가 달포가 넘었다고 소리 질렀다.

---

*농량 : 농사짓는 동안 먹을 양식.
*전은자모가 : 전당포.
*혼금 : 관아에서 잡인의 출입을 금지하던 일.
*승교바탕 : 탈 자리만 있고 뚜껑이나 휘장이 없는 가마.

부사가 소스라쳐 돌아보더니 배행하는 수하것들에게 저분을 득달같이 동헌방으로 모시라 이르고는 가던 길을 재촉하였다. 동헌방에 안돈을 하고 두어 식경을 기다릴 제 이윽고 부사가 환아(還衙)하였다. 주객 간에 예의를 차려 인사수작에 안부를 나눈 다음 장사치가 저간의 사정을 낱낱이 토설하였다.

「나의 빈궁한 처지는 사또도 잘 아시는 터이오. 장토를 잃고 난 뒤 달리 생계를 이어 나갈 재간이 없어서 식솔들이 부황이 나 있고 생산된 것들이 젖을 얻어먹지 못하고 있소이다. 옛날의 정의를 생각해서 불원천리하고 부사를 찾아왔다가 예기치 못한 혼금에 막혀 달포를 허송하고 식대로 진 빚이 적지 아니합니다. 원컨대 나의 딱한 처지를 동정하시기 바랍니다.」

그 동정이란 것은 전사에 사또가 진 8백 냥의 빚을 굳이 갚아 달라는 건 아니었다. 가만히 고개를 떨구고 사정을 듣던 부사가 혀를 들이차고 내차기는 하였으나, 전임 사또의 포흠 진 일이며 또한 아전들이 저지른 공채(公債)가 산더미 같아서 어디 남을 구제할 겨를이 없다며 문밖에 허술한 사처를 잡아 주게 분부하였다. 며칠이 지난 뒤에 병각마(病脚馬) 한 필을 하례들을 시켜 내보내면서 말값이 수백 냥에 이를 것이니 가서 팔아 쓰라 하였다. 그러나 그 말은 보시다시피 병각이었고 그 병각마를 판다 하더라도 달포를 두고 엄대 그은 식채며 꾸어 쓴 노자를 갚는다는 것도 불가능한 일이라고 쫓아가서 하소연하였다. 부사는 안색이 시퍼레져서 소리 질렀다.

「내가 옛날에 진 신세가 있기 때문에 빚더미 속에서도 이만했었지, 아니면 당초에 빈손으로 내쫓았다, 이놈.」

장사치는 수하 사람들에게 목덜미가 뒤틀려 끌려 나오면서 선비의 배신을 목청껏 꾸짖었다.

「네가 나라의 돈을 도둑질하여 진영으로 잡혀가게 되었을 때 내가

의협심 하나로 대신 잡혀가서 결곤을 당하지 않았더냐. 그리하여 일 년 동안이나 옥중에서 고난을 감수하였고 또한 가산까지 탕진하였다. 이제 너는 만금 태수가 된 터여서 불원천리하고 너를 보러 왔거니와 너는 내가 온 줄 번연히 알면서도 혼금으로 나를 만나 주지도 않더니 이제 겨우 여물도 먹지 못하는 병각마 한 필을 내어 주느냐? 고금천지에 너같이 몰인정한 도둑놈이 또한 있겠느냐.」

방성통곡을 하며 관아에서 쫓겨난 그는 마침내 길거리의 지나는 행인들을 붙잡고 전후사를 이야기하고 또한 쫓겨 나온 사연을 이야기하였다. 장사치가 그러고 다닌다는 소문이 관아에 입문되지 않을 리가 없었다. 부사는 매우 분개하였고 자신의 악덕을 들추어내는 장사치를 종내 가만둘 수 없었다. 기찰포교를 풀어 장사치였던 사람의 행리를 뒤져 검색하게 하였다. 기찰포교는 행리에서 장사치도 영문을 모를 공문서 두 장을 꺼내 들었다. 포교는 장사치를 포박하여 옥에 가두었고, 부사는 당일로 파발을 띄워 보장을 내었다. 고을에 어보(御寶)*를 위조한 범인을 잡았다는 것이었다. 감영에선 범인을 부사가 치죄토록 허락하였고 부사는 그길로 장사치를 타살(打殺)해 버렸다.

이야기를 마치고 난 선돌이는 짐짓 앞선 석가에게 물었다.

「석 동무님은 그 부사란 위인을 어떻게 생각하우?」

등토시 속에 두 손을 찔러 넣은 채 경마를 잡던 석가가 뒤쪽을 힐끗 쳐다보며 대답하였다.

「은혜를 저버린 놈, 천하에 그런 창귀*가 있다면 내라도 당장 쫓아

---

*어보 : 국권의 상징으로 국가적 문서에 사용하던 임금의 도장.
*창귀 : 먹을 것이 있는 곳으로 범을 인도한다는 나쁜 귀신. 남에게 못된 짓을 하도록 인도하는 사람을 비유적으로 이르는 말.

가서 물고를 낼 터이지.」

멀리 닭이 홰치는 소리가 들리는 걸 보면 오경쯤 된 모양이었다.

「그 부사란 놈은 지모 하난 절륜한 터이지만, 그렇고 보면 이미 선
비의 자리는 장사치에게 내준 턱이지…….」

「여기서 잠시 숨을 돌립시다.」

봉삼의 한마디로 일행은 걸음을 멈추었다. 나귀를 매고 일행은 근
처의 마른 풀숲 위로 흩어져 앉았다. 염낭쌈지를 뒤져서 시초를 한
죽 다져 입에들 물었다. 봉삼이 부싯깃을 치면서 내외를 하고 앉은
월이에게 나직이 물었다.

「몹시 춥겠지요. 그러나 불은 피우지 못합니다.」

「……」

「이젠 그 천테만은 벗으시죠. 마음 같아서야 평생을 상복으로 지
내고 싶겠지만 어차피 작별한 사람이 아닙니까?」

「……?」

짧은 한숨이 궐녀의 입에서 흘러나왔다. 봉삼은 곰방대를 길게 빨
아 내뿜었다.

「그 행색으로썬 저자에서 기롱을 당하기 십상이오. 망자도 천테를
벗은 연유를 아실 터이지요. 그도 평생을 외방 저자를 돈 도붓쟁
이가 아니었습니까.」

「알겠습니다.」

「손톱으로 여물을 써는 고통으로 매양 소리 내어 울고, 어깨가 귀
넘어까지 산들* 이 원통함을 잊을 길이야 있겠습니까. 그러나 이
승에 남은 죄로 경솔하게 처신하여서는 안 됩니다.」

_____

*어깨가 귀를 넘어까지 산다 : 허리가 구부러져서 어깨가 귀보다 올라갈 때까
지 오래오래 산다는 뜻으로, 한 일도 별로 없이 오래 삶을 비유적으로 이르
는 말.

월이가 수미(愁眉)*를 들어 봉삼을 쳐다보았다. 그때 선돌이가 문 득 봉삼에게 눈짓을 하였다. 천봉삼은 괴춤에서 짧은 환도 한 자루 를 빼내 들었다. 환도를 든 손을 허공에 잡고 한 손을 땅 위에 펴더 니 그대로 내리찍었다. 왼손 새끼손가락 한 개가 댕강 잘려 나갔다. 자신의 새끼손가락 한 마디가 잘려 나가는 것을 처연한 눈으로 내려 다보던 봉삼은 환도를 석가 앞으로 던졌다. 봉삼의 때 아닌 행악에 석가와 월이가 화들짝 놀랐다. 봉삼이 나직하게 씨부리길,

「차마, 내 손으로 축담 아래서 서로 껴안고 자던 동무님을 해치질 못하겠소. 진작부터 마음먹었던 바나 주변할 처소가 마땅치 않았 소. 더 이상 지체하였다간 간특한 사람의 마음이 또한 어떻게 변 할지 모르는 것, 이참에 석 동무님의 부정한 자취를 없애 눈을 감 지 못하는 원혼을 달랩시다.」

환도가 자신의 발 앞에 떨어져 있으매 석가가 아연실색, 눈발이 가 파른 봉삼을 쳐다보며 물었다.

「아니, 지금 무슨 작폐들을 저지르고 있는가?」

석가가 그렇게 말하고는 껄껄 웃으려는 거조인데, 봉삼이 두 무릎 에 빠득하니 힘을 죄며,

「그 칼로 석 동무님은 자문을 하시오.」

석가는 벌떡 일어나서 핏대가 곤두박이도록 크게 소리 질렀다.

「아니, 이놈이 생사람을 잡지 않나? 불각시에 실성을 했나, 웬 놈 의 행악인가?」

소리는 질렀으되 발길은 뒤로 물러나는 석가를 앉은 채로 바라보 며 봉삼이 대꾸하였다.

「네놈이 발뺌을 하고 의뭉을 떨어도 이젠 때가 늦었다. 최 동무님

---

*수미 : 근심에 잠겨 찌푸린 눈썹.

의 살아생전 행동거지가 다소 마땅치 않았기로서니 환난상구하는 명분으로 동료를 보살펴야 할 처지인 네놈이 그 동료를 타살하고 행중에 남아 있으니 이는 하늘이 날벼락을 내릴 일이다. 그러나 네놈이 또한 행중의 동무였음도 분명한 터 어찌 네놈을 다시 타살 하겠느냐. 어서 이 칼로 자문하거라.」

자신의 모살이 탄로 난 것은 분명하나 그래도 한 오라기 삶의 빛에 희망을 걸어 보는 심사로,

「어허, 실성한 염라 야차를 만난 셈일세그려. 내가 최가를 모살하다니 기만을 해도 분수가 있지.」

「이 창귀 같은 놈, 행여 길거리에 행인이 없을 때 어서 작정하여라. 만약 이길로 작로하는 동무님들을 만난다면 포달을 떠는 네놈을 잡아 꿇리어 모진 매로 타살시킬 것인즉 그 처참한 지경을 자초하려느냐?」

석가의 눈자위가 그제야 허공으로 떴다.

제 딴엔 탄로가 나지 않도록 뒷단속을 했던 것인데 사흘이 못 가 두 놈이 눈치를 챌 줄은 몰랐었다. 그러나 봉삼만은 이 모살이 석가의 짓이란 걸 장례를 치르는 중에 알게 된 것이었다. 처음부터 석가가 미심쩍기는 하였으되 증거할 것이 없었다. 검시를 했던 수형리의 말대로 최돌이가 죽게 된 것은 돌로 뒤통수를 맞은 연유로 알았었다. 그러나 입관하기 전 염을 하는 사이에 시신을 곰곰 살펴본즉 돌로 맞은 자국은 살만 찢겨 있지 죽게 된 원인이 아니란 의심이 들었다.

독살된 것이 아닌가 하여 은비녀를 시신 속에 넣어 보았다. 그러나 색이 변하지 않았다. 은밀히 찹쌀밥을 지어 넣어 보아도 색이 변하지 않았으니 독살은 아니었다. 그러나 썩어 가는 시체가 오직 복부만이 죽장같이 부어오른 채로 그냥 있었다.

살빛이 이상스러워 그곳을 자세히 살펴보았더니 배 위에 희미한

짚신 자국이 보였다. 초에 겨[糠]와 마늘을 이겨 묻혀 발라 보았더니
짚신 자국이 완연히 드러났다. 발뒤꿈치로 명치를 누른 것을 알 수
있었다. 발로 압사시킨 것으로 단정하고 머리끝과 발장심이*를 조사
하였더니 양쪽 모두 선홍색이 나타났다. 하초를 상한 사람은 그 흔
적이 상부에 나타나고 남자는 치근(齒根)이 떨어지며 빛도 붉은색으
로 변한다 하였으니 돌로 친 것은 이미 죽은 후에 저지른 수단에 불
과하였고 정작 죽게 된 것은 짚신으로 밟힌 것 때문이란 것이 드러
난 것이었다.

　그 짚신 자국에 석가의 짚신을 갖다 대었더니 딱 맞았고 짚신에
붙은 흙이 또한 최돌이가 죽은 장소의 것이었다. 봉삼은 석가가 범
인임을 단정하였고, 선돌이와 은밀히 상의하여 때를 기다렸던 것이
다. 이제 손가락 한 마디를 스스로 잘라 동료를 버려야 하는 이쪽의
아픔이 어떠하단 것을 보여 주었으니 석가도 뺄 재간이 없다면 스스
로 자문의 길을 택하는 도리밖에 없을 것이었다. 그러나 자신의 목
숨에다 스스로 칼질을 한다는 일이 어디 손쉬운 노릇인가. 이미 두
사람의 염량을 셈한 뒤끝이라 한들 석가는 환도를 집어 들 결기가
솟지 않았다.

　「최가는 내 손에 죽었다네…….」

　「이미 알고 있다지 않았나?」

　「그 위인이 하도 채신없이 굴기에…… 혼돌림만 시킨다는 것이
그렇게 되었네.」

　「…….」

　「그렇게 의초가 좋았던 사이라곤 할 수 없었지만, 그렇다고 위인
을 죽일 생각만은 품지 않았지……. 그러고 보니 나 역시 한 치 앞

---

*발장심이 : 발바닥의 움푹 들어간 부분.

이 저승일세.」

「사정을 토파하고 신세 한탄으로 뜸을 들이다 보면 심기가 허약해지는 법, 어서 결단을 내리는 게 상책이다.」

석가가 맨땅에 무릎을 꿇었다.

「사정이 이렇게 된 바엔 내 굳이 구차한 목숨을 구걸할 마음이 없네. 그러나 차마 내 손으로 내 복장을 찌를 수 없으니 둘 중에 어느하나가 나를 결딴내어 준다면 그런 다행이 없겠네.」

「못한다. 그 더러운 몸에 손을 대기 싫어.」

석가는 잠시 계명성이 사라지는 새벽하늘을 올려다보았다. 굳은표정이 그 순간 의연하고 담담했다. 무릎 앞에 놓인 환도를 집어 들었다.

그때 외면하고 앉았던 월이가 와락 봉삼을 잡고 늘어졌다.

「안 됩니다. 사사로이 사람을 징벌해선 아니 됩니다.」

「가만있으십시오. 이 사람은 율로 다스린대도 어차피 효수를 당할것이오. 차라리 그 참혹한 옥사를 겪지 않고 동료들 앞에서 자문하는 것이 다행한 일입니다. 작게는 형수님의 남편을 타살한 자이되 크게는 동병상련하는 장돌림들의 풍속을 더럽힌 폐자이니 이를 다스리지 않는다면 장차 동무님들께 낯을 들 수가 없소이다.이는 사사로운 징벌이라 하되 크게는 장돌림들의 풍속과 의리를지키는 일이니 누군들 나서서 훼방을 놓을 일이 아닙니다.」

「무자리가 무자리를 낳듯이 이 또한 죄가 죄를 낳을 일이니 저 위인을 놓아주십시오. 장차 두 분이 또한 관재를 입으실 일을 생각해야지요.」

「놓아줄 일이었다면 먼저 제가 자해(自害)를 하지 않았지요.」

바로 그때였다. 석가가 문득 환도를 거꾸로 휘어잡고 가슴에다 깊숙이 찔러 넣었다. 그는 두 눈을 부릅뜬 채 허공을 보더니 꽂은 칼을

뽑지 못하고 앞으로 고꾸라졌다. 금방 선홍색의 피가 쏟아져 언 땅
에 끌어 박힌 석가의 볼따구니를 적시고 엄동설한에도 입었던 홑바
지를 벌겋게 적시니 그 또한 눈 뜨고 바라볼 처지가 아니었다. 이승
에서 날뛰던 성품대로 숨이 끊어지는 속도도 빨랐다. 나귀가 비린내
를 맡고 발을 구르기 시작했다.

9

석가의 시신을 대강 묻고 세 사람은 바삐 나귀를 몰았다. 토지(土
旨)를 지나고 마산(馬山) 냉천골에 이르니 날은 완전히 밝아 아침이
었다.

섬진강은 여기서 30리를 남으로 흘러내리다가 잔수진(潺水津) 어
름에서 산허리를 치받고 급격히 물길을 바꾸어 구례를 5리쯤 밖으
로 비껴 흘렀다. 그러나 의외로 물길이 잔잔했다. 그러므로 구례는
물소리가 없고 물것이 없으며 개구리가 울지 않았다. 잔수진에서 북
으로 치닫던 섬진강은 40여 리 밖 압록진(鴨綠津)에서 보성강(寶城
江)과 만나면서 구례에서 곡성으로 건너가는 길손과 장돌림들을 위
한 나루를 만들었다. 그러나 곡성으로 가서 남원으로 올라가자면 30
리가 빠듯하였다. 일행으로서는 멀고 고된 길이었다. 그들은 객사에
서 반 마장 밖에 있는 수각교(水閣橋)를 건너 곧장 객사의 서문 밖에
당도하였다.

아침 요기를 할 참으로 두리번거렸으나 마땅한 곳이 없었다. 살년
이 든 터라 문밖에 좌판이나 함지박을 내놓고 길손을 부르는 음식
장사치들의 행색은 고사하고서라도 먹을 것이래야 수수떡과 허여멀
건 팥죽이 고작이었다. 부황이 난 사내들과 버섯처럼 마른 아녀자들
이 성문 밖 양지 볕 아래 마냥 서 있는 게 보였다. 마침 휘장 친 술국

집이 있기에 나귀를 밖에다 매고 안으로 들어갔다.

썰렁한 목판 뒤에 앉아서 아이에게 젖꼭지를 물리고 있던 주모가 깜짝 놀라 아이를 놓는데, 메마른 젖꼭지를 물고 있던 아이가 끝내 젖꼭지를 놓지 않았다. 메말라 껍질만 남은 젖이 엿가락처럼 늘어졌다가 앙상한 가슴으로 올라붙자, 아이는 허리가 끊어져라 울어 댔다.

「국말이 세 그릇만 주슈.」

세 사람은 먼지가 뽀얗게 내려앉은 목판에 둘러앉았다. 목판에 걸레질 한 번 못한 품이 마수걸이임이 분명했다. 울고 있는 아이를 월이가 받아 어르는 동안 주모는 잽싸게 술구기를 놀렸다.

「주모, 곡성으로 빠지지 않고 목이 가까운 곳으로 해서 수월하게 남원 부중으로 올라가는 길은 없겠소?」

봉삼이 술국을 퍼 올리는 주모에게 물었다.

「있지요. 소의방(所義坊)으로 내처 올라가셔서 산동방(山洞坊), 주촌방(朱村坊)으로 서시천(西施川)을 사뭇 따라 올라가면 이수로는 사오십 리를 벌지만 목이 워낙 험하답니다.」

아이가 다시 어미의 품으로 옮겨지자 모가지를 비틀어 허겁스레 젖을 찾았다.

「남정네는 출타하셨소?」

이번엔 월이가 물었다.

「벌이 나간다고 집 나간 지가 벌써 여러 달이 지났다우.」

「어디로 갔습니까?」

「어딜 갔는지 알기나 하면 찾아 나섰겠지요. 이녁이 돌아올 때까지 연명이나 할는지, 원. 당최 먹을 것도 없는 데다 아이가 워낙 극성스레 빨아 대는지라, 측간에 가본 지가 먼 옛날이우.」

「그러다 엎어지면 다신 일어나지 못하시겠소.」

눈이 10리나 들어간 주모의 얼굴을 쳐다보는 월이의 눈자위에 눈

126

물이 괴었다.

형용이 초췌한 주모의 몰골에 그만 중치가 막혔던지 봉삼은 동전 몇 닢을 목판에 던지며 일어나고 말았다. 주모가 동전을 주워 셈하다 말고 봉삼을 빤히 쳐다보며 물었다.

「웬 식대가 이리 과만입니까?」

「입에 곡기를 못 대서 부황 난 사람이 나와 앉아 길손에게 음식을 팔고 있으니…… 차라리 인왕산 차돌을 주워다 삶아 먹지……. 내 아무리 허기진 놈이기로서니 술국이 목구멍으로 넘어가겠소?」

「제가 공연한 입정을 놀려서 그렇군요…….」

「누가 누굴 탓할 일이 아니지요.」

「식대를 도로 넣으시지요.」

「그건 소견이 옳지 않소.」

「머리를 풀어 짚신을 삼아 올릴 일입니다. 고맙습니다.」

물색 모르는 아이는 그간에도 자꾸만 어미의 품속으로 고개를 허우적거리며 파고드는데, 어느새 월이와 선돌이도 숟가락을 놓고 말았다. 멀건 나물국이라 한들 명색이 더운 음식이라 한속이 다소나마 풀린 눈치들이었다.

「아낙은 상중인 것 같은데 먼 길 행보를 나섰구려…….」

의외의 선심에 몸 두기 거북했던 주모가 이번엔 월이에게 눈길을 돌리었다. 월이는 입가에 희미한 웃음만 흘렸을 뿐 끝내 대답이 없었다.

「관아에서 구황미는 풀지 않았소? 성 밖에 굶은 사람들이 많이 보이던데요?」

선돌이가 곰방대의 대통을 빠드득 돌려 쌈지로 밀어 넣으면서 물었다.

「지난 시월에 구황미를 풀었다는 소문만 들렸습죠. 그러나 우리 동네엔 구황미를 탔다는 사람이 없습니다.」

「벼슬아치들의 농간 때문이오. 종구품(從九品)인 별장의 봉록이 어떤지 아시오? 일 년에 현미 여덟 석, 전미(田米) 두 석, 정포(大麻織物) 세 필을 받고 있소. 정일품(正一品)인 좌의정의 국록은 중미(中米)가 열한 석, 현미가 마흔여덟 석, 전미가 두 석, 참밀(小麥)이 열 석, 황두(黃豆) 열한 석, 명주 여섯 필, 정포가 열세 필로 보잘것없소. 그런데 그 가계가 요족한 건 말할 나위도 없거니와 곳간마다 자물통이 채워졌으니 이것이 백성을 거느리고 있는 나라라곤 볼 수가 없습니다. 갓 쓴 자들이 홍패*를 따는 경로부터가 잘못되어 있는 겁니다. 딴사람의 글을 빌려 쓰는 것(借述借作), 시장(試場)에 책을 가지고 들어가기(隨從挾冊), 무상출입(入門蹂躪), 시지(試紙) 바꿔치기(呈券紛遝), 밖에서 써서 내기(外場書入), 문제 미리 알기(赫蹄公行), 감독 바꾸기(吏卒換面出入), 시권(試券)의 농간(字軸恣意幻弄) 따위로 벼슬에 오르게 되고 뇌물로만 승차(陞差)가 되니 나라의 기강이 흔들리는 건 물론이요, 거기서 소리 없이 죽어나는 건 백성들이오. 이를 욕하면 또한 관헌을 능멸한다 하여 잡아 엎치기 일쑤이니, 우리 백성은 다만 먹는 입만 가졌을 뿐인데 그 또한 흉년이 들어 여의치가 못하구려.」

「그깟 홍패황패야 몇만이 있은들 저희에게 무슨 상관이 있겠습니까마는, 우선 저자에 사람들이 들끓어 푼전이라도 생겨 연명했으면 그런 다행이 없겠습니다.」

「보아하니 주모도 봄엔 까땍없이 동냥아치가 되겠구려.」

어찌 들으면 언사가 듣기에 거북한 것도 사실이었으되 주모는 봉삼의 말에 이렇다 할 대꾸를 않았다.

---

*홍패 : 문과의 회시에 급제한 사람에게 주던 증서. 붉은색 종이에 성적, 등급, 성명을 먹으로 적었다.

휘장 친 술국집에서 두어 식경이나 앉아서 한속을 들인 세 사람은 다시 길을 나섰다. 술초교(戌草橋)와 소아천교(小兒川橋)를 건너서 곧장 남원 길로 노정을 잡았다. 해 질 녘이면 70리 길이 빠듯한 남원의 주촌방에 닿을 만하였다.

결코 바쁘게 서두를 까닭이 없었다. 물론 조성준의 일이 궁금하였고, 또한 혼쭐이 난 하동의 현감과 포주인의 사이도 그들이 바라는 대로 일이 꾸며져서 더 이상 무슨 난리가 일어났을까 하는 의구심이 들지 않는 바도 아니었지만, 그들 세 사람은 흡사 도깨비에 홀린 사람들처럼 자꾸만 길을 재촉하였다. 어떤 보이지 않는 힘이 그들을 잡아당기고 있는 것처럼 오직 걷고 또 걸었다.

길가에는 더러 숫막이 보였고 남원과 구례를 오르내리는 길손들도 심심찮게 만났지만 숫막에 들르는 법도, 쉴 참에 만난 길손이나 동무님들과 긴히 얘기를 나누는 법도 없었다. 세 사람의 모습은 몹시 초췌해 보였다. 그건 나귀들도 마찬가지였다. 뜨거운 여물을 얻어먹은 지가 오래되었고 다리를 편히 쉰 기억이 멀건만, 엉덩이에 와 닿는 매질이 전에 없이 맵고 짜니 기를 쓰고 앞으로 나아갈 뿐이었다. 소의방을 지나 산동방에 이르는 쑥막재에서 그들은 마침 남원에서 구례로 가는 황아장수들과 만났다. 대강 인사수작을 치른 뒤에 봉삼이 물었다.

「남원장에선 시절들을 보았소?」

봉삼의 나이 또래인 한 동무님이 금방 왼고개를 쳤다.

「시절이라니요? 사흘 묵느라고 식대만 났소이다.」

「남원 읍내장이라면 팔도에서도 쳐주는 장이 아닙니까?」

「그렇지요. 구례, 장수, 진안, 순창, 담양, 곡성의 물산이 몰려들고 운봉현(雲峯縣)으로 해서 경상도의 물산도 들어오지요. 벌꿀, 호두, 오미자, 닥나무, 생강, 석류, 감, 죽전(竹箭), 잣, 지황, 복령이 남원장으로 쏟아져 나오고 조산(造山)에서 나는 부채를 사도 적잖은 이문을 볼 수 있지요. 남원 마흔여덟 방(坊)의 호수(戶數)가 칠천이 넘는데 아무걸 팔고 사더라도 이문 남길 구멍이 없겠소?」

「살년이 들어 도대체 저자가 황폐되었단 얘기구려.」

「여각이나 전도가는 그런대로 흥청거립디다만, 우리들 짧은 밑천들은 남원 바닥에 잘못 얼씬거렸다간 굶어 죽기 꼭 알맞겠더구려.」

「우린 남원으로 가는 길이오.」

「가보았자 시절이 없을 거요. 곧장 전주로 뜨시는 게 좋소이다.」

「노형들은 어디로 가실 작정들이시오?」

「흉년에야 갯가에서 살기가 조금 낫지 않소?」

「혹시 조성준이란 사람을 만나지 못했소? 그자를 징치하라는 통문이 돌고 있소만.」

「금시초문이오.」

세 사람은 그들보다 일찍 자리를 떴다. 나귀 한 마리가 다리를 절고 있었다.

「잘들 가시오.」

앉아 있던 장사치들이 소리쳤다.

주촌방으로 들어서면서 해가 지기 시작하고 귓밥을 스치는 바람이 차가워지기 시작했다. 주촌방과 남원의 남문 밖인 장흥방(長興坊) 사이를 흐르는 요천(蓼川)의 조산나루에 이르렀을 땐 어둑발이 완연하였는데 다리를 저는 나귀를 몰고 그만큼 왔다는 게 희한한 일이었다.

조산나루를 건너면서 남문 밖으로 이어지는 장흥방 길은 저자가 서는 곳이었고 가게도 여럿 있었지만 등을 내건 집이 드물었고, 혹간 등을 내건 가게가 있다 하더라도 썰렁하긴 마찬가지였다. 마방이 딸린 숫막을 찾아드니 중노미란 놈이 구르듯이 뛰어나와 호들갑을 떠는데 대여섯이나 되는 봉노가 거의 비어 있었다. 한저녁을 시켜 걸판지게 먹고는 그대로 쓰러져 잠이 들었는데 깨어 보니 아침이었다. 마침 중노미 녀석이 행역에 지친 길손의 사정을 헤아려 나귀를 거두었고 군불도 뜨겁게 지펴 홰치는 소리 한 번 듣지 못하고 내처 잔 것이었다. 아침에 어음을 직전으로 바꾸거나 전주에 있는 객주어음으로 바꾸는 것이 우선 급한 일이었다. 건어물을 취급하는 황씨 (黃氏) 여각에서는 박치구의 어음을 내밀자 두말없이 전주에서 찾을 수 있는 어음으로 바꾸어 주었다.

「이문이 쏠쏠한 물화가 없겠습니까?」

봉삼이 어음을 건네받는 길로 포주인에게 넌지시 물었다. 60줄에 든 포주인이 고개도 돌리지 않은 채,

「시절이 없네. 한절이라 염상들도 와 닿질 않아서 산골로 소금을 풀어먹인다면 그런대로 박한 이문을 바라볼 수 있겠지만, 워낙 먹을 것이 없으니 소금인들 무슨 소용들이겠는가.」

「조성준이란 작자의 소식을 듣지 못하였습니까?」

「통문을 본 적이 있지만 그자를 보았다는 소식은 듣지 못하였네.」

「그자의 소행에 대한 소상한 내막을 알고 계십니까?」

「그깟 일 알아서 얻다 쓰겠는가.」

받아 낸 어음을 전대에 넣고 여각을 나서면서 선돌이가 물었다.

「어떻게 할 텐가?」

「전주로 곧장 가지.」

「석가의 시신을 정성껏 거두지 못하고 굽을 뗀 것이 잘못되었다는 생각이 들어 심기가 편칠 못하군.」

「그 위인을 바로 장사 지낸다면 타살되었다는 소문이 날 것 아닌가. 환도를 뽑지 않고 그대로 둔 것도 나중에 누가 그 시신을 본다 하더라도 자문한 것이 틀림없다는 것을 알게 하기 위해서지.」

「그걸 모르는 것이 아니지만, 이렇게 쫓기듯 남원까지 오고 보니 뭔가 죄밑*이 된다는 것이지.」

「그 위인에 대해선 그만 생각하지. 그 언걸로 귀양을 간들 이젠 소용없는 걱정일세.」

여각으로 돌아온 그들은 곧장 행리들을 챙기고 나귀를 거두었다. 문안으로 들어가지 않고 서문 밖 축천(丑川)을 따라 만복사(萬福寺) 앞과 사직단 앞을 지나 북문 밖의 향교를 벗어나 축천원(丑川院)을 지나고 율천교(栗川橋)를 건넜다. 길가에는 행인들이 제법 분주를 떨었고 초행길이라 할지라도 그렇게 먼 느낌이 들지 않았다.

10

서울 시전의 공주인(貢主人)인 신석주 수하의 차인 행수인 맹구범(孟九範)이 건장한 곁꾼과 짐방*들을 거느리고 전주에 당도하였다. 복마(卜馬)가 여덟 필이요, 껑충한 짐방들이 또한 여남은 명이나 되니 대전배(大前陪)*가 없다뿐이지 그 범절이 데데한 시골 사또의 행차쯤은 뺨치고 돌아갈 정도였다. 그 상단들이 전주의 남문 밖에 있는 지물객주(紙物客主) 변승업(邊承業)의 전도가에 닿자, 집 안팎이 발칵 뒤집혔다. 겸인들은 상추밭에 똥 싼 개처럼 이리 쫓기고 저리 쫓기며 봉노를 치운다, 마방을 쓴다 하여, 시쳇말로 오줌 누고 뭐 볼 짬도 없었다.

하기야 변승업으로 말하면 전주 인근 저자의 상권을 쥐고 있는 몇 객주에 끼어드는 처지로 그 지체나 체면으로 보아 맹구범 같은 차인

---

*죄밑 : 지은 죄로 인한 마음의 불안.
*짐방 : 짐을 나르는 인부.
*대전배 : 벼슬아치가 행차할 때 앞을 인도하던 관리나 하인의 큰 무리.

행수 따위에 꿀릴 처지가 아니었다. 그러나 상단이 몰고 온 여덟 필의 복마들엔 기환(綺紈), 녹각, 피혁, 당황(唐黃) 같은 외방 저자에선 보기 드문 값진 당화(唐貨)들이 실린 데다가 그들의 대주 격인 신석주가 경사의 어지간한 벼슬아치쯤은 모가지를 뗐다 붙였다 할 수 있는 지체라, 잇속으로 보나 장사치로서의 영달로 보나 그 수하 사람들이라 할지라도 데데한 처신으로 범절할 입장이 못 되었기 때문이다.

상단들이 변승업의 객주에 들자마자 겸인들이 나서서 코가 땅에 끌리는 시늉으로 봉노로 안내하였다. 가게가 딸린 앞채에는 복마를 몰고 온 짐방 차인꾼들이 들고 일각문을 사이한 뒤 몸채에는 맹구범이 행구를 풀었다. 맹구범은 30대의 나이로 시전 공주인의 차인 행수에 불과한 처지이나 어릴 때부터 명색이 신상(紳商)이라 일컫는 신석주 수하에서 잔심부름과 배행으로 뼈가 굵었고 여리꾼과 가게의 서사를 거쳐 성골이 되기까지 거상들 틈에서 시색 좋은 대갓집 겸인들과 교분을 트고 물리를 익힌 터라, 호패만 차지 않았다뿐이지 그 국량이나 처신이 어지간한 외방 토호들이야 흉내인들 낼 수 없을 정도로 처신이 깔끔하였다.

또한 외방 향시의 풍속에 능할뿐더러 물색 좋은 영계처럼 하얀 살결에 주변이 있어 초면의 상인배를 만나서도 거래를 여축없이 성사시키고 혓바닥에 얹어 놓은 것도 다 내주는 체하면서도 길미를 노리는 안목이 또한 출중하였다. 뼈가 노글노글할 때부터 시정배들 틈에서 파란곡절을 겪으면서 눈칫밥을 먹어 온 위인답게 병문의 왈짜와 타짜꾼들과도 형님 아우님 하는 처지여서 어지간히 배짱이 드세다는 결꾼들이라 할지라도 그의 수하에선 찐 붕어가 되었다. 신석주가 어지간한 장삿길은 위인에게 일임하고 있는 것도 그런 연유들이 바탕에 깔려 있기 때문이었다.

해전으로 전주에 당도케 하느라고 어지간히 재촉했던 터라 몸채에 드는 길로 들기름 잘 먹인 구들장에 비스듬히 누워 행역을 푸는데 잠시 문밖에서 짚신 끄는 소리가 나더니 겸인 한 놈이 쫓아와서 집주인 변승업이 내려온다고 통기를 하였다. 구범은 벗어 놓았던 옷들을 부지런히 꿰고 앉았다. 몇 각이 흐르지 않아 방문이 열리는데 50대의 풍자 좋은 변승업이 바스러지게 웃으면서 방 안으로 들어섰다. 잔기침, 헛기침으로 서로 속이 빤히 들여다보이는 인사수작들을 나눈 끝에 변승업이 물었다.

「전주에선 며칠이나 지체되겠소?」

「일순으로 작정들 하고 있습니다. 일순이면 인근 저자의 지물은 대강 거둘 수 있겠지요.」

「한 파수면 넉넉하겠지만 미리 통기를 주었으면 제 수하에 있는 것들을 놓아서 지소(紙所)의 공장(工匠)놈들을 잡도리하였을 터인데요.」

「그렇게 분주를 떨 것까지야 없지요. 대주께서 공주인인 처지라 여의치 않으면 관아의 힘도 빌릴 만하고 또한 장돌림들이 물화를 빼내어 간들 물화가 보잘 것 있겠습니까.」

「가져오신 당화는 저의 객주에 적잖게 떨구어 주십시오.」

맹구범은 그 말엔 대척을 않고 잠시 뜸을 들이다가,

「지방 향시에서 값비싼 당화들은 얻다 쓰시려고 그러시오?」

그 말을 불쑥 내지르는 맹구범의 의중을 모르는 바 아니나 변가는 짐짓 딴청 펴기를,

「워낙 값나가는 물화들이라 오래 임치를 하고 때를 기다리면 잇속이 있다는 것이야 향시의 객주인들 모를 리 있겠습니까.」

「그렇겠지요.」

맹구범은 얇은 입술 가에 웃음을 흘리었다. 물론 값진 당화들이야 거의가 전주 감영의 벼슬아치나 토호들의 손으로 흘러들게 마련일

것이었다. 그들 손으로 들어간 물화는 또한 거개가 경사의 벌열층(閥閱層)*에 뇌물로 바쳐질 건 뻔한 이치겠고, 그것을 보아 온 사람이 또한 맹구범이었다.

「시세도 그러하겠거니와 전주에서 지물이 거둬지는 거조를 보아서 버금가는 당화를 내릴 작정입니다.」

좋은 말이긴 하되 은근히 뒷덜미를 누르는 언사가 분명하매, 변가는 재빨리 대꾸를 하였다.

「내일 당장 아랫것들을 놓아서 송광사(松廣寺) 지소것들에게 통기부터 하고 지물전에도 잡상배들이 얼씬하지 못하도록 닦달을 하겠습니다.」

「폐를 끼치게 되었습니다.」

「섭섭한 말씀입니다. 대주 어른의 일에 미천한 제가 강 건너 불 보듯 할 수는 없지 않습니까.」

「저희가 데리고 온 겯꾼들도 있으니까 만에 하나 실수가 없도록 하고, 또한 향시의 장돌림들의 원성이 높아서도 아니 되겠습니다.」

하필이면 전주의 지물을 매점(買占)하려 드는지 변가는 구태여 반문하지 않았다. 진작부터 산동성(山東省)에서 온 되 땅의 잠상배들은 평안·황해의 연해 지방인 녹사포(綠沙浦), 재령강(載寧江), 철도(鐵島) 등지로 내왕하면서 그들의 주단(綢緞), 잡화, 당황, 안경 등을 시세의 고헐을 막론하고 조선의 포삼(包蔘), 한지(韓紙), 피물(皮物)들과 환매하기를 고집하여 왔었고, 변방 출입이 잦아 청상(淸商)들과 잇속을 트는 데 이골이 난 송상과 만상(灣商)*들은 당화를 찾아 눈이 시뻘건 시전 상인들이 권세와 결탁된 점을 이용하여 은근히 압력을 놓아 손쉽게 지물을 거둬들이자는 속셈이 맹구범 같은 위인을

---

* 벌열층: 나라에 공로가 많고 벼슬이 높은 집안.
* 만상: 의주(義州) 상인.

전주에까지 내려 보낸 원인이란 걸 변가도 짐작하고 있었다.

한지만 하여도 그 생김이 다양하였다. 함경도에서 나는 귀릿짚을 벗겨 만든 고정지(藁精紙)가 있었고, 율무나무로 만든 의이지(薏苡紙), 버드나무 껍질로 만드는 유목지(柳木紙)와 유엽지(柳葉紙)가 또한 있었다. 강원도 평강에서 나오는 설화지(雪花紙)가 있었고, 다듬잇돌에 다듬어서 만든 도련지(搗鍊紙)가 있었다. 과거지(科擧紙)로 쓰는 정초지(正草紙)가 있었고, 제기용(祭祈用)으로 쓰는 곡물지(穀物紙)와 화지(火紙)가 있었다. 종이를 부수어 다시 만든 환지(換紙)가 있었고, 상주(上奏)할 때만 쓰는 계목지(啓目紙)가 있었다. 관교지(官敎紙) · 초주지(草注紙) · 저상지(楮常紙) · 차초주지(次草注紙) · 대호지(大好紙), 그것보다 품질이 약간 낮고 작은 소호지(小好紙), 아주 얇으나 질긴 죽청지(竹淸紙), 가는 털과 이끼를 섞어서 뜬 태지(苔紙)가 있었다. 부채용으로 쓰는 선자지(扇子紙), 편지용으로 쓰는 간장지(簡壯紙), 장판지(壯版紙)로는 주유지(注油紙)와 유둔지(油芚紙)가 있었다. 그중에서도 전주 송광사에서 나오는 한지는 되 땅 사람들이 탐하여 찾는 물종의 하나였다.

잠시 말이 없는 맹구범을 쳐다보며 변승업이 조심스레 의중을 떠보았다.

「객회가 쓸쓸할 터인데 나가서 술이라도 하시지요. 색주가라면 저도 알 만한 곳이 많습죠.」

「대주께서 아시는 날엔 불호령이 떨어집니다.」

「바깥채 짐방들에겐 벌써 탁배기를 구처하여 목들을 축이게 하라고 일러 두었습니다. 쓴술 몇 주전자에 천 리 밖에 계시는 대주께서 설마 증을 내시려구요.」

그만하면 서로의 의중을 더듬어 챙긴 터이니 지체할 것 없이 두 사람은 집을 나섰다. 전주의 장터거리는 원래 동북 이문(二門)은 초

나흘과 초아흐레에, 서남 이문 밖은 각각 초이틀과 초이레에 저자가
섰다. 그러나 근자에 이르러서는 남문과 서문 밖의 저자만 성행하였
으므로 색주가들을 찾자면 자연 남서문 밖으로 가야 하였다.

객주가 있는 곳이 남석천교(南石川橋) 앞 진영(鎭營)이 있는 저잣
거리였으므로 분잡을 피해 서천교(西川橋) 다릿목께로 개울을 왼편
으로 끼고 올라갔다. 잠시 말없이 걸어가던 맹구범이 떨떠름한 눈치
를 보이며,

「엽관배들이나 들락거리는 분주한 색주가보다 좀 조용한 집은 없
겠소?」

변가가 약삭빠른 체하며,

「그럼 제가 딱 한 집 알고 있는 안침술집〔內外酒家〕*이 있는데 그
리로 가보시지요. 기명도 정결하고 대접이 깍듯합니다.」

서천교 앞을 지나 활 한 바탕 행보쯤에서 왼쪽으로 뚫린 고샅길이
보였다. 주위를 살펴보아도 조용한 여염집들만 줄지어 서 있는데 고
샅으로 돌아드니 용수를 달진 않았으되 지등 하나를 대문 밖에 내건
집이 보였다. 솟을대문하며 용마루가 반듯한 담장하며가 술잔이나
팔며 살아갈 지체인 가문 같지는 않았다. 문밖에서 길게 통자를 넣
으니 흰색 동정이 첫눈에 선명한 편발의 계집아이가 나와서 문을 따
고는 아래채 사랑으로 모시었다.

뒤트레방석을 깔고 앉으며 변가가 계집아이에게,

「술상 내보내시라 여쭈어라.」

깍듯이 이르니 계집아이는 알았다는 듯이 고개만 숙이고 안으로
들어갔다. 담배 한 죽 태울 때쯤 해서 해주반에 각상으로 주안상을
내오는데, 마른안주는 우포(牛脯)와 어포(魚脯)가 있고 진안주로는

---

*안침술집 : 주인과 손님이 서로 대면하지 않고 술을 파는 집으로, 주로 양반의
후예들이 경영했다 함.

너비아니, 편육, 빈대떡, 떡산적과 구운 생선 등속이었다. 기명이며 예법이 제법 본데가 있고 주전자며 술잔이 상것들의 범절이 아니었다. 제법 행세깨나 하고 살던 여염집이었는데 액운이 들어 풀칠이나 하려고 안침술집을 낸 게 분명하였다.

술이 서너 순배 돌아 한기가 풀리고 복장들이 뜨거워지자, 변승업이 서울 시전 소식을 물었다.

「대주께선 신관이 어떠하십니까?」

「가을에 소실을 두고 난 이후로는 바깥일을 거의 제게 맡기시고 출입도 하시지 않을 정도입니다.」

「아주 폭 빠지셨군요.」

구범이 대답을 않고 딴청을 부리매 변가는 금방 안면을 바꾸어,

「권문세가에 돈줄을 대고 있다는 소식은 진작부터 듣고 있습니다.」

「그야 어디 풍문뿐이겠소. 데데한 시골 벼슬아치들이야 대주 어른 한번 뵈옵자면 문간방에서 사오 일씩은 목침을 굴려야 합니다.」

「장사치로서 그만한 설산을 하시는 것도 왕기요, 또한 권문세가의 문전을 무상출입이라시니 외방의 잡살뱅이 장사치로선 꿈같은 얘깁니다.」

「권문세가와 결탁하지 않으면 치부를 하기도 어렵겠거니와 벼슬아치들 또한 거상을 끼지 않으면 체면 유지가 어렵다는 걸 알고 있는 거지요.」

「저희들이야 설령 이재에 물리가 트였다 한들 상종해 봤자 샐닢이나 쥐고 떠는 장돌림이니 이문이래야 쥐꼬리요, 아전들 뒷배 대느라 코밑이 마를 날이 없지요.」

맹구범은 야살을 떨고 있는 변가를 적이 바라보다가,

「전주로 말하면 팔도에서도 대처로 손꼽히는 곳이요, 그곳에서도 뜨르르하시다는 분께서 그런 말씀을 하신다면 일개 차인의 지체

인 저는 입도 뻥긋 못하겠습니다.」

변가가 허겁스레 손사래를 치며,

「이런 변이 있나…… 제가 공연한 입정을 놀렸나 봅니다.」

술이 다시 한 순배 돌고 나자 변가는 상 밑으로 손을 넣어 맹구범의 허벅지를 만지작거리면서,

「객회도 있고 하니, 우리 이러지 말고 색주가로 나가서 기생 점고나 하십시다.」

「공연히 관아붙이를 흉내하다가 주장 맞는 게 아닙니까?」

그 말끝에 변승업도 잔뜩 율기를 빼물면서 맹구범을 곧은 시선으로 바라보았다.

「내 지체가 비록 외방 접주인(接主人)*에 불과하나, 전주 가근방 색주가에선 변승업이라 하면 염하던 기생년이라도 깨어나서 버선발로 뛰쳐나올 지경입니다.」

「씀씀이가 너무 허(虛)하신 거로구려.」

「염량세태(炎涼世態)*에 능한 기생년들이 그 정도라면 장삿속의 신용이나 오지랖도 넓어야 한다는 것은 짐작하실 터이지요.」

술자리에 앉을 때부터 어딘가 몸을 사리고 머뭇거리던 눈치인 맹구범이 결심한 듯 상머리에 바싹 당겨 앉으면서 나직이 말하였다.

「실은 긴히 드릴 말씀이 있소이다.」

「무엇입니까?」

「우리가 일순이나 전주에 묵으려는 데는 그만한 연유가 있어서지요.」

「대강 짐작은 하고 있었습니다만…….」

「관아것들의 눈을 피하고 믿을 만한 노복이나 겸인 네댓이 필요한

---

*접주인 : 와주. 도둑이나 노름꾼 따위를 거느리는 사람.

*염량세태 : 권세가 있을 때는 아첨하고, 몰락하면 푸대접하는 세상 인심.

물화가 내게 있습니다.」

「당화 외에 또 다른 물화가 있다는 말씀이군요.」

「그렇지요. 아편입니다.」

변승업의 낯짝이 낯달처럼 파래졌다.

「그 애물을 어찌하실 작정입니까?」

「우리가 구태여 전주로 내려왔을 땐 누굴 믿고 왔겠소?」

「포도청이 멀긴 합니다만, 여기도 감영이 있는 곳이 아닙니까.」

「경사라면 또한 이런 부탁을 할 까닭이 없습니다.」

「낭패로군요.」

「물화가 잘만 처리된다면 구문은 뚝 떼어 드리겠소.」

「한 이틀쯤 말미를 주시겠소?」

갑자기 변승업의 말버슴새가 뻣뻐드름해진 데 배알이 뒤틀리지 않는 건 아니로되 일이 너무 위중한 터요, 뱉어 놓은 게 조청이라 한들 주워 담을 처지가 아니어서 맹구범은 고개를 끄덕이었다.

「또 한 가지 일은 백방으로 수탐하여 사람을 찾는 일입니다.」

「어떤 사람입니까?」

「혹시 장돌림 중에 조성준이란 자나 천봉삼이란 자와 거래를 해본 적이 없습니까?」

「초일기를 뒤져 보아야 알겠으나 그런 사람들과 거래를 터본 기억은 없습니다. 다만 조성준이란 자는 장돌림들 간에 징치하라는 통문이 돌고 있다는 건 알지요.」

「그 통문이 발통된 곳은 어딥니까?」

「강경이라고 들었지요. 그곳의 객주였던 김학준의 문중에서 발통시킨 것이지요. 조성준이란 자가 행패한 일로 김학준이 졸지에 세상을 버리게 되었다는 소문이 낭자합니다. 그런데 그자들은 왜 찾으십니까?」

「쉿, 목소리를 낮추십시오.」

바깥의 인기척을 먼저 느낀 사람은 원래 신중한 성품인 맹구범이었다. 구범이 벌떡 일어나서 미닫이를 열었다. 마루 끝에 난데없는 소복 차림의 계집이 후줄근하니 어깨를 늘어뜨리고 앉았는데 옆에는 조리개로 단단히 죄어 묶은 버들고리가 놓여 있었다. 첫눈에 방물장수가 분명한데 소복 차림이 또한 괴이하였다. 방과 마루가 두 칸도 못 되는 지척이고 보면 방에서 귀엣말로 나눈 이야기이긴 하되 귀가 밝은 계집이라면 낱낱이 주워들었을 만하였다. 맹구범의 얼굴이 백지장 같아졌다. 미닫이가 열렸는데도 내외를 한 채 앉아 있는 계집에게 맹구범은 침착하게 해라로 물었다.

「게 누구냐?」

계집은 능멸하는 언사에 대척도 않고 버들고리를 끌어당겨 막 머리 위로 얹으려 하였다. 사이를 두지 않고 맹구범이 마루로 쫓아 나가 버들고리를 낚아채고 언성을 높였다.

「이 발칙한 년, 누구냐고 묻지 않았더냐?」

버들고리를 빼앗긴 계집이 눈시울을 모질게 뜨고 맹구범을 쳐다보는데, 굶주림에 육탈이 되고 햇볕에 그을린 얼굴이긴 하되 숫기가 있고 악바리로 보였다.

「쉰네는 월이라 하옵니다.」

「혼쭐이 나봐야 알겠느냐? 남의 집 처마 밑엔 왜 와서 앉았느냐?」

「쉰네는 명색이 방물장수이옵니다. 마침 앞을 지나다가 대문이 열려 있기에 불고염치로 들어온 것뿐입니다.」

「장사치라면 밝은 날에 발서슴을 할 일이지 밤중에 웬 거조냐?」

「장사꾼이란 잇속을 따라 발길이 닿는 법이지 구태여 밤낮을 가릴 처지가 아니지 않습니까.」

「그럼 냉큼 안채로 들어가서 소간을 볼 일이지 여기 앉아서 남의 밀담을 엿듣고 있었던 소이는 무엇이냐?」

「처음 찾아온 집이라 잠시 막연하여 갈피를 잡고 있었을 뿐으로 나으리들 밀담을 엿들은 적은 없습니다.」

개구리 낯짝에 물 퍼붓기로 눈 한 번 깜빡 않고 대거리를 하고 있는 퀼녀의 숫기에 기가 질린 맹구범이 우두망찰인데 바깥을 내다보고 앉았던 변승업이 냉큼 끼어들었다.

「듣자 하니 장돌림인 모양인데 이리 들어오거라.」

바깥의 대답이 아귀세었다.

「어찌 이 집엔 양반 못자리를 하였습니까? 사람마다 해라로만 홀대를 하십니까? 쇤네가 나이는 없으나 엄연히 혼례를 치른 계집입니다.」

「그래? 우리가 썩 잘못된 모양이로구나. 그러나 우리도 그만한 지체이니 하대를 하는 게 아니냐.」

「쇤네가 아무리 상것이라 한들 금시초면에 내외가 있는 법인데 어떤 지체이시기에 그렇게 비위가 좋으십니까?」

변가가 버럭 결기를 돋우어 소매를 떨치며,

「맹랑한 것이로구나.」

「맹랑하긴 쇤네도 다를 바가 없습니다.」

「물고를 낼 년, 어디다 입내를 하느냐?」

「증을 내실 일이 아닙니다.」

맹구범의 눈짓에 변가가 결기를 누그러뜨리며 은근히 이르기를,

「자네, 방으로 들어오지 않으려나?」

「혹시 취중에 쇤네가 들병이로 보였거나 기루의 계집으로 보였다면 그것 또한 쇤네의 불찰입니까?」

「내 아직 술잔을 굴리다 만 처지이니 취중에 한 말은 아니다. 긴히 알아볼 일이 있으니 냉큼 들거라. 이야기를 하다 보면 서로 알 만

한 처지라서 그런다.」

「쇤네는 이만 돌아가겠습니다.」

「못 간다.」

사이에 끼어든 맹구범의 딱 자르는 한마디는 비수가 꽂힌 듯 싸늘하였다.

「못 간다 하시면 쇤네를 잡아 엎치겠다는 말씀입니까? 해 빠진 안침술집에서 공무를 보는 관속들도 계시다는 겁니까?」

「이 안갑을 할 것, 보자 보자 하니 종내엔 관아까지 능멸하려 드는구나. 우리가 언제 관아붙이라고 장담하였더냐?」

「관속이 아니시라면 무고한 백성을 무슨 유세로 가라 오라 하십니까?」

「자네가 들어오고 아니고는 자네 작정에 달려 있느니라. 내가 자넬 보고 장사치냐고 운을 떼었을 때는 대강 짐작을 하였을 터…… 어찌 방정맞게 말대꾸만 그리 낭자하냐?」

「장사치로 출신한 지가 얼마 되지 못하여 아직 풍속에 어둡고 물리에 서툴러서 그러합니다.」

「물리엔 어두운 주제에 말대꾸는 어찌 그리 옹골차냐.」

「쇤네가 재갈 먹인 나귀인가요?」

「말인즉슨 타당하구나.」

「말대꾸도 하지 않으면 한낱 버러지나 반편으로 보시기 일쑤가 아니십니까?」

「자네가 한낱 미물이 아니라 한다면 사람의 말을 알아듣는 재미도 있어야 하지 않겠나.」

「쇤네가 잇속을 쫓다 보니 때로는 내외를 가리지 못하였으나 술자리에 끼어든 적은 없습니다.」

가만히 서서 두 사람의 대거리를 듣고 섰던 맹구범이 찬찬히 월이를 살펴보았다. 계집의 응대함이 지체 없을뿐더러 국량도 허술해 보이지 않으매 시호굴(豺狐窟)로 붙잡혀 간다 한들 제정신은 챙길 계집 같았다. 웬만한 노구쟁이 할미쯤은 어르고 간 빼먹을 계집이었다. 절이 망하려 들면 새우젓장수가 기어들더라고 성명도 없는 잡것이 뛰어들어 산통을 깬다 싶었지만 겉으로야 예사로운 체할 수밖에 없었다. 문제는 이런 계집이라면 두 사람의 밀담을 주워들었다 한들 쉽게 흉중을 내보일 것 같지 않다는 것이었다. 맹구범으로서는 그런 실수가 없었다. 측간 개구리에 뭐 물린 꼴이 되었으나 계집의 의중을 모르고 있으니 자연 사정조로 나올 수밖에 없었다.

「우리의 체면을 믿고 한속도 들일 겸 방으로 들어가세.」

「고리짝부터 내어 놓으십시오.」

「이 때 묻은 행담(行擔)이 그렇게도 위중한 것이냐?」

「맹물에 조약돌을 삶아 먹어도 제 분수지요. 나으리들 보기엔 하찮은 것이되 쇤네에겐 돌아본 마을이요 꾀어 본 방귀입니다.」

「석류는 떨어져도 안 떨어지는 유자(柚子) 부럽지 않다는 것이냐.」

「그렇습지요.」

「보아하니 자네가 생긴 것도 밉지가 않고 언변도 그만하니 내가 행담째 사줄 수도 있다네.」

「외방 장사치의 물화라 나으리들 같은 지체와는 상관이 없을 터입니다.」

「잇속을 따라 부지거처하는 것이 자네의 입장이라면 마루와 방 사이가 두 칸도 못 되는 지척이고 또한 하매자가 이토록 원하는바, 여기서 자네가 뿌리치고 대문을 나선다면 필경 그 신분이 수상쩍은 사람이 아닌가. 발쇠꾼이 아니면 적습(賊習)을 버리지 못하는 왈패로 알아도 좋겠나?」

「이 아픈 날 콩밥하더라니 애옥살이 장돌림을 무단히 욕보이려는 심산이시구려.」

「그럴 수밖에 없지 않은가?」

「쉰네가 방으로 들어가면 정말 물화를 거두어 주시겠습니까?」

「상감의 망건 살 돈이라 한들 내가 하룻밤에 일구이언을 하겠는가?」

「그럼 들어가겠습니다.」

「우리 역시 외방 장돌림은 아니나 장사치들이 틀림없네. 방 안에 계시는 분은 전주에서도 이렇다 하는 접주인으로 자네와 안면을 터서 결코 손해 볼 분이 아니니 그 점 명심하게.」

월이는 그제야 토방에 짚신을 벗고 맹구범을 따라 방으로 들어갔다. 술상과는 멀리 떨어져서 바람벽을 마주하고 오도카니 앉았다. 궐녀는 문득 불과 며칠 전에 상부(喪夫)를 한 청상의 신세란 생각이 들었다. 여염의 청상이었다면 감히 생각도 못할 자리에 자신이 놓여 있다고 생각하며 목만 남은 버선 위로 짧은 치마를 당겨 덮었다. 두 사람의 소청을 뿌리친다면 대문 밖을 제 발로 걸어 나갈 수 없을 것 같았고 길게 앉아 있으려니 또한 두려웠다. 그러나 물화를 고리째 사줄 수도 있다 하니 나중에야 접사(接邪)*를 하였다는 낭패를 볼지언정 한번 상종해 볼 만하다고 속내를 다잡아 먹었다. 뒤따라 방 안으로 들어온 맹구범이 가만히 미닫이를 닫고 말하였다.

「보아하니 상부한 처지인데 우리의 실수가 많았네.」

「실수는 쉰네가 하고 있습니다.」

「행담엔 어떤 물화들을 갖추었는가?」

「얼레빗, 달빗, 되매기빗, 도깨비장에서 산 참빗이 있습지요. 참빗은 영암과 담양의 것인데 전부가 양반의 손으로 만들어집지요. 제

---

*접사: 요사스럽고 못된 귀신이 붙었다는 뜻으로, 시름시름 앓는 병에 걸림을 이르는 말.

주의 해송(海松)으로 만든 것도 있고 대나무, 박달나무, 대추나무, 도장나무, 쇠뿔, 대모(玳瑁)* 입힌 것도 있습지요. 주머니로는 두루주머니, 귀주머니, 향주머니, 약주머니, 수젓집, 부채주머니, 붓주머니, 장도주머니, 부싯주머니, 복장주머니하며 댕기며 노리개가 몇 개 있을 뿐입니다.」

「무엇으로 환매들을 하는가?」

「피물이 성한 곳이면 피물로도 받습지요. 족제비나 너구리 가죽도 받고 곡물이 성한 곳이면 곡물로 받고 북덕무명이나 계추리로도 바꾸었습죠. 혹간 은자라도 받아 쥐면 손에서 땀이 났었지요.」

「이문은 실팍하던가?」

「이문이랄 게 있습니까? 연명이나 하고 장리변이나 쓰지 않을 정도이지요.」

「걱정 말게. 내가 행담째 사줌세.」

「쉰네도 얼른 하처 잡은 곳으로 돌아가야 합니다.」

「뜬벌이*에 병문친구*가 없을 것인가마는 잠시 기다리게⋯⋯. 손자 밥 떠먹고 천장 쳐다보기로 아깐 우리의 밀담을 엿듣고도 딴청을 펴는 게 아닌가?」

「듣지 못했습니다.」

「그걸 증험할 일이라도 있는가?」

「낭패를 보이지 마십시오.」

「자네 고향은 어딘가?」

「일찍이 제 아비가 고향을 가르쳐 준 적이 없었습니다.」

「망부는 언제 세상을 버렸는가?」

---

*대모: 거북의 껍데기.
*뜬벌이: 고정적이 아니고 닥치는 대로 하는 벌이.
*병문친구: 골목 어귀의 길가에 모여 막벌이를 하는 사람.

「이미 쉰네를 혼자 이승에 남기고 떠나 버린 사람을 다시 들추어 가슴을 썩이기 싫습니다.」

「자네의 정리가 하도 딱하여 물었던 말이니 너무 고깝게 생각진 말게.」

「쉰네를 아무리 구슬려도 못 들은 말을 지어내어 두 분의 염량을 엿보기는 싫으니 어서 물화나 가려 주십시오. 소금에 아니 전 년이 장에 절까요.」

「그렇게 하지.」

「야심하면 나다니기 거북하고 또한 동패들이 눈 빠지게 기다릴 것입니다.」

「마침 술자리도 끝이 났고 하니 우리와 동행하여 남문 밖까지만 가세. 내 처소가 거기이니 내 행탁을 풀어 가전을 쳐줌세.」

「따라가겠습니다. 그러나 쉰네가 듣지 못한 말을 내뱉으라는 말은 마십시오.」

「자네가 끝내 듣지 않았다니 그만한 다행이 없네. 원래 장사치란 밀담이 많은 법, 혹시 자네가 내막을 알아 저자에 소문이라도 퍼뜨리며 잇속을 노릴 일은 단념해야 하네.」

월이를 그냥 내보내기는 범벅에 꽂은 수저처럼 위태위태하여 꾐수를 쓴 것에 불과하나, 그것이 자기를 유인하기 위한 잔재주라는 걸 눈치 채기엔 월이는 아직 저자의 물리와 시정배들의 농간에 어두웠다.

월이는 식대를 치르고 토방으로 내려서는 두 위인을 따라 안침술집을 나섰다. 하루 종일 불두덩이 부어오르도록 저자와 골목을 발서슴한다 하여도 얼레빗이나 참빗 몇 개가 팔리는 처지로서 값나가는 몇 가지를 팔아 주겠다니 그 일을 놓칠 수야 없었다. 밀담이고 개뼈다귀고가 궐녀에게 무슨 상관이랴. 다만 자신이 죄지은 바가 없다면 하물며 아녀자를 무고히 잡아 엎치지는 않으리란 생각에서 두말 없이 뒤따라 나선 것이다.

세 사람은 매우 바쁜 걸음으로 개천가를 따라서 남문 밖으로 내려갔다. 사발막걸릿집이 길가에 즐비하였고 아직 문을 걸지 않은 가게도 보였다. 문 앞에서 고샅이 오른편으로 꺾이는 곳에 장명등을 내건 변승업의 객줏집이 보였다. 늙은 겸인이 나와서 문을 따는데 변가가 물었다.

「차인들과 짐방들은 전부 봉노에 들었더냐?」

「예, 모두들 행역에 지쳤던지 걸판지게들 마시고는 잠들었습죠.」

「문단속들 잘하게.」

「예, 염려 놓으십시오.」

「색다른 손님 한 분이 있으니 자네도 들어가 자게.」

늙은 겸인이 그 말끝에 맹구범의 뒤에 선 월이를 마뜩찮은 시선으로 힐끗 살피더니 빗장을 내리고 행랑채로 들어갔다.

「나를 따라오게.」

맹구범이 말하고 앞장을 서려 하는데, 어느새 뒤돌아 간 변가가 냉큼 월이의 뒷덜미를 낚아챘다. 고리짝이 땅에 떨어지고 월이는 변가가 옥죄고 드는 손아귀에 당장 숨이 끊어질 듯하였다. 삽시간에 당한 봉패라 아귀센 월이도 미처 손쓸 사이가 없었다. 궐녀가 몸을 빼치려고 하자 행전을 찢어 든 맹구범이 합세하여 아갈잡이를 하였다.

「우선 겸인들이 눈치 채지 못하게 곳간에다 처넣읍시다.」

맹구범이 다급하게 말하였다.

「저쪽 끝이라면 바깥채와는 상당히 먼 곳이니 하룻밤쯤은 안심하실 수가 있을 겁니다.」

「이 발칙한 년, 감히 뉘 앞에서 농간을 부리느냐. 네년이 우리의 밀담을 듣지 않았다면 말대꾸가 그렇게 옹골찰 수가 없는 법이다.」

「어서 끌고 가십시다. 꿀에 밤똥 싼다더니 신출내기 장돌림인 주제에 사람의 염량을 꿰는 데는 물리가 트인 계집이오.」

월이를 장방에다 끌어 박은 두 사람은 뒷결박을 단단히 지은 다음한 끈은 천장 북쪽에다 매달고 문을 닫아걸었다. 칠흑 같은 어둠이흙냄새와 함께 월이의 눈과 코를 틀어막았다. 빗장을 밖으로 내린위에 자물통까지 걸고 난 두 사람은 안채에서 장방으로 내려가는 담모퉁이에 모여 섰다. 변가가 먼저 말하기를,

「저 계집은 필경 바람잡이오. 소복 차림으로 여염집에 드나들며동정을 구하려는 수작부터가 괘씸한 것이 아니겠소. 내 일찍이 시집간 년이 친정으로 쫓겨나서 되모시 행세 하는 건 보았으되 편발이 남진계집 행세 하는 것은 처음 보았소.」

「행수께선 어떻게 생각하시오?」

「엿들은 건 분명한데 저년이 쉽게 토설할 것 같지가 않구려.」

「일진이 나빴던 거지요. 그러나 저 계집을 닦달하는 일은 제게 맡기십시오. 내일 해 뜨기 전까지는 잡도리해 두겠습니다.」

「옜수, 쇳대 여기 있습니다.」

맹구범은 장방의 쇳대를 건네받았다. 변가가 문득 바삐 서둘며,

「그럼 저는 들어가겠습니다. 사람들을 수소문하는 일은 가근방 전도가와 객줏집들에 아랫것들을 놓아 보겠습니다. 그리고 그 물화는 저년을 멸구한 다음에 처분할 방도를 찾도록 하십시다.」

「대처의 저자이니까 장돌림들이 많이 모여들 것이니 실수 없도록해주십시오.」

변가가 고개를 끄덕이고 바쁘게 내사 쪽으로 건너갔다. 벌써 이경이 넘은 터라 집 안은 쥐 죽은 듯 고요하였다. 건네받은 쇳대를 괴춤에 차며 맹구범은 처소로 올라갔다.

맹구범이 천봉삼 일행을 수소문하게 된 연유는 자신도 예상치 못

었다. 그가 차인·짐방 들을 영솔하고 삼남으로 뜨

□(鐵物橋) 너머 탑골〔塔洞〕 신석주의 소실댁에서

□방(新房)*으로 맹구범을 찾아왔다. 길을 뜨기 전에 반드
시 탑골에 들러 달라는 은밀한 전갈이었다. 소실댁의 전갈이라면
대주의 신임을 받고 있는 맹구범으로선 함부로 괄시할 처지가 아니
었다.

지난가을에 신석주가 경상도 안동에까지 내려가서 맞아들인 소실
은 월용화태에 범절이 뚜렷하고 또한 아녀자의 국량으로는 장삿속
에도 밝았다. 신석주도 본가 출입은 건성이요, 한 달에 스무 날은 탑
골에서 보내는 처지였다. 그러하니 수하것들도 자연 본가와는 소원
해지고 탑골 출입이 잦게 되었다. 맹구범이 제아무리 신석주의 신임
을 얻고 있다 할지라도 지체가 눈칫밥을 먹어야 하는 차인인 것은
분명한 터요, 탑골댁이 아무리 첩실의 신세라 한다지만 상전의 살붙
이임은 틀림없었다.

하찮은 전갈이나마 거역할 처지가 아니었고, 또한 그랬다간 머지
않아 대주로부터 불호령이 떨어질 판국이었다. 은밀히 연통을 넣는
걸 보면 또한 은밀히 찾아 달라는 눈치임을 맹구범이 모를 턱이 없
었다. 해가 빠지고 파루 치기를 기다려 맹구범이 단신으로 탑골로
찾아갔다. 통자 넣기 바쁘게 업저지 계집아이가 대문을 땄다. 신석
주가 출타한 틈을 타서 사람을 부른 것이 분명하였다. 마루 끝에 서
서 하정배를 드리고 서 있으려니 금방 미닫이가 열리고 촛불을 등에
진 탑골댁의 화사한 얼굴이 나타났다.

「어서 오십시오. 총망중에 걸음하게 하여 범절이 아닙니다.」

가지런한 치열이 붉은 입술 사이로 열려 보이었다. 물론 맹구범은

---

*신방: 가게.

차인 행수의 처지이매 탑골 작은마님 댁은 무상출입이었지만, 그때마다 신석주의 내밀한 명이나 전갈을 받자는 것이 대부분이었다. 무상출입이 허용되었으되 작은마님을 은밀히 만난다는 건 생의조차 못할 일이었다. 그가 방으로 들어가 안돈하자 업저지 계집아이가 조촐한 다담상을 내왔다.

「제가 긴히 드릴 말씀이 있어 통기를 놓았습지요.」

수하의 사람이되 탑골댁은 깍듯이 경대를 하였다. 미처 다담에 손을 대지 못하고 있던 맹구범이,

「말씀하십시오. 마님 분부시라면 열 일을 제치고서라도 뫼올려얍지요.」

「사람을 찾는 일입니다.」

「별로 어려운 일이 아닙니다. 신방의 차인들이나 여리꾼들을 부리기가 난처하시다면 저희가 알고 있는 시정배들을 부릴 수도 있지요.」

「그게 아닙니다. 이번에 삼남으로 가신다 하기에 외방의 장돌림들 중에서 수소문해 볼 사람이랍니다.」

「제게 방도가 있겠지요.」

「천봉삼이란 사람입니다. 내가 그동안 수소문한 것으로는 그 사람의 행수는 쇠살쭈인 조성준이란 사람입디다.」

「행방을 전연 모르고 계시군요?」

「삼남의 향시를 돌고 있겠다는 짐작뿐이지요.」

「작죄(作罪)하여 피신을 하고 있는 사람들이 아니라면 제가 들르는 임방 객주마다 손을 쓰고 수소문을 하면 행방을 찾아낼 방도가 나설 겁니다.」

「작죄라니요? 그런 사람을 찾는 것은 아니니 안심하시오. 먼 일가붙이이긴 하나 내가 안동에서 친정살이할 적에 은공을 입은 사람

입니다. 내가 찾아 나설 만하나 아시다시피 울 밖을 모르는 주변
으로 속만 태우고 있을 뿐입니다.」

「만난다면 어떻게 할까요?」

「혹여 만난다면 장사치로서 형편이 어떠한지 알아보고 생업이 간
구한 신세이면 사람을 중간에 놓아 은근히 밑천을 만들어 주었으
면 합니다.」

「아직 미장가입니까?」

「그럴 겁니다.」

굳이 먼 친척이라고 부리를 헐다 마는 탑골댁을 찬찬히 살피었으
나 별다른 낌새를 느낄 수는 없었다. 어쨌든 소실로 들어앉은 이후
로 신석주 몰래 사사로이 영을 내린 일이 없었고 보면 천봉삼이란
자가 일가붙이 이상의 관계를 가진 사내라는 짐작만은 어렵지 않았
으나 미주알고주알 따져 물어볼 수는 없었다. 상전의 일을 알거냥하
여 따지고 들다 보면 미움을 사기 십상이요, 미움을 사게 되면 신변
이 온전치 못하다는 것을 맹구범이 모를 턱이 없었다.

「외방 향시의 장돌림이라면 필경 짧은 밑천이겠지요. 그 사람들의
평생 소원이 저자 변두리에 가게라도 짓고 들어앉는 것이 아닙니
까.」

「그런 곡경을 알고 있으니 긴히 부탁하는 것 아닙니까. 그 은공은
기필코 잊지 않을 터이니 일을 성사시키도록 해주십시오.」

「모처럼 당부이시니 명심하였다가 거행해 올립지요.」

목소리가 떨린다 싶던 탑골댁은 더 이상 긴말을 않고 화각함을 열
고는 은자가 묵직하게 든 염낭 한 개를 맹구범에게 건넸다.

아비의 물욕에 이용되어 신석주에게 끌려오다시피 하기 전에 천봉
삼에게 보쌈질을 당하여 팥죽할미 집 협방(夾房)에서 그와 누리었던
하룻밤의 열락을 궐녀는 결코 잊을 수가 없었다. 사람의 애욕에 넘침

이 없듯이 그를 흠모하고 사모하기에 엄연한 소실의 몸이라 한들 봉삼을 잊을 수가 없었다. 결코 다시 만날 것을 약조한 일은 없었으되 하늘이 무심치 않다면 다시 상봉할 때가 오리라 믿었다. 만금 태수인 신석주의 소실이 되어 겉으로는 요족을 누린다 한들, 궐녀의 심기는 가을 부채처럼 쓸쓸할 수밖에 없었다. 이미 양기가 쇠한 신석주와 동품을 한다 한들 그것은 흉내일 뿐, 양기나 보(補)해 주는 윗방아기 신세에 불과하지 않은가. 임석(衽席)*의 즐거움, 합금(合衾)의 열락을 잊은 채 벽오동의 그림자만 바라보는 신세에 불과한 계집이 된 것이었다. 늙은 신석주는 동침은 하되 단전(丹田)에 서린 양기만 쓸 따름으로 상기(喪氣)를 한다 하여 행요(行搖)는 삼가고 있으니 궐녀는 차라리 내시 집안에 팔려 온 환처(宦妻)의 신세와 다를 바가 없었다. 마침 차인 행수인 맹구범이 상단을 이끌고 삼남으로 거동을 한다기에 궐녀는 조바심 끝에 수하 사람의 눈총을 무릅쓰고라도 봉삼의 행처를 수탐해 보기로 작정한 것이었다. 그러므로 맹구범은 아편을 밀매하는 일 이외에도 또한 소홀히 할 수 없는 것이 그 일이었다.

그런데 초장부터 장삿길에 마가 끼어든 것이 탈이라면 탈이었다. 맹구범이 월이를 장방에 내려 가두고 돌아와 침석에 누웠으나 잠이 올 턱이 만무하였다. 계집이 하찮은 향시의 방물장수라 한들 그 입놀림이 가히 범상하지 아니하고 시치미를 떼는 거조가 호락호락하지 않으니 함부로 해코지를 하였다간 되레 기롱을 당할 판국이라는 데 맹구범의 난처한 입장이 있었다. 장방에 가둔 것까지는 좋았으되 지금부터가 문제였다. 그들 상단이 전주에서 일순이나 묵새길 동안 계집을 가두어 둔다 한들 그들의 밀담이 삭아 없어질 리가 만무하였다.

전전반측으로 가슴을 태우고 궁리를 터보았으나 뾰족한 방도가

---

*임석 : 잠자리에 모심.

나서질 않았다. 이미 가두어 놓은 계집을 방면한다 한들 고초당한
보복을 위해서라도 관아로 달려갈 것이요, 관아로 달려간다면 독불
장군이 어디 있겠는가. 장삿일은 그것으로 끝장이 날 터이었다.

맹구범은 미닫이를 열고 밤하늘을 쳐다보았다. 북두칠성이 하늘
가로 썩 밀려나 야심한데 야기는 더없이 차가웠고 지붕물매를 핥고
지나가는 삭풍은 드세었다. 그는 괴춤에 차고 있는 쇳대를 꺼내 들
었다. 마루에서 내려가 불똥 디디는 걸음으로 장방 앞으로 다가갔
다. 쇳대를 디밀어 자물통을 따고 곳간으로 들어서니 그때까지 채독
옆에 쭈그리고 앉았던 계집이 들어서는 구범을 노려보았다.

「고초를 겪어 보니 어떠냐? 내 말에 고분고분하지 않으면 살아남
지 못하리라.」

구범이 다가가서 재갈 물린 것을 풀어 주었다.

「어떠냐? 살고 싶은 마음이 솟더냐?」

「도대체 네놈들은 무슨 유세로 무고한 장사치에게 이다지 고초를
보이느냐?」

「넵뜨지 마라, 이년. 어디다 간대로* 호놈이야.」

「네놈이 저지른 악업을 벌충할 길이 당장 없다는 게 한이다.」

「내가 네년을 구해 줄 수도 있다. 그것뿐만이 아니라 수월찮은 행
하도 내릴 것이니 행여 딴마음을 먹었다간 행하는 고사하고 즉살
을 면치 못하리라.」

「천출의 계집으로 하찮은 목숨 부지하고 있으나 살고 싶다는 것
에야 어찌 귀천을 가릴까마는 차라리 죽어 떳떳함을 거두는 게 옳
다는 생각이 든다, 이놈.」

맹구범은 그러나 월이의 대꾸가 겉으로는 옹골차나 겁에 질려 있

---

*간대로: 망령되이. 함부로.

다는 것을 깨달았다.

「살고 싶다면 내 말을 잘 들거라. 우리가 일없이 너를 장방에 가두었을 땐 우리의 처신도 미처 돌볼 겨를이 없었다는 것이 아니겠느냐. 네가 소리를 쳐도 소용이 없겠지만 한 가지 약조만 한다면 결박한 것을 풀어 주마.」

「소리를 치지 않겠소.」

약조를 지키고 자시고 간에 월이에게 이미 그럴 만한 기력도 없었다. 한속이 뼛속까지 스며들어 몸을 제대로 가누기조차 힘든 처지에 앙탈을 부려 공연한 고초를 자초할 마음이야 없었다.

「내 처소로 따라가겠느냐?」

「따라가겠소.」

처음에 악증을 부리던 것과는 달리 계집의 태도가 돌변한 것이 또한 괴이하나 가는 데까지 가보는 수밖에 없다고 생각하며 구범은 계집을 앞세워 장방을 나섰다. 왼편으로 담장을 끼고 돌 제 문간채 봉노에 들어 있는 짐방들의 코 고는 소리가 제법 고즈넉하였다. 섬돌을 밟고 마루로 올라서면서 힐끗 돌아다보니 한 걸음 뒤에서 바싹 뒤따르는 맹구범의 한 손에 먹감나무로 만든 제골* 장도가 들려 있었다.

「거기 앉거라.」

방 안으로 들어서자, 구범이 아랫목의 침석을 가리키었다. 월이는 뜨거운 보료 밑에 섣달 조기같이 꽁꽁 언 두 발을 디밀어 넣었다. 담배 한 죽을 태울 참에까지 맹구범은 방 한가운데 그린 듯이 앉아 있었다.

「네 행중의 동패들이 어느 객주에서 묵고 있느냐?」

「그건 말씀드릴 수가 없소이다.」

---

*제골 : 감이나 모양새가 제격으로 된 물건.

「내가 해코지를 할까 보아서 대답을 않는 모양이나, 내가 다시 사람을 무단히 잡아 엎치진 않을 것이니 바른대로 발고하여라.」

「하늘이 두 쪽 나는 한이 있더라도 그건 말씀드릴 수가 없습니다. 십중팔구 나로 인하여 우리 행중이 욕볼 것이 빤한데 함부로 입정을 놀릴 수야 없지요. 나으리와 쇤네가 입장이 바뀌었다 하면 나으리는 내가 묻는 대로 행중이 묵고 있는 곳을 일러바치겠습니까. 하물며 밀담을 잠깐 엿들었다 하여 사람을 이토록 욕뵈는 사람들에게 무엇을 믿고 행중의 일을 발고할 수가 있겠습니까. 욕을 보아도 저 혼자서 당해야지요. 어제 그 일에 대해선 더 이상 지다위 마십시오.」

「알겠다. 그건 그렇다 치고, 그렇다면 내가 밤잠을 설치면서 이슥토록 기다렸다가 굳이 너를 내 처소에까지 데리고 올라온 소이가 어디 있는 건지는 알겠느냐?」

「제가 알 턱이 없지요.」

「내친김에 말이다만, 너는 오늘 밤 불문곡직하고 내게 아래품을 놓아주어야 하겠다.」

뱀 만난 여치처럼 팔짝 뛸 줄 알았던 계집은 고개 한 번 까딱 않고 그대로 앉아 있었다.

「쇤네를 논다니*로 보셨나요?」

「논다니로 보았다면 진작 행요를 놀았을 일이다.」

「쇤네는 훼절할 입장이 못 됩니다. 불과 사흘 전에 상부한 몸입니다.」

「과수이든 소박데기이든 내 알 바가 아니다.」

「쇤네가 처음에 나으리를 뵈올 적부터 대단한 지체로는 알지 않았

---

*논다니 : 웃음과 몸을 파는 계집.

으나, 아무리 출신이 보잘것없다 할지라도 보아하니 인두겁을 쓰고 태어난 위인임이 분명하고 말버슴새를 보아하니 내로라하는 벼슬아치들 뒷배나 보아 주며 잔뼈가 굵은 듯한데, 주둥이에서 기어 나오는 말은 어찌 상것들에게도 따르지 못하오.」

「이 안갑을 할 년. 나를 팔난봉으로 알았다간 큰코다친다. 내가 네년에게 동침을 요구한 것은 네년의 자색에 반해서가 아니다. 네년의 몸에 흠집을 내어 그 귓구멍으로 들어간 초저녁의 밀담을 틀어막자는 거다. 네년의 육덕이 아무리 푸짐하다 한들 기루의 계집을 따르겠느냐. 그렇고 보면 네년에게 행요를 바란다는 것이 순전한 장삿속에 불과하다는 것을 알 만할 터인데?」

「그러하다면 쇤네가 저지른 작죄는 어디 가서 벌충을 할 수가 있겠습니까? 상부한 지 일순을 넘기지 못한 계집일진대 아무리 목숨이 경각에 달린 처지라 한들 외간 사내를 맞아들이란 말이오? 만약 나으리의 가솔들이 이 지경에 이르렀을 제 나으리는 장삿속이니까 쾌히 그리 하라고 권할 수가 있다면, 인두겁을 쓴 위인이 아니라 금수의 탈을 썼다 할지라도 쇤네는 지체 없이 치마를 벗고 알량한 몸뚱이를 내어 놓겠습니다. 그러나 이승을 하직해 썩어 없어질 몸뚱이라 한들 아직 목숨이 붙어 혼백이 이 몸뚱이를 지키고 있으니 이를 배반할 뜻이 전혀 없습니다.」

「네년이 훼절을 않고 하고는 내게는 서푼어치 가치도 없는 일이다. 내가 생각하는 방도로선 네년의 절조를 빼앗는 길만이 내가 살아남을 방도이고 내가 살아나자니 네년의 흉중을 헤아리고 더듬어 지체할 일이 아니란 것이다. 네년의 정절을 빼앗는 길밖에 내가 살아날 것을 증험해 주는 다른 무엇이 있다는 거냐.」

「세상에 이런 억지가 없는데도 상종하여 수작하고 있는 쇤네의 신세가 가련할 뿐입니다. 제발 하늘의 벼락이 무섭거든 그런 말은 진작 거두십시오. 쇤네가 옴나위없이 나으리께 몸을 버린다 한들 어찌 이 환난을 평생토록 잊을 수가 있겠습니까. 쇤네, 이 환난을 평생토록 잊지 못할 제 서리 같은 마음이 변할 리가 없고, 그렇고 보면 언젠가는 그 원한을 풀게 되겠지요. 쇤네의 가슴에 품고 있는 비수가 나으리의 가슴에 꽂히지 못한다는 법은 없소이다. 쇤네가 본래 천출이라 세상 물정에 어둡습니다만 인륜을 배반한 사람이 천수를 다했다는 풍문을 들은 적이 없고 상부의 묏부리에 흙도 마르기 전에 훼절한 계집의 팔자가 온전했다는 소문은 듣지 못했습니다.」

「일장 사연 들어주고 의향을 물어볼 겨를이 없다. 어서 옷을 벗거라.」

「쇤네가 수청을 거역한다면 정녕 제 목숨을 구할 길이 없겠사옵니까?」

「어찌 사내가 일구이언을 하겠느냐. 옷을 벗든지 모가지를 들이대든지 둘 중에 하나를 내놓아야 한다는 건 이미 정해진 일이 아니냐.」

「정히 그러시다면 나으리 손으로 제 옷을 벗기십시오. 쇤네가 금수를 만났으니 금수와 수간을 함에 스스로 옷을 벗을 도리야 없지 않겠습니까?」

「인간이나 금수나 지금은 눈에 뵈는 것이 없다.」

월이는 보료 위에 올라가 반듯이 누웠다. 그러나 맹구범 역시 발딱 누워 버린 월이에게 금방 덮치지는 못하였다. 그렇다고 이미 작심한 바를 단념할 위인은 아니었다. 궐자는 그린 듯이 보료 위에 누워 있는 월이에게 다가앉았다. 그리고 거칠게 저고리를 풀어헤쳤다. 옷고름을 풀고 치맛말기를 풀어 내릴 때까지도 월이는 손마디 한 번 움직이지 않았다.

궐자가 치맛말기를 풀어 내리고 손을 디밀어 젖무덤을 만지니 이 팔의 육덕이라 젖무덤이 돌덩이 같았고 살신이 박속같이 희었다. 월이는 이미 사내가 하고자 하는 대로 몸뚱이를 내맡기기로 작정한 것 같았다. 월이로선 지금 당장 기척 없이 사내를 욕뵐 재간이 없었기 때문이다. 소리를 치면 사내의 한 손에 잡힌 제골 장도가 가슴 깊이 꽂힐 건 불문가지일 것이었다.

그렇고 보면 상전의 집을 도망쳐 나와 최돌이를 만나 혼례 치르고 저승으로 보낼 때까지도 살아남고자 함에 목숨을 걸었던 지난날이 전부 덧없음이었다. 괄시받는 천출의 계집이라 한들 5척 단신 육탈된 한 몸뚱이 용납할 일에 이토록 적막하고 박절할 수가 있다는 말인가. 세상사의 무상함을 또한 느끼는 것이었다.

월이는 그때 벌떡 몸을 일으켜 세웠다. 허벅지에 한 다리를 걸치려는 사내를 밀치고 얼른 옆에 있는 안석 의자로 벗겨진 사추리를 가리었다. 느닷없이 악증을 내는 월이를 구범이 우두망찰 바라보았다. 사내는 그러나 침착하게 물었다.

「호환을 만났느냐, 왜 그러느냐?」

「이 불을 발라 놓을 놈, 이런 행악이 어디 있느냐?」

「왜 합한주 한잔이 생각나서 그러느냐? 장삿속이라 하여 성애술이라도 받으라는 거냐?」

「내 몸에 흠집을 내고도 네놈이 살아남기 바란다는 거냐?」

「유난 부리고 있네. 무슨 뼈대가 있다고 이토록 앙탈이냐? 단불에 기름 뿌리지 말고 가만 누웠거라, 이년. 아니래도 권신이 되질 않아 내 또한 낭패다, 이년.」

「네놈의 농락에 들어 내 한 몸 망치는 건 그렇다 치고 사내로 태어난 네놈의 소견이 겨우 이것이라면 네놈의 앞길이 허망하구나.」

사내가 벌떡 떨치고 일어나더니 월이의 귀쌈을 사정 두지 않고 후려갈기었다.

바로 그때였다. 차인꾼들이 짐을 푼 문간채 어름이 소연해지는가 싶더니 초저녁에 대문을 따던 겸인이 중문으로 들어서면서 소리를 질렀다.

「행수님, 행수님, 주무십니까?」

대꾸를 않으면 그냥 마루로 올라설 만큼 겸인놈은 화끈 달아올라 있었다. 황급히 옷매무시를 고친 맹구범이 미닫이를 맞잡아 열고 얼굴을 내밀었다.

「장님도가*에 불이 났느냐? 왜 이리 소동을 피우느냐?」

곧장 마루로 올라서려다가 만 겸인이 가리산지리산으로 소동이 난 전후사를 꿰어 올리는데,

「키가 덜썩하니 큰 장돌림 두 놈이 불쑥 나타나서 통성명도 없이 동패 하나를 찾아내라고 처음엔 어르더니 이제 와선 행악을 놓겠다고 숭어뜀을 하는뎁쇼.」

「생업이 도붓쟁이라더냐?」

「행색을 보아하니 틀림없는뎁쇼.」

「겸인 주제에 방자하게 구는 장돌림 둘을 내치지 못해서 행역에 지친 손님을 깨우느냐?」

「장승도깨비같이 우람한 놈들이 시퍼렇게 날을 세우고선 행수님을 만나 뵈어야 물러나겠다니 쇤네에게 딴 방도가 없었습죠.」

맹구범이 자리를 털고 일어나려다 말고 가래침을 긁어 올려 토방에다 퉤악 뱉어 내며,

「그놈들이 무슨 소간사로 나를 만나겠다더냐?」

「계집을 찾고 있습니다요. 저잣거리에서 소문을 듣자 하니 행수님

---

*장님도가: 여러 사람이 모여 떠들어 대는 곳을 이르는 말.

께서 계집을 옭아선 저의 객주로 데려왔다는 겁니다요.」

「내가 계집 데려오는 것을 넌 본 일이 있느냐?」

대문을 따준 장본인이 월이를 못 보았을 리가 없었다. 그러나 눈
칫밥으로 늙어 가는 겸인은 맹구범이 얼씨구나 하는 판에 절씨구 하
지 않을 수가 없었다.

「행수님 돌아오실 제 대문을 따드린 쉰네인데 계집이 있었다면 명
색이 상놈의 눈깔이라 하나 그걸 못 봤을 리 있겠습니까?」

「그렇다면 이 야심한 터에 구태여 나를 깨우는 것은 네놈이 나와
작희를 놀자는 수작이 아니냐? 어허, 봉패로다. 전주 땅 저자 바닥
놈들은 전부 도깨비 눈을 해 박았느냐? 없던 일이 보인 이치는 어
디에 있느냐? 어느 놈이 계집과 동행한 걸 목도하였다더냐? 그놈
을 데리고 오면 사또 분부가 아니래도 득달같이 만나 주겠다고 가
서 일러라.」

「쉰네도 그리했습지요. 그런데도 불문곡직하고 꼭 행수님을 만나
뵈어야 쓰겠다는 겁니다요.」

「이놈아, 네놈이 아무리 구닥다리로 쓰임새가 보잘것없고 풍신이
꾀죄죄하기로서니 그깟 행패하는 장돌림 두엇을 혼돌림해서 내칠
형편이 못 된다면 일찍 횟대 아래로나 기어들지 무슨 결기로 남의
전도가 빗장은 지키고 섰느냐.」

맹구범이 엎어치는 판에 겸인이 오갈이 들어 고개를 들지 못하고
핵변을 한답시고,

「섣불리 덧들였다간 사단이 커질까 해서입지요.」

그제야 맹구범도 목소리를 낮추어,

「그건 옳은 말이다. 안채지 말고 물러가서 적당히 둘러대서 내쫓
아라.」

말이 채 끝나기도 전에 미닫이가 소리 나게 닫히는데, 겸인은 볼

좁은 미투리 한 켤레가 신방돌 위에 엎어진 것을 곁눈질하며 되짚어 문간채로 나갔다.

문간채 앞에서는 누비등거리에 윗대님 질끈 동여맨 젊은 장돌림 두 사람이 몸채의 중문을 쫓기듯 벗어나는 겸인을 눈여겨보고 섰다가 지체 없이 물었다.

「어찌 되었소? 행수님의 허락이 떨어지셨소?」

선잠을 자다가 일어나서 망신만 톡톡히 당한 겸인은 손사래를 잽싸게 치면서 얼른 오리발을 내밀었다.

「어허, 동무님들, 냉큼 나가시오. 상전이 배가 아프면 마름은 설사를 하더라고, 내 까딱하였다간 저승까지 갈 뻔하였소이다.」

「저승이라니, 기어코 핑계하여 우릴 문전 박대하겠다는 수작이오?」

「전주 저자의 사람들은 도깨비 눈깔을 해 박았느냐고 오금을 박습디다. 기루에 기생 점고를 나갔다가 대취해서 잠드신 터에 난데없는 소동으로 상전을 깨웠다고 호되게 꾸중만 들었소이다. 내가 처음부터 말하지 않았소? 명색이 대문을 지키고 섰던 내가 보지 못한 아녀자를 내놓으라고 야료를 부렸으니 어느 미련한 위인인들 증을 아니 낼 까닭이 없질 않소?」

천봉삼은 힐끗 선돌이를 돌아다보았다. 소문만 믿고 상단의 비위를 건드렸다가 척이나 질까 마음에 켕기었다.

「우리들 신분과 달려온 연유를 말하였소?」

「이르다마다요. 그랬더니 전주 인근 장돌림들은 실성한 놈들이 많은 거로구나 하고 쓸까스르는데 내 모가지가 자라모가지가 되었소.」

더 이상 으름장을 놓을 엄두가 나지 않았다. 월이가 이곳으로 온 게 적실하다면 이만한 소동으로라도 벌써 달려나왔을 법도 하였다.

162

저잣거리에서 목격하였다는 위인이 잘못 본 것인지도 몰랐다. 대처는 초행이라 월이가 총망중 길을 잃었을지도 모를 터, 객줏집으로 돌아가서 기다리는 도리밖에 없었다.

겸인을 불호령으로 쫓아낸 맹구범은 미닫이를 닫는 길로 보료 위에 모잽이로 쓰러진 월이를 허겁스레 끌어안았다. 월이도 궐자가 마루 밖의 겸인과 주고받던 수작을 귓결로 희미하게 주워 담았다. 봉삼과 선돌이가 찾아온 게 분명하였다. 그러나 뺨따귀 두어 대를 모질게 얻어맞은 터라 삭신이 물걸레처럼 풀어진 터수에 털고 일어나기는커녕 고개 한 번 들어 올릴 근력조차 없었다.

사추리에 사내의 한 다리가 와서 모양 있게 걸쳐지고 두 팔이 모가지를 껴안을 제 월이는 문득 섬진강 성엣장 밑으로 흘러가던 강물소리를 되살려 들었다. 어쩌면 한번쯤은 사내의 더러운 몸을 바깥으로 밀쳐 볼 힘꼴이야 없는 바 아니었지만 육신보다는 마음이 송곳으로 도려내는 듯하더니 그 아픔으로 인하여 육신을 건사할 기력을 찾지 못하였다. 사내의 몸뚱이가 어둠 속에서 한번 껑충 하더니 금방 아랫배가 터져 나가는 듯한 아픔이 가슴에 복받쳐 올랐다. 최돌이와 혼례를 치른 이후로 단 한 번이나마 보료 위에서 열락을 누려 본 적은 없었지만, 이제 정절을 잃는 자리에서는 보료에 등을 붙이게 되었다는 것이 월이의 가슴을 찢는 것이었다.

장삿속으로만 월이와 거사질하겠다던 사내는 일단 행요에 들자 이젠 장삿속이 아니었다. 궐자는 이제 육허기가 든 시정배의 사내에 불과하였다. 월이는 자신도 모르게 목구멍을 비집고 터져 나오려는 감창 소리를 어금니로 사리물었다. 사내의 몸놀림이 어느덧 망망대해에 물결 타는 돛배처럼 깝죽거리며 계집의 이마에 턱을 찧는데 그 입에서는 날숨 들숨이 대장간 풀무질 소리로 뻗질나니 아닌 밤중에 그런 야단이 없었다.

조금 전에 혼쭐이 난 겸인이란 놈이 뒷덜미가 메슥메슥하여 곧장 봉노로 들지 않고 몸채로 곰돌아 들어가서 배밀이로 마루까지 기어 올라선 방자한 것도 잊고 문밖으로 새어 나오는 희학질 소리를 듣고 있었다. 방 안에서 신명 떨음이 벌어지는데 역려과로에 지쳤다는 위인이 진이 빠진 계집을 솔개가 뱁새 덮치듯 하고는 행요를 노는데 아마 육허기가 대단했던 모양이었다. 상노 생활 평생에 그만한 구경이 없는데, 위인이 복상사를 하지 않는 한 오늘 밤 안으로 아예 계집을 작살내어 어육으로 만들 심사가 분명하였다.

　　밖에서 엿보는 겸인이 복장을 죄며 떠날 줄을 모르는데 맹구범이 월이의 몸에서 내려왔다. 위인이 내뿜은 끈적끈적한 땀이 궐녀의 젖무덤에 묻어 있었고 궐녀는 손등으로 오래도록 그 땀을 닦아 내었다.

「어떠냐? 할 만하더냐?」

「……」

「네 대답을 굳이 들어 볼 것이야 없다마는 내가 아편만 무사히 넘긴다면 너에게도 적잖은 해우채를 넘길 터이니 너의 행중에서 너를 찾아 발서슴한다 하더라도 쥐 죽은 듯이 앉아 있거라.」

「……」

「접주인이 기생 점고나 하자는 걸 뿌리쳤더니 너를 만나려고 그랬던가 보구나.」

「……」

「네년에게 정을 다시게 하느라고 도리 없이 한 짓이다마는, 보아하니 속살은 생각보다 희고 피둥피둥하더구나.」

「……」

「끝내 대답을 하지 않으려느냐?」

　　제가 노리던 바를 이루어 이알*이 곤두선 맹구범이 이젠 드러내어 쓸까스르는데,

「청자 접시에 보리개떡이더라고 네년의 지체가 내게 가감하던가. 장삿일에 마가 끼어 네년이 끼어든 것이다. 그러나 이것도 인연이라면 도리가 없는 법, 한강수에 배 지나간 자리요 팥죽 그릇에 수저 자국이 아니냐. 호패를 찬 놈이든 성명없는 상놈이든 그게 무슨 상관이냐. 털고 일어나면 그만일 거다. 적빈한 형편에 내가 준 행하를 밑천 삼아 물화에 구색을 갖추고 행세하는 보상으로 나설 수가 있다면 그런 다행이 또 어디 있겠느냐. 네 팔자가 이미 방물장수 뜬벌이로 점지되었거늘, 오늘 밤 내 행사가 다소 해괴하였다 하여 언감생심 달리 악증을 부려선 안 된다.」

흐벅진 젖무덤을 끝내 가리지도 않고 천장을 똑바로 쳐다보며 누웠던 월이가 그제야 긴 한숨을 돌리고 치맛말기를 당겨 올리면서 한마디 대꾸를 하는데,

「계집은 절개가 도구인데 이미 절조를 잃었으니 날개 잃은 새와 같습니다. 이제 무엇을 빗대어 앙탈을 부리겠습니까. 마음대로 하십시오.」

「마음대로 하라 한들 더 이상은 네 몸에 자국을 내진 않으리라. 그 대신 장삿일이 끝날 때까지 넌 이 방에서 단 한 발짝도 나가선 안 된다.」

「나가겠다면 어찌하시겠습니까?」

「내 수하것들을 시켜 널 다시 장방에 내려 가두고 구메밥도 주지 않고 굶겨 죽이리라.」

「행중에서 눈치를 채면 어떡하지요?」

「네년이 내 위세를 몰라서 그런 말을 묻고 있는 거지. 참새가 떠든다고 움직이는 구렁이를 본 적이 있느냐?」

---

*이알 : 이밥(쌀밥)의 낱알.

「앉혀 두고 먹여 주신다니 쇤네가 앙탈을 부릴 까닭이 없게 되었습니다.」

「행요를 놀기 전만 해도 날이 샛노랗던 네가 어찌해서 일시에 마음이 변하였느냐?」

「마음이 변한 것이 아니라 가슴에 구멍이 뚫리어 그러합니다.」

「계집의 마음 믿지 못하기는 기루의 계집이나 여염의 계집이나 사당의 계집이나 방물장수 계집이나 다를 바가 조금도 없구나.」

맹구범이 벌떡 몸을 일으켜 세우더니 윗목에 놓인 자리끼를 벌컥벌컥 들이켜고는 곰방대를 주워 들었다. 그런데 생각지 못했던 대꾸가 누워 있는 월이의 입에서 흘러나왔다.

「제 육덕이 기루의 계집에 비길 만하던가요?」

「그렇다마다. 네 얼굴은 육탈이 되어 돌아볼 것이 없었다만 피나무 껍질 벗기듯 홀랑 벗기고 보니 그만하면 가히 옹색지는 않더구나.」

「그런 다행이 없습니다.」

「헛, 고이얀 것, 육신의 정절은 개밥통 차버리듯 하고는 입정은 살아서 못하는 말이 없구나.」

「차 치고 포 치는 것도 혼자서 하시면 심심하실까 해서지요.」

「네년도 일찍이 기루의 계집으로 풀려 어금니를 모으기로 작정하였다면 그 나이에 벌써 서 말은 챙겼을 계집이렷다.」

「명색이 과부가 된 계집이니 은(銀) 서 말은 팔자소관이겠으나 은서 말이 불소(不少)함을 탐내어 지금은 분수 밖의 이익을 탐내고 있습지요.」

「네 신분이 상것이었기에 망정이지 대갓집에 태어나서 글줄이나 읽었더라면 삼정승 육판서가 다 네 혓바닥에서 곤두박질을 칠 뻔하지 않았느냐. 그렇다고 나까지 허술히 보진 마라. 나도 눈칫밥

166

으로 성골이 된 처지이니, 내가 혓바닥을 내밀면 네년의 항문까지
가 닿을 위인이다.」
「그렇다면 쉰네도 상놈에게 몸을 주었으니 그토록 분한 것은 아니
군요. 만약 아편을 밀매하여 내리시는 행하가 서푼에 불과하다면
쉰네도 가만있지는 않으리다. 정절을 버려 재물을 구하니 쉰네 역
시 사당의 계집이나 창기와 다를 바가 없지 않습니까. 이제 재물
이외에 더 바랄 것이 없게 된 계집이 아닙니까. 염치 불고가 이제
쉰네에게 합당한 처신일 뿐입니다.」
「내가 수화(受禍)*에 끌려들었구나.」
「쉰네는 행수님 처분을 기다릴 뿐입니다.」

11

이튿날이 전주 남서문 밖에 저자가 서는 날이었다. 남문 밖에는
인근 향시에서 몰려온 보부상들과 장꾼들로 붐비었는데, 도회청*답
게 그 수효가 가히 수천을 헤아릴 정도였다. 실복마*가 성문 밖에 끊
일 사이가 없고 시태질*에 바쁜 나귀쇠들이 큰 소리로 작경하는 시
골고라리들을 꾸짖었다. 두량패(斗量牌)*를 쳐든 말감고들이 나귀들
이 성문 밖에 닿을 적마다 달려들어 아귀다툼을 하였고 함지박을 인
떡장수들이 남석천교를 쉴 새 없이 건너오고 있었다.
성문 밖에서부터 담배 파는 연초전(煙草廛), 담뱃대를 파는 연죽전

---

*수화 : 재앙이나 액화를 받음, 또는 그 재난.
*도회청 : 대처(大處). 번화한 곳.
*실복마 : 무거운 짐을 실을 수 있는 튼튼한 말.
*시태질 : 소의 등에 짐을 싣는 일.
*두량패 : 말감고들이 직권을 행사하기 위하여 가지고 있던 증표.

(煙竹廛), 말총이나 피물과〔鄕絲〕를 파는 상전(床廛), 백미와 잡곡을 파는 시계전〔米廛〕, 진 어물을 파는 생선전, 마른 어물을 파는 좌반전(佐飯廛), 놋그릇을 파는 유기전, 누룩을 파는 곡자전(麯子廛), 솜을 파는 면자전(綿子廛), 돗자리를 파는 인석전(茵席廛), 실만 파는 진사전(眞絲廛), 꿀을 파는 청밀전(淸蜜廛), 각종 물감을 파는 화피전(樺皮廛), 소금 파는 경염전(京鹽廛), 다리머리를 파는 다리전〔髢髢廛〕, 목재를 파는 내장목전(內長木廛), 쇠붙이나 낫을 파는 철물전, 마구(馬具)만 파는 마전, 과일을 파는 우전(隅廛), 잡화를 파는 잡전(雜廛), 제기를 세놓는 세물전(貰物廛), 짚신을 파는 승혜전(繩鞋廛), 가죽신 파는 혜전, 목물을 파는 물상전(物相廛), 흰 갓만 파는 백립전(白笠廛), 검은 갓만 파는 흑립전, 바늘을 파는 침자전, 볏짚을 파는 고초전(藁草廛), 신창을 갈아 주는 이저전(履底廛), 죽기(竹器)를 파는 파자전(笆子廛), 칼 파는 도자전(刀子廛), 돼지를 내다 파는 저전(猪廛), 꿩·오리를 잡아다 파는 어리전〔雉鷄廛〕, 분가루를 파는 분전, 무명과 기환을 파는 샌전〔立廛〕, 씨앗 파는 잡살전〔種子廛〕, 족두리와 노리개를 파는 족두리전(簇頭里廛), 간장·된장 내다 파는 외해전〔外鹽廛〕, 장롱을 파는 장전, 장작을 파는 시목전(柴木廛), 점* 사람들이 나와 앉은 옹기전, 한지 파는 지물전. 미처 헤아려 챙길 사이도 없는 갖가지 물화들이 길 양편으로 쩍 벌여 내놓였는데 그 길이가 남문에서 서문까지의 5리 길 행보를 꽉 메우고 있었다. 그런데도 저잣거리 아래로 흘러가는 개천은 쪽빛으로 맑아서 길 위에 선 저자가 물빛에 드리워 또한 5리 길 저자를 이루니 그 분주함에 미처 정신을 가다듬을 틈이 없을 지경이었다.

휘장 친 술국집엔 육덕이 흐벅진 주모가 들락날락하였고 옹기에

---

*점 : 지난날, 토기나 칠기 따위를 만들던 곳.

모주를 담아서 길모퉁이에서 팔고 앉은 할미에, 떡 함지를 이고 나와서 파는 아낙네에, 뜬벌이 주모에, 엿목판을 걸빵해서 멘 아이놈에 각설이꾼까지 끼어들어 저자는 아침부터 붐비고 악다구니들을 해쌓는데 타관바치들은 자칫하면 길을 잃어버릴 정도였다.

남문 밖 초입에서는 분전들이 삿자리 위에 분가루들을 벌여 놓고 앉았는데, 그들은 남천교를 건너 저잣거리로 들어서는 길목께를 겨냥하고 있다가 장옷 속에 목을 움츠린 아녀자들을 보았다 하면 서로 다투어 손짓에 고함을 질러 대어서 그런 야단이 없었다.

「잇꽃(紅藍花) 물로 만든 두벌홍·세벌홍이요, 단토(丹土)로 찧어 낸 흙연지들 사시오. 꺾어진 눈썹에는 깜부기 받아서 만든 화묵청이 제격입니다요. 화묵청이 싫거든 남정화 꽃재(花灰)로 만든 대청을 쓰시면 푸른빛이 들지요. 관솔로 태운 송연묵도 있소이다. 자초화회(紫草花灰)에 금가루를 뿌린 날둑도 있소이다. 엉기는 법이 없이 골고루 잘 먹는 연분도 있고 살결이 고운 이는 칡뿌리에서 뽑아낸 곡분(穀粉)들 쓰시오. 얼굴이 붉은 사람은 진분(辰粉)들 쓰시오. 조개껍데기 태워 만든 호분(胡粉)도 있습니다. 창포탕(菖蒲湯)에 머리 감고 머릿기름들 바르시오. 부서지는 머리 유해지고 한 번 발라 사흘 가고 누런 머리 차차 검고 고수머리 펴지고 눈부신 듯 윤이 나고 엉킨 머리 풀리는 머릿기름들 사시오. 괴망한 남행 친구, 활발한 무변 친구, 용렬한 선비 친구, 세설 궂은 한량 친구, 복색 좋은 대전별감, 눈치 빠른 포도부장, 떼 잘 쓰는 정원사령(政院使令), 숫기 좋은 나장이며 돈 잘 쓰는 선전 시정(線廛市井), 매 잘 치는 집장사령, 패가자제(敗家子弟) 건설방, 허무맹랑 무뢰배, 투전 노는 설레꾼, 조산 사는 깍정이, 짐 잘 드는 나귀쇠, 팔자걸음에 육판서, 목이 긴 소리꾼, 엄지머리 노총각, 염소수염에 이방서리, 온갖 잡색 입맛 다른 남정네라 할지라도 연지 찍고 분 바른 아낙네를 어느 누가 마다할꼬. 자, 연지나 분 사시오. 연지나 분들 사시오.」

허리 굽혀 숨 돌리고 고개 들어 소리치니 장옷에 얼굴을 감추고 다리를 건너오던 여인네들이 내처 다릿목 어름을 떠나지 못하고 서성거리다가 그중에 숫기 좋은 여편네 하나가 문득 다가가서 연분 하나를 냉큼 집어 들었다. 내외를 하고 섰던 아낙들이 그제야 분가루 전 앞으로 다가왔는데, 분가루장수는 연분통을 집어 든 아낙을 가만히 들여다보더니,

「연분이오? 연분이야 좋지요. 엉기는 법이 없이 땀이 나도 고루 잘 먹지요. 그렇지만 그게 연독(鉛毒)이 있소. 아지마씨같이 야들야들한 살결에는 호분이 제격입니다요. 입물림에 연독이라 호사다마(好事多魔)란 뜻이오. 기루의 여자들이 많이 쓰긴 하옵지요만 아지마씨같이 흰 살결에야 호분만이라도 잘 먹습지요.」

연분을 들었던 아낙네가 뱀에게 물린 것처럼 화들짝 연분을 놓고 호분을 찾아 들었다. 슬쩍 곁눈질하던 장사치가,

「퍼줄 곡식이 없으면 피물로 주시오. 피물이 없으면 쌈 잘하는 수탉이나 피륙 자투리도 받습지요.」

그런데 처음에 다가앉아, 분통을 만지작거리던 아낙네가 장사치의 눈치만 살피고 앉아 있을 뿐 선뜻 떠날 채비를 않고 있었다. 장사치가 좌판 아래로 슬쩍 손을 집어넣더니 피물로 만든 각좆* 하나를 집어내어선 한 손등으로 가려 아낙의 치맛자락 아래에다 잽싸게 집어넣었다. 아낙네는 무심히 손을 내리는 체하면서 각좆을 날름 집어 치맛말기에다 끼워 넣었다. 그러곤 엽전을 집어 좌판에다 내려놓았다. 아낙네의 얼굴은 숯불을 부은 듯하였는데 재빨리 사람들 틈바구

---

*각좆 : 뿔이나 가죽 따위로 남자의 생식기처럼 만든 여자들의 노리개.

니로 섞여 드는 걸 보고서야 장사치는 좌판 가녘에 놓인 엽전을 먼 산 보며 집어 들었다.

분가루전에서 피물 각좆을 사 챙긴 여인이 빠른 걸음으로 모주팔 이 할미들과 들병이들이 늘어앉은 떡전 어름으로 기어들어선 요기 를 끌 요량으로 맞춤한 떡전을 물색하기 바빴다.

「고물이 실한 걸로 수수떡 서넛만 내놓으시우.」

여인이 삼베 보자기로 덮인 함지박을 가리키자, 떡전의 아낙이 호 들갑스럽게 반기었다.

「허기진 몰골하며가 먼 길 행보하신 듯하오.」

지나는 사람들 발치에 엉덩이가 툭툭 차이면서 여인은 대답 없이 수수떡 세 개를 단숨에 먹어 치웠다.

「덧거리는 없소?」

「그 잘난 수수떡 서넛에 덧거리 주고 나면 우리 집 다솔식구는 핥 아야 발바닥밖엔 없겠수.」

「다솔식구가 떡장사로 연명이우?」

「그렇다마다요.」

「증은 내지 마슈. 내 공연히 한번 뱉어 본 소리니까요.」

「어디서 오셨수?」

「멀리서 왔습지요.」

「보아하니 대갓집 드난살이쯤은 능준히* 해낼 행색인데……?」

떡전 아낙네가 호기심이 잔뜩 서린 눈으로, 입가에 묻은 떡고물을 손바닥으로 닦아 넣고 있는 여인을 빤히 쳐다보았다. 그러나 쿨녀는 그 말에는 코대답도 않고 보퉁이를 바싹 끌어당기며 떡전에서 일어 섰다.

---

*능준하다 : 역량이나 수량 따위가 표준에 미치고도 남아서 넉넉하다.

궐녀는 사람들 사이를 한참이나 헤집고 나가다가 체고전 앞에서 발길을 멈추었다. 체고전 앞은 사람들의 발길이 뜸한 편이었다.

「달비 사시려우?」

고추상투에 형용이 깡마른 달비장수가 등토시 속에 팔을 끼워 넣고 해바라기를 하고 앉았다가 묻는 궐녀를 올려다보았다.

「몇 꼭지나 되오?」

「열댓 개나 되지요.」

「많기도 하구려. 환매를 한 것이요, 절간에서 불목하니를 하셨소?」

「방물과 바꾼 것들이지요.」

보자기를 건네받아서 한참이나 헤집고 보던 장사치가,

「푸석푸석한 게 대처의 달비는 아니오. 조석 끼니도 못하던 사람들의 것이 많소이다.」

「살림 푼수가 요족한 형편들이라면 달비는 왜 끊어 팔겠소.」

궐녀가 오금을 박자, 장사치는 희미하게 웃으면서,

「그야 동무님 말씀이 옳소이다. 오죽했으면 달비 끊어 팔았겠소. 나락 석 섬 값이면 되겠소?」

보아하니 궐녀도 동무임이랴 이문이 실팍한 쪽으로 기울 것은 빤한 일, 잘못했다간 놓쳐 버릴 공산이 있는지라 장사치의 흥정이 매우 조심스러웠다.

그러나 궐녀는 의외로 순순히 고개를 끄덕이며,

「몇 닢 더 쓰시우.」

「그럼 석 섬에다 두 말 값을 더 얹어 드리리다. 그만하면 야박하진 않으리다.」

궐녀가 대답 대신 고개만 끄덕이었다. 체고전 장사치가 산가지로 한참 셈을 놓아 본 다음에 전대를 풀려고 뱃구레로 손을 가져가는데 눈길이 우연히 궐녀의 치마폭으로 갔다. 치마폭으로 가던 장사치의 두 눈이 흰자위가 드러나게 크게 떠졌다. 궐자는 두꺼비처럼 두 무릎을 세우고 앉아 있는 궐녀의 치마폭 속의 속것을 보았고 그 속것 사이로 물방앗간집 딸처럼 속살이 허연 허벅지가 드러난 것을 보았다. 전대를 풀려다 말고 장사치가 물었다.

「그런데 채장은 가지셨소?」

궐녀가 발딱 성깔을 부리며,

「채장 없는 동무도 있다 합디까? 추수전 바친 임방 자문이 있소이다.」

「하처 잡은 곳은 어디요?」

「떠돌이 행중에 하처가 따로 있습니까. 아무 데나 누우면 거기가 둥지지요.」

「가근방 장을 도시오?」

궐녀가 뺑긋 웃으며 눈을 흘기다 말고,

「속셈이 따로 있소? 셈하다 말고 엉뚱한 건 물으시오. 문경새재 어름에서 숫막이나 경영하였지요.」

그때까지도 체고전 장사치의 눈길은 뻔뻔스럽게도 궐녀의 사추리에서 헤어날 줄 몰랐다. 궐녀는 그 눈길을 의식하고 있었던지 앞으로 치마를 내리는 체하면서 한쪽 허벅지를 슬쩍 들어 구경시켰다.

보아하니 지체가 사당패의 계집이나 논다니 창기 같아 보이지는 않는데, 살신이 파르족족하니 전신에 색기가 흐르고 던지는 추파가 은근하기 짝이 없었다. 비록 저자 바닥의 다리장수로 처신한다 한들 명색이 사내로 태어났으매 서푼의 결기인들 없으랴. 흥정은 뒷전으로 미루고 여인의 염량부터 헤아려 볼 작심으로 손부터 덥석 잡았다.

「어찌 전주 저자에까지 오게 되었소?」

「장 따라 흘러가는 신세인데 조선 팔도 어느 곳인들 못 가겠수.」

「여기선 오래 묵새길 작정이오?」

「돌안장이 되기 전까진 떠나얍지요.」

「아침 요기는 하였소?」

「남문 밖 떡전 어름에서 수수떡으로 대강 얼요기는 하였습지요.」

「흥정은 이미 떨어진 거고 하니 초장 바람에 성애술이라도 해야겠소.」

「바쁠 게 없다는 건 쇤네도 압니다만 그렇다고 눈썰미를 아녀자의 치마 밑에만 박고 계시니 딱하군요.」

사내의 얼굴이 무안으로 벌게지자, 여인이 암상을 내는 시늉으로,

「남정네가 어찌 그렇게도 숫기가 없소. 욕심이 동하면 탁 털어놓을 일이지 왜 빙빙 돌기만 하슈?」

면박을 주자, 우세를 당한 사내의 낯짝이 다시 벌게졌다. 장돌림 치고는 횟대 밑 사내다 싶게 대답을 주저하는 눈치더니,

「내외가 분명해야 하니, 우리 통성명이나 합시다.」

「저는 매월이라 합지요.」

「나는 박안성이오.」

그제야 다리장수 사내는 주섬주섬 전(廛)을 거두기 시작했다. 매월이도 풀어놓았던 보퉁이를 싸서 들었다. 두 사람은 행낭을 싸 들고는 번다한 장꾼들 사이를 헤집고 썩 비켜나서 서문 밖 주막거리로 들어섰다. 전날 밤에 들었던 도붓쟁이들이 전부 저자로 빠져나갈 즈음인 데다가 중화때도 되지 않아 술청이 텅 비어 있었고 마당도 썰렁하였다. 다리장수가 마당에서 서성이던 중노미를 불러 뭐라고 수작을 트자, 중노미 녀석은 외짝 바라지가 붙은 상방을 가리켰다.

방으로 들어서자마자, 사내가 매월이의 치맛말기를 잡아당기니 치맛말기는 저절로 술술 풀리었다. 번갯불에 콩 구워 먹듯 잠시 볼일들을 보고 난 뒤에 낯짝이 벌게진 다리장수가 조급히 바지를 꿰면서 말했다.

「허, 임자 만나서 마수걸이는 하였네만 오늘 초장 길미 얻기는 글렀네그려.」

바람벽으로 몸을 돌리고 치맛말기를 올리던 매월이가 눈을 치떠 사내를 할끔 흘기면서,

「그야 피차일반이오만, 누굴 보고 간대로 임자라 하시우?」

「하룻밤 자도 만리장성 쌓는다지 않던가. 사람, 매정하기는…….」

「우리가 하룻밤을 잤소?」

「푸짐하기는 하룻밤을 잔 것이나 진배가 없었네.」

「긴 밤이나 짜른 밤이나 객소리 그만두고 어서 해우채나 내놓으시우.」

「어따, 암상하고는…… 누가 놀이채를 떼어먹는댔나, 놀라기는. 내 다릿값에 가금(加金)으로 몇 닢 더 얹어 주지.」

「아니, 이제 뭐라고 하였소?」

사내를 쳐다보는 매월이의 눈발이 차디찼다.

「다릿값에 몇 닢 더 얹겠다 하였지.」

「여보소, 계집 똑똑히 보고 수작하소. 내 몸뚱이는 똥칠갑을 하였소?」

「어따, 속깨나 썩이네그려. 그럼 어떡할 거나? 나야 배부른 흥정일세만.」

이미 거사는 치른 후라 다리장수는 배짱을 내미는 판국이나, 매월이의 대답이 도무지 호락호락하지 않았다.

「동무님이 가진 다리 다섯 꼭지는 내놓아야 하겠소.」

「다리? 아깟번엔 내게 팔려던 다리가 아닌가?」

「장사치야 전바닥 물리를 봐가면서 길미가 실팍한 쪽으로 기우는 게 아니겠소? 파는 게 이문이다 싶으면 팔 일이요, 사는 게 이익이다 싶으면 사는 거지요. 이젠 내 다리 팔 생각은 없소.」

「아니, 이년이 어디다 훈육을 하는 건가? 아니면 실성을 하였나?」

「얻다 대고 간대로 호년이오? 만약 놀이채로 다리 다섯을 내놓지 않으면 이곳 임방 객주로 찾아가서 여상단을 범했다고 발고하리다. 그런 우세를 당할라요?」

「다리 다섯 꼭지라면 나락 한 섬이 넘네.」

「내 몸뚱이가 나락 한 섬에 합당하지 못할까. 어서 내놓지 않으면 곧장 임방으로 찾아가리다.」

「이년이 열 사내 잡아먹을 구미호일세.」

「내 작정하지 않아 그렇지, 잡아먹기로 한다면 한 죽이나 잡아먹을 거요.」

「내가 도깨비에 홀렸든지 물귀신에 잡아끌렸든지 무슨 고달이 났지 다리를 판다던 계집에게 다리를 넘기다니.」

「난 가야겠소.」

체통에 똥칠갑을 한 다리장수가 생게망게하고 있는 사이에 매월이는 횃대 아래 놓인 행낭을 풀어 다리 다섯 꼭지를 꺼내 냉큼 챙겨 들었다. 그리고 외짝 바라지를 엉덩잇짓으로 닫고는 뒤 한 번 돌아보는 법이 없이 곧장 저잣거리로 나섰다. 매월이는 활 한 바탕 거리를 저잣거리로 사뭇 따라 오르다가 어떤 고샅길로 쑥 들어갔는데 전날 맹구범이 변승업과 같이 들른 일이 있었던 안침술집 앞에 이르렀다. 대문을 밀치고 곧장 안채로 들어섰다.

「마님, 쇤네가 왔습니다요.」

닫혀 있는 미닫이에 대고 나직이 통자를 넣으니 미닫이가 열리지 않은 방 안에서 여자의 목소리가 들려왔다.

「들어오게나.」

신방돌 위에 미투리를 벗고 방으로 들어서는데 제법 단아하게 몸가축을 한 젊은 마님이 반짇고리 옆에 하고 침선을 하고 있었다. 매

월이가 힐끗 반짇고리에 눈길을 주다 말고,

「마님, 마침 남문 밖 분전 어름께를 발서슴하다가 그 물건을 구처하여 왔습지요.」

침선에서 눈을 떼는 젊은 마님의 얼굴에 문득 홍조가 떠올랐다.

「용이하게 구하였네. 물론 자네가 우리 집으로 들어오는 건 본 사람이 없겠지?」

「마님도, 쇤네가 그런 눈치 없겠수.」

매월이는 남문 밖 분전에서 사넣었던 각좆을 치마 아래서 꺼내 얼른 반짇고리에다 집어넣었다. 얼굴에 숯불을 담은 듯한 젊은 마님은 침선을 하고 있던 무명 자투리로 얼른 반짇고리를 덮는데 두 손이 가늘게 떨리었다.

「애쓰셨네……. 내 용채*만은 두둑이 내림세.」

「마님도 짐작은 하시리라 믿습니다요만, 이 피물이란 게 구처하기가 쉽지 않습니다요. 설령 구처하기가 수월하달지라도 쇤네 같은 상것에게 방자를 세우지 않구서야 마님 같은 지체로서는 함부로 만져 보시기나 할 물건이 아닙지요.」

「알고 있으니 행하를 내리겠다는 것이 아닌가.」

「일가붙이는 말할 것도 없거니와 수하것들을 앞세운다 할지라도 얼마 가지 않아 삼이웃에 소문이 낭자할 것이니, 마님 체통에 우세는 물론이요, 까딱했다간 색정에 못 이겨 저지른 방종이라 하여 시가에서 쫓겨날 건 물론이요 친정엔들 돌아갈 처지가 아니지 않습니까. 그리 되면 마님 신세가 장마철에 낙동강 오리알 신세가 되는 겁지요.」

젊은 마님의 안색엔 낭패의 표정이 역력한데, 매월이가 고삐를 늦

---

*용채 : 아랫사람의 수고에 대한 용돈.

추지 않고 쐐기를 박았다.

「게다가 마님이 한 짓이 대갓집의 체통을 더럽혔다 하여 삼문 안에까지 끌려가셔서 닦달을 당하시게 될지도 모르지요.」

복쟁이 이 갈듯 소름 끼치는 말만 하고 있는데,

「자네가 내게 약 주었다 병 주었다 하고 있네그려.」

「마님두, 쉰네 같은 일개 뜬벌이 장사치가 마님에게 병을 준들 그게 무슨 낭패며 약을 준들 무슨 효험이겠습니까. 그렇다는 말씀입지요. 허기야 제가 실성을 하지 않구서야 밖에 나가서 함부로 입정을 놀릴 수도 없구요…….」

「만약 자네가 이 일에 대해서 함부로 입정을 놀려 탄로가 나면 내가 욕을 당하는 건 말할 것도 없거니와 자네의 신수도 과히 편치는 않을걸세. 그러니 오늘 이 물건을 구처하였던 일만은 까맣게 잊도록 하게.」

「그걸 모르겠습니까. 허나 양갓집 마님으로 울타리 밖의 사정을 모르시고 평생을 보내시니 참 딱도 하십니다. 쉰네 같은 상것들이야 얼음 위에 댓잎으로 깐 잠자리라 할지라도 내키면 흔전*인 게 남정네이온데 양반의 지체란 이런 땐 불편하기 짝이 없는 것입니다요.」

마님의 입에서 짧은 한숨이 터져 나오는가 싶더니, 금세 눈길을 곧바로 세우고는,

「객쩍은 소리 그만 하고 용채나 받아 가게.」

마님이 뒤편의 의롱을 열더니 화각함을 꺼냈다. 그리고 산호반지 한 쌍을 꺼내어 매월이에게 건네었다.

「이깟 것은 지녀서 무얼 하겠는가. 엉덩이에 굳은살이 박이도록 앉아서 침선을 한들 입어 줄 사람이 없으니 그 또한 덧없고, 수세미로 얼굴 씻고 산호반지로 몸가축을 한들 그 또한 무상일 뿐이

지. 자네나 가져서 장사에 보태 쓰게.」

「너무 과람하십니다. 이럴 줄 알았다면 두 벌쯤이나 구처할 것인데 그랬습지요.」

「그렇다고 내가 허구한 날 이것만 만지며 지낼 수야 없지 않은가.」

「지금이라도 늦지 않았으니 영만 내리십시오. 더 구처할 방도가 있습니다.」

「내가 패물 가진 것이 그것밖엔 없네. 내년 이맘때나 한번 들르게나. 패물을 구처해 놓을 터이니…….」

「들르다마다요. 그땐 피물로 만든 것은 말고 대모로 만든 당물(唐物)을 구처해 올립지요. 오래 쓸 수가 있는 데다 피물로 된 것처럼 좀이 슬지를 않지요.」

매월이가 입에 침이 마르도록 보비위를 하고 부추기는데, 젊은 마님의 얼굴은 되레 싸늘해졌다.

「자네 말대꾸가 낭자한 걸 보니 믿을 만한 사람이 못 되누먼. 전날 밤에도 방물장수가 바깥채 사랑에 온 내로라하는 한량패들에게 길게 말대꾸하다가 혼찌검을 보았네.」

콧방귀나 뀌는 시늉이던 매월이가 그 말이 흙 묻기도 전에 화들짝 놀라며,

「혼찌검이 나다니요?」

「서울 시전에서 내려온 상단인가 보던데, 서슬이 시퍼렇더군. 아마 남문 밖 객주에다 나귀를 푸는가 보데.」

「무슨 물화를 겨냥해서 내려온 상단이라 하옵더이까?」

「그걸 내가 어찌 알겠나.」

「시전 상인들이라면 제법 방귀깨나 뀐다는 사람들이 아닙니까?」

「아마 전주 지물전이나 지소(紙所)는 온통 그 사람들 판국일걸. 소매들을 떨치는 형용이 향시의 접주인들쯤이야 범접을 못할 것 같

던데.」

「그럼 쇤네는 하직을 하겠습니다.」

매월이는 안침술집을 나왔다. 그리고 어물전을 따라 저자를 거슬러 오르기 시작했다. 봉발에 아랫도리가 지저분한 어물전 장사치가 호객을 하는데,

「서산의 어리굴젓이요, 연평도의 송림(松林) 조기들 사시오. 명천(明川)의 강대구요, 이원(利原)의 문어들 사시오. 보령(保寧)의 대합이요, 눈이 어두운 사람은 울산에서 나온 석결명(石決明) 전복들 사시오. 경상도 홍합이요, 까마귀와 원수지간이요 천 냥 빚을 갚아 주는 오징어가 있습니다. 뼈만 없으면 상놈 주기 아까운 준치도 있습니다. 잘 먹으면 액땜이요 못 먹으면 사람 죽이는 복쟁이들 사시오. 자, 어서들 들여가시오. 용의 간에 봉의 골만 빼고는 팔도 진미 다 있는 생선전이오. 이번에 안 들여가시면 동해 바다 생선맛은 다 보았소이다아…….」

떠들썩한 생선전을 지난 매월이는 곧장 체고전 어름으로 다가갔다. 다리장수는 벌써 체고전으로 다가오는 매월이를 먼빛으로 보았으나, 엇 뜨거라 싶었던지 진작부터 왼고개를 치고 앉아 있었다. 비위짱 좋고 뻔뻔스러운 매월이는 예사롭게 다리장수 앞에 앉았다. 사내가 버일 기세로 잔뜩 율기를 하고는,

「요 반지빠른* 여편네야, 어디서 땅벌 구멍을 보았나, 왜 자꾸 곰 돌아들어서 염량을 헤아리나?」

「해포이웃할 처지에 악증 내지 말고 그 다리 전부 내게 파시오.」

「흥, 이젠 다리장수 보따리를 놓게 할 작정이군. 한 번 속지 두 번 속을 줄 아는가. 어디다 단속곳을 올렸다 내렸다 하는가, 썩 비켜

---

*반지빠르다 : 말이나 하는 짓이 얄밉게 반드럽다.

180

나게.」

「쇤네가 언제 단속곳을 올렸소? 동무님이라 하였더니 생사람 열 잡아먹겠소.」

「저리 비키게.」

다리장수가 흩뿌리는 시늉인데, 매월이는 더욱더 턱을 디밀면서,

「장사치야 이문 보아 발길 놓는 법, 내 이문은 보아 드릴 터이니 가진 다리나 내게 몽땅 넘기시오.」

그때, 울대가 오르락내리락하던 장사치는 오기 바람에 마음에도 없던 말을 불쑥 내뱉고 말았다.

「그래, 열 꼭지에 얼마를 칠 텐가?」

「이거면 되겠소?」

매월이는 조금 전 안침술집 젊은 마님에게 받은 산호반지 한 쌍을 내놓았다. 매월이의 손바닥을 가만히 들여다보고 앉았던 장사치가,

「이것이 분명 장물은 아니렸다?」

「내가 장물아비 신세나 지고 다닐 계집 같아 보이시오? 장돌림이 장물을 팔면 결곤을 당한다는 걸 빤히 알고 있는 터수에 쇤네가 섶 지고 불로 뛰어들 장난을 저지르고 다닐 성싶으오?」

「그렇다면 다섯 꼭지를 드리지.」

「나머지는 포은(包銀)*으로 가전을 쳐드리리다. 값을 결단 내리시오.」

「내가 실성한 계집을 만나 초장부터 혼찌검일세.」

「아따, 의심도 많소이다. 대명천지 밝은 날에 설사 여귀에 홀려 작변을 당한다 한들 전주 저자 수천의 장꾼들이 훈수 들어줄 것인데, 무슨 걱정이 그렇게 많소.」

---

*포은: 돈.

산호반지와 포은으로 다릿값을 건네고 물화를 싸안았다.

매월이는 그런 식으로 전주 저자에 나온 다리 마흔 꼭지를 사 거두었다. 이미 가근방 향시를 돌면서 거둔 다리가 1백여 꼭지에 이르렀으니 그 반은 포은으로 산 것이지만 반은 해우채로 받은 것이라 할 수 있었다.

매월이는 물론 천봉삼을 수소문하던 끝에 전주 저자에까지 왔고, 그동안 연명하고 장시의 물리를 익히다 보니 다리장사가 이문이 쏠쏠하다는 걸 알게 되었다. 강경까지만 올라가서 삼개로 가는 세곡선이나 토선이며 행상선에 팔면 가전을 거의 곱으로 넘길 수 있다는 것을 진작부터 알고 있었다. 천봉삼을 찾아 간난신고 파란곡절을 겪으며 발섭을 하는 동안 장사치로서 물리는 트였다 하나 가슴에 품고 있는 연정은 날이 갈수록 앙심으로 변하였다. 일테면 지금까지도 천봉삼을 잊지 못하는 것은 애증보다 앙심 때문이라 할 수 있었다. 매월이는 이제 천봉삼이 두 무릎을 꿇고 궐녀 앞에서 후회의 눈물을 뚝뚝 흘릴 것을 바라고 있는 것이었다. 그날이 올 때까진 천봉삼을 먼발치로 본다 할지라도 매월이 편에서 외면을 하리라 마음먹은 지 오래였다.

매월이는 묵고 있는 숫막에다 물화를 맡기고 다시 장터거리 지물전 어름으로 나갔다. 안침술집의 젊은 마님의 말처럼 지물전은 썰렁하였다. 지물전은 원래 세물전과 우전 옆에 난전들을 벌이고 있었다. 물론 2백여 명에 가까운 지소(紙所)의 공장(工匠)들이 내놓는 물화가 대부분이었지만 타지방 향시의 지물들도 전주로 흘러 들어와서 전주의 지물객주들의 손을 거쳐서 대처의 소비지로 다시 흘러 나가는 경우가 많았다. 서울 주변의 장시를 제외한 팔도 향시의 지물 가격이 전주에서 나오는 한지의 가격을 표준으로 할 수밖에 없었던 것은 전주의 한지가 되 땅에서도 알아주는 물화이었기 때문이다. 매월이는 해거름판에야 수소문 끝에 남문 밖 변승업의 지물객주를 찾아냈다.

「어느 임방에서 오신 동무요?」

문밖에서 기웃거리는 거동도 없이 불문곡직하고 가게 안으로 썩 들어서더니 툇마루에 와서 걸터앉은 되바라진 매월이를 보고 겸인이 마뜩찮게 물었다. 매월이는 단속곳을 들치고 그 속에 간수하였던 자문을 꺼내 보이었다. 겸인이 무심결에 고개를 끄덕이자,

「다리장수지요.」

「그렇다면 이 객주와는 거래 틀 일이 없지 않소?」

「다리를 임치하고 한지로 환매를 하여도 좋습지요.」

「다리와 한지라는 게 서로 물리가 틀리고 물색이 틀리는 물화인데 공연히 환매를 하였다가 짧은 밑천 날리고 나면 그 벌충을 어디 가서 하려고 그러시오?」

「계집의 신세라고 허술히 보지 마시오. 쉰네가 적수공권으로 출신하여 지금은 가진 다리만 하여도 백 꼭지가 넘소.」

「나 역시 저자 바닥에서 잔뼈가 굵은 구닥다리요만, 지금까지 다리 백 개를 거두었다는 장돌림을 본 적이 없소.」

「못 믿으시겠단 말씀이신데, 그러시다면 정말 물화를 구경하시려오?」

「우린 다리는 소용이 없다니까요.」

「다리나 한지나 그게 무슨 상관입니까? 길미만 노릴 수 있다면 그만 아닙니까?」

「다른 객주를 찾으면 될 일이잖소.」

「쉰네가 그걸 몰라 여길 수소문해서 찾아온 줄 아쇼?」

바로 그때였다. 툇마루 뒤편 가겟방에 나와 앉았던 맹구범이 미닫이를 열었다. 수하의 차인들을 송광사 지소와 남문 밖 지소하며 지물전으로 풀어놓아 한지라면 보이는 대로 매점을 하라 이르고 마침

방자 세울 일이 있어 가겟방에 나와 앉았다가 문밖에서 수작하는 매월이의 거동을 엿듣고 있던 참이었다. 미닫이를 열고 형용을 볼 제 여상단치고는 제법 총기깨나 있어 보이고 말버슴새하며 성깔이 옆에 벼락이 떨어져도 주저앉을 계집이 아니란 생각이 들었다. 겸인을 내치고 계집을 방 안으로 불러들일 제 도대체 거동에 지체가 없고 내외가 없었다. 우선 계집의 처신으로 그만한 다리를 도집하였다면 장사 수완도 출중하려니와 노리고 있는 속내가 외곬이요, 또한 담력도 그만하기에 가능한 일이라 생각되었다. 불러들인 매월이에게 맹구범이 까치다리하고 앉아 넌지시 묻기를,

「왜 지물로 환매하려고 그러는가?」

계집의 입에서 지체 없이 대꾸가 흘러나오는데,

「그야 빤한 이치입지요. 시전에서 왔다는 상단이 저자의 지물을 비질하듯 싹 쓸어 가고 나면 한 장도막만 지난다 하더라도 전주 가근방의 지물 시세가 오를 것은 물론이요, 물화가 있다면 천세가 날 것이니 이건 앉아서 똥 누기가 아닙니까요.」

「그만한 이문을 남기고 나선 또 어디다 손을 대려나?」

「다시 다리를 거두어야지요. 대처로 나가면 머리 치장하는 대갓집 규수들이 허다하여 고헐간에 쓰임새가 많으니 풍년이든 살년이든 가격에 변동이 심하지 않으니 밑천을 놓을 걱정을 않아도 되는 것이 다리장수랍니다.」

「자네 동패는 없는가?」

「외토립지요.」

「다리를 임치시키고 그것보다 더한 이문을 남길 장삿길이 있다면 그걸 해볼 의향이 있는가?」

그때, 매월이는 안면을 싹 바꾸어 맹구범에게 추파를 던졌다.

「나으리께서 쇤네의 자색에 홀딱 반하셨는가 보군요.」

맹구범이 잠시 대답을 주저하다가,

「반하다뿐이겠는가. 자색이 그만하면 저잣거리 처마 밑이나 돌며 비를 맞고 서 있을 처지가 아닐세.」

「그렇다면 이목이 번다한 가겟방에서 이러실 게 아니지 않습니까. 쇤네도 눈치가 있는 계집인데 나으리의 뜻을 거역할 마음은 아닙니다요.」

「자네 조급하게 구는 형용을 보아하니 까딱하였다간 내 상투를 잘라 가시겠네. 내 상투로 말하면 그런대로 몰골은 갖추었다 하되 크게 구실할 것이 못 되네.」

맹구범이 농을 하자, 매월이는 살짝 얼굴을 붉히며 외면하였으나 대꾸만은 아금받았다.

「쇤네가 언제 나으리의 상투를 자른다 하였습니까?」

「어쨌든 자네의 의향대로 따를 작정만은 되어 있으니 안심하시게. 그러나 그전에 우리가 할 일이 한 가지 있으니 자네의 다리를 여기에다 임치부터 시키게. 명토 박아 임치표를 써주고 난 다음에 내가 긴히 이를 말이 있네.」

「나으리의 말씀대로 큰 길미를 노릴 일이 있겠습니까?」

「내 개를 두고 맹세를 하지.」

매월이는 그길로 묵고 있던 숫막으로 달려갔다. 다리짐을 임치시킨 다음 서사로부터 임치표를 받아 쥐었다. 서사를 따라 문간채 사랑으로 올라가니 맹구범이 기다리고 있었다. 서사를 내치고 난 다음 맹구범이 매월이에게 썩 다가앉았다.

「자네와 동사할 일이 있다네. 기왕지사 이렇게 된 바에는 곧이곧대로 발설을 하겠네만, 실은 내 가진 물화 중에 잠매를 하지 않으면 안 될 것이 있네. 그런데 내가 왜 하필이면 자네를 겨냥하여 동사를 하려는지 눈치를 채었는가?」

매월이가 맹구범의 차디찬 얼굴을 바라보는데 배짱이 드센 위에 워낙 표정이 없는 위인이라 도대체 그 염량을 헤아릴 길이 없었다. 그러나 거상으로 보이는 위인의 제의를 뿌리치고 일어설 만용만은 부릴 수가 없었다. 길미가 터지는 일이라면 초열지옥엔들 들어가지 못하겠는가. 이미 잠매할 물화가 있다고 발설해 버린 위인이 싫다고 일어선다 한들 곱게 놓아줄 리도 없다는 생각이 매월이의 뇌리를 스치고 지나가는 것이었다.

「나으리께서 쉰네를 믿고 동사를 하시겠다면 쉰네야 초로 같은 목숨을 걸고서라도 따를 각오를 하여얍지요.」

「그 물화라는 게 다름 아닌 앵속*일세. 자네가 그것을 하동까지만 날라다 주게. 할 수 있겠는가?」

「하동이라면 경상도 땅으로 들어가는 섬진강 하구가 아닙니까?」

「그렇다네……. 내 수하에도 사람이 없지 않고 또한 여의치 않으면 믿을 만한 장돌림을 살 수도 있네만, 내 굳이 자네에게 이런 중임을 맡기려 하는 뜻은 진이나 나루에서 기찰하는 포리나 별장들을 따돌리자면 천상 아녀자가 제격이라는 생각이 든 때문일세.」

계집의 얼굴에 긴장이 돌긴 하였으나 첫마디에 솔깃해하는 눈치라 맹구범은 속으로 적이 안심이 되었다.

「하동으로 가서 어디에다 물화를 넘기시라는 겁니까?」

「그곳의 두치 장터에 가면 박치구하는 포주인이 있다네. 그 포주인과는 이미 내통이 되어 있으니 자네를 안심하고 상종하여 줄 것일세. 또한 자네 뒤로는 완력깨나 쓰는 짐방 두 놈을 뒤따르게 할 터이니 혹시 기찰에 걸렸다 하면 임기응변으로 그놈들이 가로막고 나설 터이니, 자넨 그 틈을 타서 재빨리 몸을 피하는 방도를 찾

---

*앵속: 양귀비.

아야 하네. 그 짐방들은 나귀에 대단을 실었기에 별 사단이 일어
나지 않는 한은 동패가 아닌 사람들로 거동을 할 터이니, 그리 알
게.」

「그 일을 무사히 치르고 나면 쉰네에겐 얼마의 행하를 내리실 작
정입니까?」

「내가 이백 냥의 사금파리 어음*을 떼줄 것인즉 강경에 가서 찾아
쓰도록 하게. 그 대신 돌안장 안으로는 전주로 되돌아와야 할 것
일세.」

「염려 놓으십시오. 한 파수 안으로 돌아오겠습니다요.」

「만약 자네가 무사히 돌아오지 못하면 여기 임치한 자네의 전 재
물은 잃게 되지. 그러나 자네가 일없이 돌아만 온다면 자네는 밑
천을 잡게 되니 그보다 더한 길미가 어디 있겠나. 게다가 나루를
건너고 내릴 때만 눈치껏 한다면 별 탈 없이 끝낼 일이지.」

「그러나 잠잘 사이가 없겠군요.」

「그만한 고생이야 감당을 해야지.」

맹구범은 그길로 앵속 세 근을 매월이에게 들려 하동으로 보내었
다. 앵속을 받은 하동의 박치구는 섬진강을 오르내리는 행상선의 잠
상배들에게 앵속을 넘길 것이고 행상선을 타는 잠상배들은 동래포
의 포주인들에게 앵속을 풀어먹여 왔었으므로 외선들이 드나드는
동래포에는 이른바 쪽쟁이*들이 허다하였다. 앵속이 들어오는 경로
는 아산만을 드나드는 황당선에 의해서였다. 맹구범이 매월이를 하
동으로 떠나보낸 다음 지소로 내보낸 짐방들의 소식이 궁금해서 몸
소 나설까 하는데, 때마침 두 눈이 화등잔만 해진 짐방 한 놈이 가겟
방 문을 밀치고 안으로 들어서는데 거동이 심상치가 않았다. 짐방이

---

*사금파리 어음 : 사금파리를 긁어 금액을 적은 어음.
*쪽쟁이 : 아편 중독자.

어인 일이냐고 묻는 맹구범의 앞으로 고꾸라지듯 엎어지며,

「행수님, 일이 여의치를 않습니다.」

「여의치 않다니, 작경을 하는 놈들이 있다는 거냐?」

「훼방을 놓고 있는 보부상들이 있어서지요.」

「훼방을 놓다니, 도대체 어떤 놈들이 감히 우리 상단이 하는 일에 훼방을 놔?」

12

월이의 행방을 수탐하려고 변승업의 객주에 찾아갔던 천봉삼과 선돌이는 공연히 봉욕만 당하고 쫓겨난 다음, 전날 밤을 꼬박 새워 월이를 기다렸으나 종내 무소식이었다. 가만히 앉아서 기다리기 진력난 두 사람은 홰치기를 기다려 다시 남문 밖을 발서슴하였다. 어제저녁과 마찬가지로 월이가 서울서 내려온 시정아치에게 이끌려 변승업의 객주로 끌려갔다는 소문만은 틀림이 없었다. 그러나 소문이 적실하달지라도 그것을 증거할 물증이 없었으매 섣불리 덧들일 수가 없음이 또한 낭패였다.

용에게 구름이 따르고 범에게 바람이 따르듯 권세가 또한 등 뒤에 버티고 있으매 저들의 위세가 무릇 당당한지라 관아로 달려가서 발고한다 한들 되레 욕받이가 될 일이요, 증거할 것이 없으매 보부상들의 훈수를 빌릴 처지도 못 되었다. 전전긍긍하던 터에 짐방들로부터 흘러나온 말을 들었다. 그들이 전주 인근의 지소에 흩어져 있는 공장들로부터 한지를 매점한다는 소식이었다.

두 사람은 아침동자도 퍼먹는 둥 마는 둥 서문 밖에 있는 지소를 찾아갔다. 물론 공장들은 지물을 내놓으려 하지 않았다. 변승업의 통기를 받은 후였기 때문이다. 두 사람은 그들이 맹구범을 배행해

온 차인들이라고 신분을 속였다. 공장들은 곁방년이 코 구를* 리 없 겠다 싶었던지 그대로 믿고 5백 냥의 포은을 받고 태지(苔紙) 다섯 바리를 내주었다. 끽해야 태지 다섯 바리로, 그것은 물량으로 치면 보잘것없는 것이라 하되 서울 시전에서도 내로라하는 맹구범으로선 꼴같잖은 향시에 내려와서 체면에 똥칠갑을 한 꼴이 되었다. 하물며 고린전이나 챙겨 궁핍하게 연명하는 장돌림이 훼방을 놓았다는 것에 배알이 뒤틀린 것이었다.

두 사람도 서문 밖 지소의 지물을 중로도집(中路都執)하는 화근을 만들 제 맹구범이란 위인이 어떻게 설치고 나오리란 것을 짐작하지 못했을 리 없었다. 그것이 그들이 겨냥하고 있던 일이었다. 그들은 소동이 커져서 맹구범이란 위인이 앞장으로 나서기만 하면 지물은 넘겨주고 그 대가로 월이를 찾아낼 심산이었다. 자본이 두둑한 거상이 농간을 부리기로 한다면 태지 다섯 바리쯤이야 비렁이 자루 찢기일 것이었다. 결국에 가선 안매(安賣)를 하도록 농간을 부릴 건 뻔한 일이었다.

짐방놈으로부터 일장 사연을 다 듣고 난 맹구범은, 그러나 결을 세우거나 빌미잡아 차인꾼들을 꾸짖지도 않았다.

「거간들이 그 매매에 간여를 하였다더냐?」

「공장들과 직접 거래를 튼 모양입니다요. 거간들이야 미리 잡도리를 한 터라 끽소리 없이 엎디어들 있습지요.」

「그놈들이 엉뚱하긴 상여 메고 가다가 귓구녁 후빌 놈들이군.」

「하지도 못할 놈이 베잠방이 먼저 벗는다더니, 그놈들이 그 물화를 어디다 팔아먹으려고 작정하였는지 모를 일입니다요.」

---

*곁방년이 코 구른다(곤다) : 남의 집에서 곁방살이를 하는 사람이 코를 곤다는 뜻으로, 제 분수도 모르고 버릇없이 함부로 굴거나, 나그네가 오히려 주인 행세를 함을 이르는 말.

맹구범이 그 말에는 대꾸를 않고 한참 침묵을 지키고 앉았다가,

「그놈들이 하처 잡은 숫막이며, 물화는 어디다 임치를 시켰는지 알고 있느냐?」

「서문 밖 숫막에 들었다 하였습죠.」

「전부가 태지라 하였더냐?」

「예, 장사치에게 포은을 받고 넘기는 지물은 관아로 바치는 공물에 비하면 한 수를 더 치는 게 보통입죠.」

지소의 공장들이 농간을 부리는 것은 아니었다. 전주 감영에는 선자청(扇子廳)이 있어 매년 윤번(輪番)으로 선자 통인(扇子通引)을 지정하고 만 냥을 교부하여 도급(都給)을 시켜 오고, 도급을 맡은 통인은 순창과 담양에서 죽재(竹材)를 사오고 한지는 지소가 많은 소양(所陽)의 것을 사용하였다. 제품은 선자청의 비장(裨將)과 관찰사의 검사를 거쳐 납부케 하였다.

공장들은 수시로 관아의 공역(公役)에 응하고 겨를이 생기면 사사로이 제품을 만들어 팔 수가 있었다. 그러나 관아로부터의 주문품은 장시 가격의 반액 정도에다 후불이었다. 게다가 아전들의 농간으로 아예 물대를 받지 못하는 공장들도 허다하였다. 이로써 공장들은 일부러 조악품을 만들어 관아나 권문세가의 수탈을 피하는 방편으로 삼았으니, 지소의 공장들 역시 마찬가지로 장사치를 상대로 하는 지물은 몰래 정성 들여 뜬 것이 많았다.

고자질을 하였건만 생각했던 것보다는 맹구범의 태도가 심상한 대로이자 곡절 모르는 짐방놈이 되레 후끈 달아올랐다.

「행수님, 지소것들을 잡아 엎쳐얍지요? 이건 공주인이신 대주 어른을 욕뵈는 꼴이 되지 않았습니까요?」

「지소것들이야 무슨 죄가 있겠나. 그것들보단 내 그 상인배란 놈들을 좀 만나 봐야 하겠다. 그놈들이 무슨 배포로 내게 팔매질을

하였는지 발기 잡아야 하지 않겠나.」

「그놈들을 득달같이 결박 지어 올릴깝쇼?」

「소동이 커지면 좋지가 않아. 곡절부터 따져 봐야 하겠다. 우선 지물 바리의 행처하며 그놈들 하처 잡은 숫막이 어딘지부터 수탐해 오너라.」

「도둑괭이 제상에 오른다더니 그놈들이 물색을 모르고 설친다 한들 단매에 즉살을 당할 줄을 모르는 목자들입죠.」

짐방놈이 대중없이 악담을 퍼지르며 가게 밖으로 쭈르르 달려 나갔으나 맹구범은 직감으로 그들이 지난밤에 월이를 찾으러 왔던 상인배들이란 생각이 들었다. 어딘가 마뜩찮다는 낌새가 없는 바 아니었지만 당한 일이니 외면할 수야 없었다. 짐방놈은 두 식경이나 지나서야 하처 잡은 숫막을 알아 가지고 돌아왔다.

맹구범은 왜골*로 생긴 곁꾼 두 놈을 데리고 저잣거리로 나섰다. 장꾼들과 난전이 걷힌 저자는 찬바람만 썰렁하였고 허섭스레기들만 흩어져 날았다. 겨냥했던 숫막 삽짝에서 통자를 넣었더니 바로 마당 건너 술청에 앉아서 술추렴을 하고 있던 보부상 차림의 사내들이 시선을 삽짝 밖으로 곤두박았다.

「어디서 온 뉘시오?」

주모를 대신하여 한 사내가 물었다.

「서울 시전에서 내려온 상단 사람들이외다. 이 숫막에 묵고 있다는 사람을 만나러 왔소이다.」

「시전 상단들이라면 우리완 지체가 틀리는 분들일 텐데…… 누굴 찾는지 성명을 대야 대꾸를 하지요.」

낯짝이 불콰해진 한 위인이 쓸까스르는 투로 대답을 하였는데, 배

---

*왜골: 허우대가 크고 말과 행동이 얌전하지 못한 사람.

행했던 짐방 한 놈이 술청 안으로 고개를 삐죽하니 디밀면서 남의
비위짱 건드리기 좋을 만하게,

「젠장, 짧은 밑천들에 초저녁부터 웬 술추렴들인가……. 개중에 오
늘 아침에 서문 밖 지소에서 지물 바리를 사들인 장사치가 있소?」

술청 안이 문득 물을 끼얹은 듯 조용해지더니 한 사내가 목판을
짚고 벌떡 몸을 솟구치는데 아랫도리가 썰렁하나 얼굴은 외방 장돌
림 신수답지 않게 곱상하였다.

「바로 시생이오. 왜 찾소?」

앞에 선 짐방놈이 가파른 눈발로 일어선 봉삼의 위아래를 훑었다.
거동을 보아하니 빌어먹어도 다리 아래 소리는 하기 싫다는 수작인
데 위인이 호락호락해 보이지만은 않았다.

「바깥에 상단 행수님이 와 있소이다. 좀 조용한 곳이 없겠소?」

봉삼은 안면을 바꾸지도 않고 그대로 서서,

「댁네들 행수가 어떤 지체인지는 알 수 없으되 일이 있으면 이리
로 오르라 하시오.」

「거동을 보아하니 하찮은 장돌림인데 잘못했다간 서서 똥 누겠소.
당장 물고를 내자는 것도 결코 아니고 이목을 잠시 피하자는 수작
인데 왜 그렇게 뻣뻣드름하시오?」

「뻣뻣드름한 건 누군데 그러나? 통성명도 못한 처지로 우리가 상
것이라 하여 제 짐작대로 오라 가라 하는 버르장머리는 얻다 써먹
고 다니는 건가?」

앉아 있던 선돌이가 댓바람에 시비조로 나오자 술청 안으로 고개
를 디밀었던 짐방놈은 약차하면 목판이라도 뒤엎을 조짐을 보이며,

「이건 또 웬 섣달에 뛰어나온 메뚜기 같은 놈인가?」

「나보구 메뚜기라? 남의 술청에 간대로 뛰어들어 행악인 놈이 메
뚜기냐, 아니면 두꺼비처럼 앉아 있던 놈이 메뚜기냐?」

「허, 그놈, 욕받이로선 아주 출중한 놈이군. 어디 신명 떨음이나 한 번 할까?」

짐방놈이 이알이 곤두서서 막 소매를 걷어붙이는데, 궐놈을 밀어붙이고 갓 쓰고 주의(周衣)* 입은 놈이 썩 앞으로 나섰다.

「결기들 삭이게나. 내 수하 사람인데 초면에 결례가 많았네.」

초다듬이부터 아예 해라로 밀어붙이는 위인은 맹구범이었다. 선돌이가 대뜸 말을 받았다.

「뉘신지는 모르겠으나 노형께서 우리들 거동을 살피기 위해 일부러 저 위인에게 사주를 한 것 같소이다. 아무리 축담 아래서 잠을 자는 장돌림이긴 하나 저런 놈에게 욕을 당하고 있을 위인들은 못 되니, 그리 아시오.」

두 사람은 양해도 없이 술청으로 올라와선 목판을 짚고 앉는 맹구범을 노려보았다.

「기왕 결례를 한 건 그렇다 치고, 어디 합석을 하여도 무방하겠는가?」

술청에 놓인 한목판이었으니 동패가 아니었던 보부상 셋은 소동이 커질 것이 귀찮았던지 일어나서 봉노로 건너가 버렸다. 측간에 갔던 주모가 마침 술청으로 돌아와선 맹구범이 청하는 대로 송이산적 한 접시와 입사발*이 넘치도록 탁배기를 부어 올리자 맹구범이 독작을 하였다.

「서로가 원하던 바는 아니었으되 어차피 합석을 하였으니 격식이나 갖출까.」

위인의 하대가 귀에 거슬렸으나 밖에 짐방 두 놈이 지키고 서 있는 데다 굳이 따질 엄두도 나지 않아 두 사람은 수인사를 나누었다.

＊주의 : 두루마기.
＊입사발 : 작은 사발.

「시생은 천송도라 하오.」

「시생은 선돌이라 하오. 그깟 고향 같은 건 아예 없는 놈이외다.」

「난 맹구범이라 하네. 시정배일 따름이지.」

「처음부터 짐작하고 있었소. 우리 동패 한 사람의 행처를 찾는 길에 노형께서 묵고 있는 객주에 출입한 일이 있소이다. 노형을 뵙자 하였으나 겸인이 한사코 혼금을 놀아 그예 문전 박대를 당한 꼴이 되었소.」

봉삼이 그렇게 말하자, 맹구범이 힐끗 돌아다보았다.

「그런데 방금 성씨를 천 자로 쓴다 하였나?」

「천봉삼이라 하오.」

맹구범이 얼굴을 똑바로 들어 봉삼을 쳐다보았다. 그리고 황급히 목판에 놓인 입사발을 들어 주모에게 술을 청하였다. 다시 한 번 성명을 되묻고 싶었으나 그럴 강단이 서지 않았다.

「어디서들 오는 길인가?」

「조선 팔도 향시를 다 돌고 있소이다. 하늘이 지붕인 위인들이 가는 길이 따로 있고 머물 곳이 따로 있었겠소만, 경상도를 돌아 하동으로 해서 예까지 왔소이다.」

「경상도 안동이란 곳을 아는가?」

「알다뿐이겠소.」

탑골 작은마님이 수소문해 보라던 그 위인이 틀림없었다. 웅대함이 당당하고 지체 없음에도 그러하거니와 용모가 어딘지 여느 상것들과는 다르다는 생각은 처음부터 하고 있었다.

「혹시 조성준이란 보부상인을 알고 있는가?」

「두 달 전까지만 해도 나와 동사하던 사이였소. 그를 징치하라는 통문을 보았는가 보구려?」

「통문을 보았지.」

맹구범은 거짓말을 하는 수밖에 없었다. 이제 마님이 찾고 있는 천봉삼이 틀림없음은 의심의 여지가 없었다. 그러나 여기서 탑골 작은마님의 일을 털어놓을 수는 없었다. 만약 그 일을 발설한다면 앵속을 잠매하고 있다는 사실도 털어놓는 결과가 될 것이요, 월이를 겁간한 사실도 탄로 나게 마련일 것이었다. 그 모든 것이 화근이 되어 맹구범은 신석주의 수하에서 쫓겨나게 될 터였다. 결국 맹구범은 자신의 정체를 발설하지 않는 것이 상책이란 생각이 들었다.

「지소에서 사들인 지물을 우리 상단에 넘겨줄 의향은 없겠나?」

「그럴 수가 없소이다.」

「내가 얼마간의 이문을 붙여 준다면 어떡하겠나?」

「대저 장사치란 도학군자가 아닌 다음에야 그 경영하는 바를 이문을 남기는 것에 두고 있다고 생각하오. 이문을 모르는 장사치란 한낱 허수아비에 비견할 만하오. 그러나 장사치가 만금 재산을 도모함에는 그 먼저 궁박하게 살아가는 뭇 백성의 원성을 사서도 안 될 일이며 모함을 일삼아서 이웃의 빈축을 사서도 안 되며 만에 하나 동사하는 동무들에게 폐를 끼치는 일이 있어서도 안 된다고 알고 있소. 그러나 거상들이란 벼슬아치들이 포흠한 곡식을 사들이고 장시에 물화가 있다 하면 불각시에 우격다짐으로 도고하여 쌓아 두었다가 물가가 오르기만을 기다려 모리를 취함에 기탄이 없소이다. 내 것이 아니면 남의 밭머리의 개똥도 안 줍는다는 백성들의 기갈 든 모습을 숨어서 엿보다가 쌓아 둔 물화를 야금야금 끌어내어 자신의 전장을 늘린다는 건 곳간의 곡식을 터는 쥐새끼와 다를 바가 없지 않소? 게다가 겨우 신발차나 챙기려고 끽해야 몇백 냥의 물화나 사고파는 보부상들의 등까지 치려는 것이 대상이란 사람들이 저지르는 악덕이고 보면, 이는 나아가선 나라가 망할 징조가 아니겠소?」

선돌이가 맹구범을 똑바로 쳐다보며 윽박질렀으나 맹가는 입가에 차디찬 웃음을 흘릴 뿐이었다.

「내가 모시는 대주께서는 시전의 공주인일세. 지금은 조정에 바칠 지물을 사들이고 있는 것이지 사사로이 치부를 하기 위한 것이 아니니 명분이 뚜렷하지 않은가?」

「족제비 가죽을 벗기나 호랑이 가죽을 벗기나 이치 다를 바가 없소이다. 조정에 바치는 것이든 치부를 위한 것이든 거기에 백성의 원성이 따른다면 이미 장사치의 도리를 벗어난 한낱 모리꾼에 지나지 않소이다. 게다가 지금 댁들은 무슨 까닭에선지는 몰라도 무고한 여상단을 치납하여 사구류시키고 있지 않소? 그것이 명색이 대상단이 할 짓이오?」

「그래서 중로도집한 지물과 계집을 바꾸자는 것인가?」

「그렇소이다.」

「일이 이렇게 된 이상 난들 더 버틸 수야 없게 되었네만 자네들은 헛수고를 단단히 한 셈일세.」

「그건 댁에서 따질 일이 아니오.」

「그렇다면 지금 당장 내 하처 잡은 객주로 가서 그 계집을 만나 볼 의향은 있는가?」

「만나 보다니? 데려와야지요.」

「물론 그래야 할 테지.」

세 사람은 술청에서 함께 일어났다. 객줏집에 당도하니 마침 저녁을 마치고 술추렴을 하려던 짐방들이 봉노에 옹기종기 모여 앉아 법석을 떨었다.

「저놈들이 제 발로 걸어 들어왔네그려.」

「삶은 팥에서 싹이 날 리 있나, 아마 계집을 찾으러 온 모양인데.」

맹구범은 두 사람을 가겟방에다 앉히고 월이를 데리고 나오라 통기하였다. 담배 한 죽 태울 참도 못 되어 겸인을 앞세우고 월이가 방으로 들어섰다. 그러나 두 사람에겐 눈길도 주지 않고 주저하는 기색도 없이 아랫목의 맹구범 옆으로 가서 앉았다. 궐녀의 돌변한 태도에 물론 두 사람은 갈피를 잡을 수가 없었다. 그렇다 하여도 두 사람이 여기까지 오게 된 사연을 말하지 않을 수는 없었다. 봉삼의 사연을 듣고 있던 월이가 얼굴을 똑바로 들고 말하였다.

「저는 이제 동패할 의향이 없습니다.」

「여기에 상단 행수가 있다 하여 만에 하나 눈치 볼 게 아닙니다.」

「저는 이제 동무님들과는 이별을 하여야지요.」

「저 고얀 사람에게 단단히 우격다짐을 당하시었군요. 그렇지 않구서야 형수님이 그런 말을 할 수가 없습니다.」

「성한 사람을 데리고 공연히 그러지 마십시오.」

「그럼 우리가 형수님을 욕뵈러 여기까지 쫓아왔단 말씀입니까? 아마 우리가 늦게 찾아온 오력을 내느라고 고집을 부리시는 거지요. 여기까지 끌려온 걸 진작 몰랐음이 우리들 불찰입니다.」

「저는 끌려온 처지가 아닙니다. 제출물로 따라왔을 뿐이지요.」

「저놈이 무슨 짓을 하였기에 형수님 입에서 불각시에 다른 말이 나왔습니까? 본정신을 잃었군요.」

「본정신을 잃다니요? 제가 본정신을 잃었다면 당장 동무님들을 따라나셨겠지요.」

월이의 말대꾸가 종시 수상하매 두 사람은 우두망찰 궐녀를 바라보았다. 겉으로는 맹구범에게 겁간을 당한 조짐이 보이거나 눈에 총기가 가신 것도 아니었다. 맹구범의 발림수작*이나 모함에 녹아났다 할지라도 이제 두 사람이 찾아와 버티고 앉아 있는 판국에 주저할

---

*발림수작 : 살살 비위를 맞추기 위하여 하는 말이나 행동.

일이 무엇이겠는가. 작수성례(酌水成禮)였다 할지라도 초례 치른 서
방 잃은 지 이제 며칠이 지나지 않았고, 떠돌이 상객이었으나마 해
포이웃하던 처지에, 휘할* 일이 없는 처지로 태도가 돌변한 까닭이
나마 알아야겠다고 생각한 봉삼이,

「인간사에는 함부로 잘라 못할 말이 있소. 그건 헤어지고 만남에
대한 맹세입니다. 그렇고 보면 형수님 말이 심상치가 않소. 멀쩡
한 정신으로썬 안면을 바꿀 수가 없을진대 그런 작심을 하게 된
연유라도 들어 봅시다.」

해사한 얼굴에 차가운 웃음을 흘리고 있던 월이가 대답하되,

「이미 정의가 떠나 헤어지려는 주제로 미주알고주알 지난 일을 꼬
집어 사화(私和)*할 일도 없습니다.」

「그간 우리가 궁박하게 살며 십시일반으로 연명하던 정의를 어찌
잊었으며, 며칠 전에 생리사별한 포원이 있는 청상의 몸임을 잊으
셨단 말이오? 우리 두 사람이 형수씨를 데려가고자 하는 것은 형
수씨가 겨우 이팔의 나이이긴 하되 함부로 인륜을 저버릴 여자가
아니란 것을 알기 때문이오. 청루의 계집이었거나 색정에 못 이겨
사내에 기갈이 든 여자로 알았다면 당초부터 생의를 내지 않았소
이다.」

한마디 한마디가 바늘이 되어 가슴을 찌를 듯한 말이었으나 꼿꼿
하게 앉아 있던 월이가 쏠까스르듯 면박을 주는데,

「오지랖 넓은 체하신 건 흔감한 일이나 저는 진작부터 행중에서
빠져나올 궁리만 하고 있었던 터로, 이번에 우연히 금지옥엽 대주
어른을 뵈옵고 따르기로 작정한 터이니 제발 더 이상은 일을 꾸며
화근을 만들진 말아 주십시오.」

---

*휘하다 : 어떤 말을 입 밖에 내기를 꺼리다.
*사화 : 원한을 품고 있는 사람끼리 원한을 풀고 화해함.

「내 보부상의 신세로 조선 팔도에서 소문난 괄시는 못 받은 게 없고 숱한 봉욕을 당해 왔었으나 당초에 이런 날벼락만은 처음 맞아 보았소이다.」

「매사에 중뿔나게 구니까, 그런 날벼락을 혼자서만 맞겠지요.」

봉삼은 더 이상 궐녀의 작정을 돌려 놓을 묘리가 없다는 것을 알았다. 말마디 길게 끌면 끌수록 자리는 버성길 뿐이었다. 봉삼은 그때 미닫이 틈 사이로 바깥의 동정을 살펴었다. 물꼬를 뽑은 듯이 껑충한 곁꾼들이 문밖을 지키고 섰으니 맹구범을 결딴내고 월이를 업고 장달음을 놓을 수도 없게 되었다. 그러나 이미 변심한 사람을 업고 나간들 비유컨대 생마(生馬) 잡아 길들이기가 아닌가.

「이팔의 시골고라리라 하였으되 근저가 깊은 사람으로 알았소. 이제 보니까 본색을 짐작하겠구려.」

「타박은 그만 하고 이제 돌아가시오. 그리고 더 이상 내 종적을 캐낼 생의는 말아 주십시오.」

「일어나세.」

드디어 마지막 한마디가 봉삼의 입에서 떨어지고 말았다. 그때까지 까치다리하고 앉아 세 사람의 수작만을 바라보고 있던 맹구범이 말했다.

「이제 그만하면 꼭뒤잡이해서 배송 내기 전에 제 발로들 비켜나는 도리밖엔 없게 되었네.」

「그렇소이다.」

두 사람은 금방 자리를 털고 일어났다. 월이의 결심에 다른 태동이 없을 바엔 더 이상 붙어앉아 지분거릴 명분이 없어진 것이었다.

미닫이를 열고 마루 밖으로 내려서는 두 사람의 누비등거리 입은 모습을 월이는 바라보았다. 땀으로 얼룩진 그 등거리 위에 최돌이의 허옇게 식었던 시신이 선명하게 떠올랐다. 끝까지 궐녀가 백정의 소생으로 속전을 벌려고 했던 계집임을 맹구범이 있는 자리에서 발설하지 않은 천봉삼의 깊은 연충을 월이는 헤아리고도 남았다. 궐녀는 그러나 발딱 일어서서 미닫이를 닫아 버렸다.

객줏집을 나온 두 사람은 묵고 있는 서문 밖 숫막으로 돌아갔다. 전주장을 보러 왔던 보부상들이 목판 앞에 둘러앉아 술추렴들을 하고 있었다. 초저녁에 나설 때보다 숫막은 더 득시글거렸다. 술추렴을 하면서 산가지들로 셈을 놓고 판화전(販貨錢)을 챙겨 꿰미를 짓는 축들도 있었다. 인근의 읍내장들을 돌고 있는 장사치들로 한밤중에 노정을 잡아도 새벽 저자에 도착할 수 있는 사람들이었다.

두 사람은 그들과는 멀찌감치 떨어져 앉아 딴 상을 차려오게 하였다. 푸새김치와 술국을 안주하여 탁배기 한 방구리를 금방 비우고 다시 한 방구리를 시켰다. 입사발에 안다미가 되도록 술을 채워 송도순배로 연배곰배* 돌렸으나 도무지 취할 것 같지 않았다.

「어디 가서 신명 떨음이나 한번 했으면 속이라도 시원하겠네.」

말없이 술만 들이켜던 봉삼이 불쑥 내뱉는 말에 선돌이가 물었다.

「신명 떨음이라니?」

「탕촌에 가서 창기라도 끼고 뒹굴어야지, 비위가 뒤틀려서 도무지 배겨 낼 것 같지가 않아.」

「헌 분지 깨고 새 요강 물어 주고 싶은 거로군. 이럴 때일수록 오기는 삭여야지.」

「도대체 그 속내를 짐작할 수가 없으니 답답한 노릇 아닌가.」

「궐녀가 그렇게 작정한 것에는 분명 곡절이 있을 법하네. 근본이 백정이었으되 여염의 여자로선 따르지 못할 속셈이 있을 듯하니 두고 보세나.」

---

*연배곰배 : 곰비임비. 물건이 거듭 쌓이거나 일이 계속 일어남을 나타내는 말.

「두고 보다니? 문전 박대에 우세까지 시키던 여자를 두고 봐서 얻다 쓰겠다는 건가?」

「아니지, 때가 되면 되레 궐녀 편에서 우릴 수소문하여 만나러 올 것이 틀림이 없네.」

「아냐, 맹구범이란 작자의 발림수작에 농간을 당했거나 겁간을 당한 거지.」

「나는 되레 맹구범이란 작자가 궐녀에게 기롱을 당하고 있다는 생각일세.」

「철 그른 동남풍*일세. 자네가 어떻게 그 일을 장담할 수 있나?」

「궐녀는 우리와 동사하던 보부상의 아내가 아니었던가. 그 이상 증거할 일이 또 어디 있겠나.」

「벙거지 시울 만지는 소리* 그만두게. 지금에 와서 그것에 무슨 뜻이 있겠나.」

「조조(曹操)의 화살이 조조를 쏜다는 말이 있지. 지금 당장은 그 위인이 친 어살에 들었다 할지라도 궐녀는 기어코 앙갚음을 하고야 말 여자일세.」

그때였다. 낯짝이 뜨내기 장돌림들과는 달리 그런대로 해반주그레한 사내 하나가 술청으로 들어섰다. 첫눈에 맹구범의 수하에 있는 차인임을 알아볼 수 있었다. 한참이나 술청 안을 두리번거리던 차인놈은 술청 한편에 개다리소반 놓고 마주 앉은 두 사람을 발견하고는 미투리를 벗고 술청으로 올라섰다.

「노형들을 잠깐 뵈러 왔소이다.」

수인사도 없이 차인놈이 제법 콩 심는 시늉으로 수작을 걸어오는

---

*철 그른 동남풍 : 얼토당토않은 흰소리를 할 경우에 이르는 말.
*벙거지 시울 만지는 소리 : 애매하고 모호해서 알 수 없는 말을 비유적으로 이르는 말.

데 천봉삼이 대뜸 반말거리로,

「어허, 이 위인들이 똥 본 강아지 모양으로 왜 이렇게 쫄쫄 따라다니나그래?」

차인놈이 씩 웃음을 흘리고는,

「행수 어른의 방자로 왔습지요.」

「그 차인 행수란 놈이 어디 된급살이라도 맞았더란 말이오?」

「노형들, 곁 삭이구 내 이야길 좀 들어들 보십시다.」

차인놈이 제 딴엔 의뭉을 떨며 소반 한편에 자리 보아 앉으려는데, 봉삼이 우정 목소리를 높여 꾸짖었다.

「길래 뱅뱅 돌며 지다위를 하겠다면 도륙을 낼 터이니 당장 비켜나거라, 이놈.」

「어따, 꼿꼿하기는 개구리 삼킨 뱀이구려. 내 노형들을 찾아온 건 다름이 아니라…… 노형들이 송광사 지소에서 산 태지 다섯 바리를 산 값의 배로 가전을 쳐주기로 하고 화매를 해보라는 행수 어른의 영을 받고 온 터인데, 대뜸 면박을 주면 도리가 아니지 않소?」

차인놈이 경아리답게 입가에 해죽해죽 웃음을 흘리는데,

「산 값의 배가 아니라 호피를 덤으로 준대도 싫으니 썩 물러가라, 이놈.」

「배 값에 심이 안 차는 모양인데, 그럼 두 배 반이라면 어떻소?」

봉삼이 앉은 채로 차인놈의 멱살을 죄어 잡는데, 위인은 손으로 밀막는 시늉만 했을 뿐 별다른 반항이 없었다. 봉삼이 멱살 잡은 손을 죄어 흔들며,

「이놈, 어육이 되기 싫거든 당장 신을 돌려 신어라. 두 배 아니라 이십 배를 준대도 너희놈들에게 넘길 물화가 아니라고 가서 낱낱이 고하여라.」

「그럼 마지막으로 한마디만 더 하겠소. 지소에서 산 값에서 세 배

를 얹어 드리리다. 이젠 되었소?」

화가 꼭뒤까지 나 있던 천봉삼도 차인놈의 마지막 한마디엔 대꾸를 못하고 드잡이한 손을 풀며 주저주저하는데, 그때까지 대꾸 한마디 없던 선돌이가 물었다.

「왜 그만한 가전을 지르고도 우리 물화를 거두려 하시오? 통부(通符)* 찬 놈들의 힘을 빌린다면 본전으로도 물화를 빼앗을 수가 있을 터인데?」

「순리를 따라 거래를 트자는 것이오. 게다가 우리가 겨냥하던 물량을 다 채우지 못했기 때문이지요.」

「댁네들 상단에서 도집하려는 물량은 도대체 얼마나 되오?」

잠깐 딴청을 하던 차인놈이 고개를 외로 꼬아 박으면서,

「그걸 제가 알 까닭이 없지요. 그러나 행수님이 입에 거품을 물고 가근방 지물 거간과 짐방들을 족치는 걸 보면 물화가 많이 모자라는 건 틀림이 없소.」

「우리가 동헌 마당 지대 아래로 끌려가서 치도곤을 당하는 한이 있더라도 지물은 내어 놓을 수가 없으니 더 이상 지분거리지 말고 돌아가시오.」

두 사람의 결심엔 송곳 하나 꽂을 자리가 없다는 것을 눈치 챈 차인놈은 자리에서 일어나면서 문득 혼잣소리로,

「꼴에 수캐들이라고 다리 들고 오줌 깔기네……..」

그 말을 선돌이가 듣고는,

「이제 뭐라고 했소?」

「가자니 태산이요 돌아서자니 숭산(嵩山)이라 내 한마디 희언을 하였소이다. 빈손으로 돌아가서 행수 어른께 당할 고초를 생각하

---

* 통부: 의금부·병조·형조·한성부의 입직관(入直官)이나 포도청의 종사관(從事官)과 군관(軍官)이 범인을 잡는 증표로 차던 부찰(符札).

니 눈앞이 아찔한 게 발자국이 온전치 못하오.」

「구멍을 파는 데는 칼이 끌만 못하고 쥐 잡는 데는 천리마가 고양이보다 못하단 속언도 듣지 못했소? 제아무리 공주인이 이끄는 대상단이라 할지라도 할 일이 있고 못할 일이 있는 법이오. 맹구범의 용력이 아무리 과인한들 항우를 찜 쪄 먹겠소? 대상단이라 해서 전주 저자 물화들을 비로 쓸진 못할 것이오.」

궐자가 곽란 만난 상판대기를 해가지고 숫막을 나선 지 담배 한 죽 태울 참이나 되었을까, 지물 거간이라 자칭하는 자가 다시 숫막으로 찾아왔다. 거간이란 것들이 원래 금 잘 치는 서순동(徐順同)*들이라, 지물 다섯 바리에 5백 냥짜리를 1천6백 냥까지 놓아 가며 흥정을 트려 하였으나 맹구범의 사주를 받고 있는 위인들이란 것을 알고 있는 두 사람은 일언지하에 흥정을 파의해 버렸다.

물론 그만한 이문이라면 평생에 그런 횡재가 없었고 그런 왕기가 없었다. 그러나 월이를 치낭한 놈에게 물화를 넘겨 두 번의 우세를 당하고 싶지는 않았다.

그런데 야단은 거기서부터 일어났다. 그때까지 술청 목판에 둘러앉아 술추렴들을 하면서 이쪽의 수작을 엿보고 있던 부상들이 두 사람에게 다가온 것이다. 인사수작들을 나누기 바쁘게 그 지물을 자기들에게 넘길 수는 없느냐고 속내를 떠보는 것이었다. 알고 보니 그들은 경상우도 쪽 장시들을 돌고 있는 지물상들로 전주에 지물을 구처하러 왔다가 허탕을 친 사람들이었다. 그중 나잇살이나 먹어 보이는 자가 묻기를,

「동무님들은 어디로 작로들 하실 작정이오?」

「우린 여기서 묵새기다가 강경으로 들어갈 참이지요.」

---

*금 잘 치는 서순동 : 유명한 거간꾼이었던 서순동을 빗댄 말로, 물건의 값을 잘 정하는 사람을 두고 하는 말.

「강경으로 가신다면 꼭히 지물이 아니고서라도 이문을 노릴 만한 물화들은 많습니다. 서울과 뱃길이 잦은 곳이라 포목이며 피물이며 곡식에 이문이 가장 크고 당화들도 흔전이오. 수완만 좋다면 개 꼬리를 빼어서 족제비털로 팔아먹을 수 있는 곳이 강경 저자가 아닙니까. 그러나 우린 원래 경상도에서 건너올 제 그쪽 객주에 지물을 가져가기로 약조한 터요. 서울서 온 시전상들이 전주 지물의 씨를 말리고 나면 달포 전엔 전주 저자를 뜨기 글렀습니다. 오늘 우리는 부샅에 요령 소리가 나도록 지소와 지물객주들을 발서슴하였습니다만, 단 한 바리도 구처하지 못하였으니 이런 낭패가 어디 있겠소.」

다시 한 작자가 그 말을 받았다.

「달포간을 여기서 묵게 된다면 객비하며 부비가 수월찮을 일이오. 또한 그동안의 이문을 놓치게 되었으니 손해가 이만저만이 아니오. 게다가 저쪽 포주인과의 약조가 파의(罷議)* 나고 보면 우리 장삿길에 폐단이 될 것은 물론이요, 물색 모르는 포주인은 우릴 상종조차 않으려 들 것이오. 끽해야 구복(口腹)이나 채우는 신세들이나 신용 하나로 연명하는 터에 노형들이 물화를 넘긴다면 대돈변*을 구처해서라도 화매를 해야 할 입장들이오.」

가만히 듣고 앉았던 선돌이가 힐끗 봉삼을 돌아다보았다.

「그렇다면 다섯 바리 전부에 가지신 밑천들은 얼마나 되오?」

난감한 낯빛들이던 좌중에서 역시 처음 수작을 텄던 사람이,

「조금 전에 거간이 와서 엄청난 금어치를 놓았습니다만 우리 행중의 행탁을 전부 털어도 천이백 냥이 조금 넘을 뿐이오. 그러나 노형들은 가만히 앉아서 칠백 냥의 이문을 본 터이오. 또한 그 상단

---

* 파의 : 의논하던 것을 그만두거나 합의하였던 것을 도로 물리거나 깨뜨리는 일.
* 대돈변 : 돈 한 냥에 대하여 매달 한 돈씩 늘어가는 비싼 변리.

들은 공주인으로 관아로 달려가서 농간을 부리기라도 한다면 노
형들은 또한 가만히 앉아서 칠백 냥의 이문을 놓치는 꼴이 되지
않소. 그렇다면 노형들이야말로 가만히 앉아서 칠백 냥의 이문을
보느냐, 아니면 칠백 냥의 이문을 놓치느냐 하는 갈림길에 서 있습
니다. 우리에게 물화를 넘긴다면 우린 이 밤으로 전주 저자를 뜰
것이니 저놈들이 뒤쫓는다 할지라도 우리 행처를 찾을 길이 없을
것이오.」

「우리가 그놈들에게 물화를 넘긴다면 천 냥 이상의 길미를 챙길
수가 있습니다. 천 냥이 보통 돈이오? 그러나 저놈들이 관아의 힘
을 빌리지 못할 일도 또한 있습니다.」

「그렇다면 천삼백 냥을 드리겠소. 물화를 넘기지 못할 사정이 있
다면 물화를 썩히기 전에 우리에게 넘기시오. 그게 장사치의 도리
이기도 하지 않소?」

「좋습니다. 그렇다면 천삼백 냥을 포은으로 내놓으시오.」

물론 잘된 일이었다. 차인과 거간이 찾아와서 가전의 금어치를 잔
뜩 올려놓은 데다가 또한 전주 지소는 물론이요 저자의 지물이라고
는 씨를 말려 놓았으니 물건 없는 장사치야 귀머거리의 귀가 아닌
가. 대돈변을 꾸어 댄들 화매를 해야 한다는 말이 십분 옳은 말이었
고 두 사람도 천세가 나고 고가일 때 팔아 치우는 게 상책이었다.

거래는 금방 이루어졌다. 마방 옆 곳간에 쌓아 두었던 지물 다섯
바리를 넘겨받은 장사치들은 물화를 꾸려 그날 밤으로 쫓기듯 숫막
을 뜨고 말았는데, 그때는 벌써 이경(二更)이 넘어 있었다. 찬바람이
휘몰아치는 저잣거리 밖으로 떠나는 상단들과 작별하면서 봉삼이
중얼거렸다.

「성애술도 나누지 못하고 이별을 하게 되니 죄짓는 심정이여. 그
러고 보니 우리가 이만저만한 횡재를 한 것이 아닐세.」

「그리고 보면 우린 어차피 최 동무님 내자 되는 사람의 덕을 입은 셈일세. 궐녀가 치납된 일이 아니었다면 우리가 송광사 지소것들에 들러 지물을 샀을 까닭이 없지 않은가.」

13

두 사람이 다시 술청 쪽으로 돌아서려는 즈음이었다. 숫막 뒤껼 울바자 뒤에서 한 사내가 벌떡 몸을 일으켰는데, 보아하니 처음에 두 사람을 찾아와서 흥정을 트려 했던 맹구범 수하의 그 해반주그레한 차인놈이었다. 경상우도의 보부상들이 지물을 챙겨 숫막을 떠나는 것까지 지켜본 차인놈은 두 사람의 눈에 띄지 않게 고샅길을 비켜 나와 곧장 남문 밖 하처 잡은 저들의 객줏집으로 장달음을 놓았다. 문간채를 지나 몸채로 들어가서 하정배를 올리니 맹구범은 그때까지도 침석에 들지 않고 차인꾼을 기다리고 있었다. 차인놈이 방으로 들어서자 곁에 앉았던 월이가 촛대의 불똥을 걷어 내고 더욱 불을 밝히었다.

「그래, 어떠하더냐?」

「예, 나으리가 작정하셨던 바대로 일이 꾸며졌습지요.」

「하매자는 어떤 놈들이더냐?」

「경상우도에서 건너온 보부상들인데 마침 그곳의 지물객주와 약조를 하고 온 패거리들이라, 지물이라 하니까 고헐간에 눈이 시뻘게서 흥정을 텄습지요.」

「두 놈이 남긴 이문은 얼마더냐?」

「예, 그것이 조금 빗나가기는 하였습니다만, 본전에 칠백 냥의 길미는 넘기는 것 같았습지요.」

「판화전은 은자로 거래하더냐?」

「꿰밋돈이었습지요.」

「나귀 한 마리나 사야 거동할 돈이다. 물론 경상우도에서 온 것들은 물화를 챙기는 길로 곧장 작로를 하였것다?」

「여부가 있겠습니까. 흡사 방포(放砲)에 쫓기는 놈들처럼 갈팡질팡으로 저잣거리 밖으로 나서는데 다리 부러질까 겁이 날 지경이었습지요.」

「나귀들을 몰았더냐?」

「여남은 명이나 되는 것들이 전부가 보부상들로 걸빵들로 조짐을 하였는데 나귀는 보이지 않았습지요. 행탁을 전부 털어 가전으로 내놓았으므로 행탁이 빈 것들이라 중도에서 노숫돈을 구처할 것이 틀림없으므로 일단은 인근 여각에서 지체할 듯합니다.」

「뒤쫓을 필요는 없다. 그깟 물량이야 우리에겐 있으나마나다. 공연히 덧들였다가 말썽이 생기면 곤란하니 가만들 두어라. 그런데 두 놈은 어찌한다더냐?」

「말로는 강경으로 뜬다 하였습니다만, 오늘내일로 작로치는 않을 것 같고 한동안 우리 상단의 눈치를 보고 있다가 작정을 할 듯하였습지요.」

「그놈들이 내 농간으로 칠백 냥의 이문을 보았다는 생각은 못할 터이다. 괘씸한 일이지만 어찌하겠나. 덧들이지는 말고 간자 한 놈을 놓아서 그놈들의 행동거지나 놓치지 말고 살피도록 하여라. 그놈들이 설혹 가게 근방에 서성이더라도 못 본 척하고 더욱 만에 하나 내 섭수로 그만한 길미를 보았다는 건 행중에서도 너만 알고 행여 입 밖에 내지 마라.」

「나으리, 제가 어찌 주둥아리를 함부로 놀릴 수가 있겠습니까.」

「수고하였다. 내려가서 푹 쉬거라.」

차인놈이 물러가자 맹구범은 촛대 아래 소슬히 앉아 있던 월이에게 말하였다.

「내 수완이 어떠하냐? 그 두 놈을 가만히 앉혀 둔 채 칠백 냥의 이
문을 챙기도록 하였지 않느냐. 물화가 아무리 귀하다 한들 태지 다
섯 바리에 칠백 냥의 이문을 남긴 일이란 고금에 없었던 난리다.」

맹구범이 큰기침 한번 떨군 연후에 말씀 잇기를,

「내가 겸인 거간이란 놈들에게 사주를 해서 술청에 있던 놈들을
대혹하게 만든 것이다. 내가 이 일을 여축없이 성사시켜 두 놈에
게 가을 중 시주 바가지로 그만한 이문을 생기도록 하였고 보면,
이제 너를 빼돌린 벌충은 된 것이니 두 놈 생각은 싹 거두어라.」

맹구범이 다가앉으며 월이의 손목을 잡아끌었다. 서투른 반가의
처녀보다는 상것이긴 하되 암상진* 청상의 계집이 또한 별것으로
사람을 사로잡는다는 생각이 들었다. 이제 와선 그가 내친다 하더
라도 동사하던 두 놈에게로 돌아갈 계집이 아니란 생각도 없지 않
았다. 손이 이끌리는 대로 맹구범의 무릎에 얼굴을 기댄 월이가 말
하였다.

「나으리의 은공은 기필 잊지 않겠습니다. 나으리를 따르기로 작심
은 한 터였으나 비보라와 기한에 떨며 구차히 연명하던 동패들이
눈앞에 밟히더이다.」

「내가 그 속내를 몰랐을 리 있겠나. 행세깨나 한다는 시정아치로
미투리 깊이만 한 계집의 속마음쯤 꿰뚫어 보는 재간이야 없으려
구. 이만하면 너는 체면을 부지한 터요, 나 또한 작경하는 자들이
없어졌으니, 누이 좋고 매부 좋다는 것이 바로 이런 것이 아니냐.」

「가슴이 화룡선(畵龍扇)*이라더니 나으리는 정녕 속이 트이시고
도량이 넓으십니다.」

---

*암상지다 : 남을 시기하고 샘을 잘 내는 마음이나 태도가 있다.
*가슴이 화룡선 : 사람의 도량의 크고 속이 틔었음을 이르는 말.

맹구범이 곰방대에다 담배 한 죽을 담아 물면서 제법 의뭉을 떠는데,

「대저 귀천궁달(貴賤窮達)*이라는 게 원래 서쪽 하늘에 뜬 구름이요, 달구지의 수레바퀴와 같은 것이다. 있다가도 없는 것이요, 돌고 도는 것이다. 두 놈이 그 이문을 밑천 삼아 장사치로서 영달을 꾀할 수 있다면 그만한 왕기가 또한 어디 있겠느냐.」

월이가 고개를 들어 깊숙이 조아리며,

「평생토록 글을 읽었다는 선비를 만난다 한들 나으리만 한 국량이 계실까요.」

「그래? 내 귀가 도자전(刀子廛) 마룻구멍이라 명색이 배운 건 없어도 아는 건 많다.」

「말씀과 같이 나으리는 정녕 앞뒤가 알쏭달쏭하시군요.」

「알쏭달쏭한 세상은 알쏭달쏭하게 살아야지, 앞뒤가 분명한 놈은 자빠져도 코를 깨는 게 세상의 이치다. 내 권문세가의 문전을 쥐새끼처럼 드나들면서 배운 것이라곤 그것밖에 없었다. 나보다 드센 놈에겐 천부당만부당한 것도 지당하게 굴어야 후환이 없는 법이요, 나보다 약한 놈을 상종함에는 고양이가 쥐 놀리듯 함에 기탄이 없어야 이(利)를 챙기는 법이다. 연천한 너를 두고 내 본색을 실토하는 뜻은 그 두 놈의 행패가 보고 있기 딱해서다.」

「어쨌든 이 은공을 갚을 길이 없으니 그게 또한 가슴에 한이 될까 두려울 따름입니다.」

「넌 보아하니 기역자 왼다리도 못 그리는 주제이다마는 속내만은 글줄이나 읽은 계집을 뺨치겠구나. 내일은 울 밖 출입을 해주어야겠다.」

---

*귀천궁달 : 귀함과 천함, 곤궁함과 영달함을 함께 이르는 말.

「나으리의 분부시라면 어디인들 못 가겠습니까.」

맹구범의 손이 부풀 대로 부푼 월이의 가슴에 가 닿았다. 가만히 옷고름을 풀어 내리니 박덩이같이 피둥피둥한 젖무덤이 너울거리며 타오르는 촛불 아래 더욱 탐스럽게 떨렸다. 궐녀의 유두를 손가락 사이에 집어넣고 기롱을 하는데, 월이의 떨리는 손이 젖무덤을 살짝 가리면서,

「장차 쇤네를 어찌하실 작정이신지 생각하면 잠을 청할 수가 없습니다.」

「너를 어찌하다니?」

「한동안 공깃돌처럼 가지고 희롱하시다가 수하 사람들을 시켜 소박을 놓거나 타관 객지에다 태질쳐 버리시겠지요.」

「그것이 염려되느냐?」

「싫었든 좋았든 이미 살을 준 남정네에게 그런 말씀을 올리는 것은 백분 당연하지 않습니까.」

「그걸 내가 모를 리 있겠느냐. 그러나 염려할 일 못 되느니라.」

「비록 망부의 무덤에 흙도 마르기 전에 훼절한 계집이 되었고 또한 생업을 같이하던 동무님과 정의를 비수로 자르듯 하였습니다. 여기서 쇤네가 소박을 맞게 되면 이제 자문하는 길밖에는 딴 방도가 없게 되어서 드리는 말씀입지요.」

「만약 내가 너에게 소박을 놓는다면 어찌하겠느냐?」

「나으리의 가슴에 비수를 꽂든지, 아니면 자문의 길을 택하겠요.」

「네가 어찌 되어서 그런 불측하고 고얀 생각까지 하기에 이르렀느냐?」

「쇤네의 마음이 변하였습지요.」

「네가 원하였던 건 내가 아니고 두둑한 장사 밑천이 아니었느냐?」

「쇤네가 나으리께 행하를 받아 쥐고 장사치로 나선다면, 원래 계집의 입을 믿지 못하는 남정네들이라 쇤네를 종시 가만두지 않을 것은 뻔한 이치가 아닙니까. 제 목숨을 구하는 길은 나으리 곁에 붙어 있는 것이지요.」

「내가 널 물고를 낸다는 거냐?」

「나으리의 지체라면 쇤네 따위 한목숨 없애는 것이야 여반장이 아니겠습니까.」

「내가 패악질로 살아가는 놈으로 보인 것은 섭섭한 일이다.」

「장돌림으로 싸다니면서 남의 눈치를 헤아리는 것엔 미립이 난 터입니다.」

「너 흡사 내 속으로 빠진 듯하구나. 그러나 그런 생각은 잘못된 것이다. 나도 초다듬이엔 널 적당히 구슬려서 행하나 주어 내쫓을까 하였다만, 보아하니 자색도 그만하고 수완도 촌것들하고는 달리 출중해 보이는 터라 지금 와선 마음을 고쳐먹었느니라.」

「그 말씀 진정이십니까?」

「진정이 아니면, 내가 너를 코앞에다 두고 거짓을 말하겠느냐?」

「남정네들 거짓말이야 염낭쌈지를 열듯 쉽지 않습니까?」

「너 말하는 품이 청루의 간나희들을 뺨치겠구나.」

「청루의 계집이나 반가의 귀부인이나 사내에게 매달려 살아가는 이치야 다를 바가 없고, 또한 먹는 마음 다를 바도 없습지요. 다만 청루의 계집은 먹은 마음 입 밖으로 뱉어 내기 주저하지 않을 따름이요, 반가의 귀부인은 그런 속된 말을 속으로 삭이는 차이밖엔 없습지요.」

「너 이제 겨우 이팔의 나이로 말재주 하나는 범상치 않구나.」

「나으리 말씀대로 기역자 왼다리도 그리지 못하는 주제이나 예전에 모시던 상전의 덕분인 줄 알고 있지요.」

「네 상전이 너를 버렸더냐?」

「생각지도 않았던 곡절로 서로 헤어지고 말았습지요.」

「그분이 출가를 하였느냐?」

「그랬습지요.」

「상부한 네 사내와는 결발부부였더냐?」

「제 팔자가 기박하여 나으리껜 속절없이 절조를 빼앗겼다 하나 상부와는 초례를 치른 사이였습지요.」

「네 근본을 알고 싶구나.」

「그 말씀 쇤네도 반갑습니다. 쇤네도 나으리의 근본을 아는 바 없고 나으리 또한 쇤네의 근본이 궁금하시겠지요. 그러나 냉수에도 차례가 있고 음양의 순서로 따진다 하더라도 나으리의 근본부터 어떠하시다는 걸 듣자옵고 말씀 올리는 것이 순서가 아니겠습니까.」

맹구범이 우정 목소리를 높여 허허 웃었다. 그는 계집의 젖무덤에다 입을 쩍 맞추며,

「그것이야 바쁠 것이 없다. 어서 옷이나 벗거라. 박속같이 허연 네 살결을 보자 하니 어찌 음낭이 뻐근해 오는 것이 더 이상 참고 있을 처지가 아니구나.」

「아이고, 간지럼 태우지 마십시오.」

「벗지 않을 터이냐?」

「제 몸뚱이야 이제 나으리 것이 아닙니까. 입으라 벗으라 하시며 속태울 것이 무엇 있습니까. 달이 뜨면 벗을 것이고 또한 달이 지면 입을 터이지요.」

「너 내가 마음에 들더냐? 사내구실을 할 만하더냐?」

「쇤네가 아직 어려서 음양의 도리는 알지 못합니다. 그러나 이미 육신을 허락한 이상은 나으리의 영에 따라서 몸가축을 하고 잠자

리가 아금받아야 한다는 건 알고 있습지요.」

깃 없는 소매에 고름 없는 저고리로 몸가축을 해야 했던 무자리 천출로 맹구범과 살을 나누었다면 그만한 복덕이 없었다.

월이는 사내의 품 안에서 빠져나와 윗목의 촛불을 껐다.

심지 타는 냄새가 방 안에 싸하게 퍼지면서 뒤곁의 달빛이 물씬 퇴창으로 흘러 들어왔다. 짧은 한숨이 궐녀의 입에서 가만히 흘러나왔다. 등 뒤에서 사내가 대님을 풀고 바지를 벗는 소리가 들려왔다.

고미다락에서 침석을 내려 펴기가 바쁘게 맹구범은 월이를 와락 끌어안았다. 사내는 제 손으로 게걸스럽게 월이의 옷고름을 풀고 젖무덤에다 솔잎상투*를 끌어 박는데 색탐하는 거조가 세상을 오늘 밤으로 하직할 놈 같았다.

「따가워요.」

월이가 사내의 모가지를 끌어안고 침석 위로 발랑 나자빠지면서 조청을 씹는 듯 지껄이니 맹구범이 그 말 날름 받아서,

「이그, 더러는 따가운 변도 있어야지 온새미로 좋기만 바라느냐.」

「쉰네도 모르게 입 밖으로 나온 소리지요.」

그 말이 또한 단불에 기름 붓는 격이라 맹구범이 언죽번죽 월이의 몸체로 색기를 하고 기어올랐다.

사내의 끈적끈적한 타액이 젖무덤에 흘렀다. 꼴같잖은 솔잎상투가 그런대로 행세하느라고 끄덕거리는 것을 내려다보는 월이의 가슴은 비수가 꽂힌 듯 쓰리고 따가웠다.

「나으리, 너무 조급하십니다.」

우정 배 씹는 소리로 그렇게 말하자 맹구범의 대답이,

「내가 지금 일의 차서를 가릴 처지가 되었느냐. 내 실토를 한다마

* 솔잎상투 : 짧은 머리털을 끌어올려서 뭉뚱그려 짠 상투.

는 숱한 계집을 상종하였거니와 너만 한 자색이 없었고, 또한 너의 행요는 살점이 뜯기는 듯 사람을 환장하게 만들지 않느냐.」

「그러하온데 쇤네의 망부는 어찌 그렇게 무심하였을까요?」

「궁합이 맞지 않았던 거지. 또한 궁합이 맞다 한들 그깟 장돌림이란 것들이야 계집을 알겠느냐.」

「쇤네도 숱한 계집 중에 하나입니까?」

「앙탈 그만 하거라. 상투 끝이 한창 곤두서려는 판국에 또 무슨 훼방이냐?」

「나으리의 장사 수완도 보통이 아니거니와 계집을 어르고 만지는 솜씨도 걸출하시군요.」

「장사 수완? 수완이랄 것도 없지만 내가 마음만 먹으면 똑똑하다는 경아리 몇 놈쯤은 단숨에 납청장(納淸場)*으로 만드는 재간은 가졌느니라. 대주께서 나를 수하에 두고 있는 까닭도 바로 여기에 있다는 걸 넌 모를 터이다.」

맹구범이 소싯적부터 신석주의 행랑방에서 잔뼈가 굵었다 하되, 처음부터 신석주의 눈에 든 위인은 아니었다. 그 많은 차인꾼과 짐방들 사이에서도 맹구범이란 놈이 매사에 능청스러운가 하면 때로는 고양이같이 암상지고 사기를 능수로 친다는 소문만은 신석주가 듣고 있었다. 아니래도 곁에 두고 믿을 만한 차인꾼이 없어서 고심하던 신석주는, 어느 날 이제 겨우 스무 살을 넘긴 맹구범을 내사로 불러들였다. 위인의 술수가 어떠한가를 시험해 보고자 함이었다. 신석주는 손에 잡히는 대로 동전 서른 냥을 맹구범에게 던졌다.

「너 그 앞에 던져진 것이 무엇이냐?」

득달같이 대꾸할 줄 알았던 맹구범이 한참 동안이나 생각을 도사

* 납청장 : 몹시 매를 맞거나 눌리거나 하여 납작해진 사람이나 물건을 비유하여 이르는 말.

리더니,

「예, 돈인 줄 압니다.」

「그래? 너 그럼 돈이 무엇이냐?」

위인이 다시 한참을 궁리하더니,

「예, 돈은 날개 없이도 날 수가 있고 발이 없으나 하룻밤에 만 리를 달려갑니다. 청담(清談)에 지쳐 낮잠을 자고 있는 낙양(洛陽)의 귀공자도 공방(孔方)*을 보면 벌떡 일어난다 하였습니다. 격언에 저승에 있는 귀신을 부를 수 있는 유일한 이승의 것은 돈이라 하였습니다.」

「그놈, 제법 물리가 트인 듯하구나. 그래서?」

「무릇 인간이 하는 일을 두 가지로 요약할 수가 있겠는데, 명성을 위해서가 아니면 이득을 위해서라 하였습니다. 그러나 명성으로 이득을 얻지 못하되 이득으로는 명성을 얻을 수 있으니 인간이 도모하려는 일의 으뜸은 이득이라 생각합니다. 산서(山西), 신안(新安), 광동(廣東), 절강(浙江)의 되국 상인들이 입버릇처럼 말하기를 엎드리면 뭔가 줍고 위 쳐다보면 뭔가 잡으라 하였으니 그것이 바로 돈인 줄 알고 있습니다.」

「그렇다면 그 돈을 구하려면 어떻게 해야겠느냐?」

「순자(荀子)에 이르기를, 돈을 바라면 첫째 수모를 견디라 하였고, 두 번째는 친구를 버리라 하였으며, 셋째는 의리를 버리라 하였습니다.」

「너 거래를 하지 않고 돈만 가지고도 돈을 버는 방법을 아느냐?」

「예, 광동이나 절강에 가면 되 사람들이 병문에서 은화를 커다란 자루에 담아서 온종일 짤랑짤랑 흔들고 있는 것을 볼 수 있다 하

---

* 공방 : 한대(漢代)의 돈.

였습니다. 은화와 은화가 서로 비비대어 거기에서 은가루가 생기고 그것을 긁어모아 팔아서 돈을 만드니 오히려 돈 자루는 가벼워지는 반면 인내와 이(利)를 함께 구할 수 있다 하였습니다.」

「그럼 됐구나. 너 그 동전 서른 냥을 가지고 나가서 중화 들기 전에 백 냥으로 화식(貨殖)*해서 들여올 수 있겠느냐?」

맹구범이 고개를 숙이고 앉았다가 신석주를 똑바로 쳐다보면서,

「백 냥의 화식이면 나으리의 심에 차시겠습니까?」

대꾸가 방자하고 매양 짐작이 없어 보이되 신석주는 속으로 적이 놀란 터라,

「네 말대답을 보아하니 백 냥 아니라 이백 냥으로도 둔갑을 시킬 수가 있다는 게 아니냐?」

「그 말씀이 아니옵니다.」

「그래, 그렇다면 네 대답은 무엇이었느냐?」

「쇤네가 이 포은을 갖고 나가서 두어 식경 안으로는 백 냥이 아니라 이백 냥의 화식도 할 수가 있으나, 쇤네가 여쭙는 것은 끝전이 남지 않고 아귀가 꼭 차는 백 냥을 만들어야 하는 것인가 그것을 한번 여쭙는 것입지요.」

신석주가 듣자 하니, 위인의 말대답이 자못 맹랑하였다. 그야말로 한술을 더 뜨고 있는 셈이었다. 서른 냥의 포은을 가지고 나가서 쉰 닷 냥이나 백스무 냥이라는 식으로 둔갑시킬 수는 있으되, 딱 떨어지게 백 냥을 만들어 내기란 그렇게 수월한 일이 아니란 뜻이었다. 새겨 보면 신석주가 되레 뒤통수를 한 대 얻어맞은 꼴이 되었다.

「그렇다면 딱 아귀가 차는 백 냥도 만들 수 있겠다는 거냐?」

「한번 해봅지요.」

---

*화식 : 재물을 늘림.

「내가 여기서 기다릴 것이니 중화참 전으로는 어김없이 돌아와야
한다?」

「예.」

신석주는 맹구범을 내보내고 난 뒤 늙은 겸인 두 놈을 시켜 위인
의 뒤를 밟아 보도록 하였다.

서른 냥을 받아 쥔 맹구범은 전방(廛房) 앞으로 나가더니 한참 궁
리를 트는 듯하였다. 위인은 곧장 행랑 뒷골을 돌아서 전옥서(典獄
署)와 합골(蛤洞) 사이로 난 고샅길로 접어들었다. 활 두어 바탕 상거
한 곳이 광통방(廣通坊)이었다. 고샅을 나선 구범은 곧장 광충다리
(廣通橋) 어름의 어리전(雛鷄廛)으로 들어갔다. 어리전 어름을 한참이
나 촌놈 행색으로 기웃거리던 구범이 문득 한 어리전 앞에서 걸음을
멈추었다. 그 어리전에는 암수닭이 여럿 있었는데, 그중의 수탉 한 마
리가 곁에 있는 예사의 닭들과는 아랫도리가 덜썩하고 덩치도 클뿐
더러 깃털의 아름다움이나 볏이 으뜸이었다. 구범이 그 닭을 끌어내
어선 귀물을 대하듯 어루만지며 혼잣소리로 감탄을 금치 못하는가
하면 얼굴로는 아주 신기한 짐승을 구경하고 있는 촌놈의 형용을 지
었다. 한참이나 그 짓을 하다간 어리전 주인에게 조심스레 물었다.

「이게 도대체 무슨 짐승이우?」

어리전 주인도 위인의 형용을 진작부터 바라보고 있던 터에 또한
그렇게 물어온 터라 속으로는 짝 없이 어리석은 작자로 알았다. 어
리전 주인은 터져 나오는 웃음을 가까스로 참으며 짐짓 대답하기를,

「그게 바로 봉(鳳)이라는 거요. 그러니 함부로 만져서 탈을 내지
마슈.」

맹구범이 그 말 한마디에 눈을 크게 뜨고 혀를 내둘렀다.

「그게 정말이우?」

「정말이냐니, 그럼 그 짐승이 봉이 아니구 닭이겠소?」

218

「아니, 난 이제까지 봉이 있다는 말만 들었지 한 번도 구경해 본 적이 없었다오. 내 난생처음 서울 길에 말로만 듣던 봉을 구경하게 되는구려.」

어리전 주인은 속으로, 참 살다 보니 별놈도 다 보겠다 싶어서,

「서울에 온 김에 실컷 구경이나 하고 가시구려.」

「그런데 이 봉은 파는 것이우?」

「팔지 않을 짐승을 왜 가게에다 내놓았겠수?」

「값이 얼마나 되우?」

「하, 그 사람, 바쁜 사람 데리구 어지간히도 귀찮게 구네. 얼마라면 당신이 사겠소? 이렇다 하는 대갓집에서도 먼저 작정하지 않으면 못 사가는 짐승이오. 하물며 시골서 왔다는 사람이 무슨 돈이 있어 봉을 사겠소?」

「시골 사람이라고 깔보지 마슈. 도대체 값이 얼만데 그렇게 땅땅 벼르구 야단이슈?」

「스무 냥이오, 왜 그래요?」

「스무 냥이라?」

「그렇다니까. 주제꼴 보아하니 봉은 고사하고 닭 한 마리인들 온전히 살 주제도 못 되면서 건방지게 값은 자꾸 물어서 뭣에다 쓰겠다는 거요? 」

「스무 냥이라면 제가 사리다.」

맹구범은 쌈지를 뒤져 서른 냥 중에서 스무 냥을 선뜻 내어 가전을 치르고 수탉을 샀다. 그는 나머지 돈으로 칠그릇 하나와 홍보를 사서 수탉을 담고 홍보에 싼 다음 두 손으로 받들고 다시 모전다리〔毛橋〕께로 나왔다.

서린방(瑞麟坊)으로 꺾어지더니 곧장 형조(刑曹)로 들어갔다. 물론 혼금에 막히었으나 보화를 가져왔다고 갖은 간릉을 다 떨어 형조

의 장교를 만나는 데 성공하였다. 장교가 쫓아 나오자 맹구범이 하정배를 올리며,

「쉰네는 충청도 산골에 사는 백성으로서 서울에 들렀다가 우연히 광충다리께서 봉 한 마리를 얻었습지요. 쉰네가 불학무식하나 봉은 나라의 상서로운 짐승이란 것을 알진대 쉰네의 미천한 정성으로 이를 나라님께 진상코자 합니다.」

기연가미연가하던 장교가 궐자를 가까이 불러 보자기를 끌러 보았다. 그러나 수천 번을 헤아려 보아도 예사 수탉임이 분명하였다. 이에 장교는 울화가 꼭뒤까지 치밀어서,

「네 이놈, 이건 보통 저잣거리에서 팔고 있는 닭이 아니냐. 이놈, 시골놈 주제에 여기가 어디라고 기어 들어와서 관헌을 기롱하느냐? 이놈이 봉에 상성을 한 놈인가, 아니면 봉에 실성을 한 놈인가?」

맹구범이 복장거리를 하면서,

「어이쿠, 이게 봉이 아니고 닭이라니요?」

「그럼, 네놈은 이게 봉이란 말이냐?」

「그렇다면 쉰네가 사기를 당하였습니다요. 이것이 닭이 틀림없다면 제발 봉값을 찾아 돌려받게 해주십시오.」

장교가 어이가 없어 다시 묻기를,

「도대체 이것을 몇 전이나 주고 샀느냐?」

「광충다리께에 나갔더니 어리전의 장수가 이 짐승이 봉이라고 하면서 값이 무려 백 냥이라 하더이다. 봉이 옳다면 백 냥이 아니라 이백 냥이라 한들 헐값이라 쉰네가 노자로 간수하였던 백 냥을 얼른 주고 샀습지요. 이게 정말 닭이라면 어리전 주인이 사람을 무단히 속인 죄가 보통이 아니옵고 또한 남의 돈 백 냥을 날치기한 것이 아니옵니까. 쉰네의 생업이 농사꾼이고 앞뒤가 막힌 촌놈이기로서니 서울 사람이라 하여 이럴 수가 없습니다. 밝으신 공사로

쇤네의 돈을 찾게 해주십시오.」

애걸복걸하며 포달을 떠는데 가만히 두고만 보기가 가히 딱하였다. 장교가 교졸들을 풀어서 광충다리께로 나아가 어리전 주인이란 놈을 잡아들이게 하였다. 장교가 목소리를 높여 묻기를,

「네 이놈, 네가 저 사람에게 이 닭을 봉이라 속이고 팔았느냐?」

「예, 쇤네가 팔았습지요.」

「이놈, 대명천지 밝은 한낮에 앞뒤 모르는 산골 사람이라 하여 닭을 봉이라고 속여서 백 냥이나 되는 거액을 사기해 처먹는 놈이 어디 있느냐. 하물며 일개 어리전 주인이란 놈이 상도의는 고사하고 사기로 해서 재물을 늘리겠다는 심보는 실로 고얀 일이 아니냐. 네 이놈, 주장맛을 톡톡히 보고 싶으냐?」

어리전 주인의 낯짝이 하얗게 바래서 변해를 하였다.

「나으리, 그것이 아니옵니다. 사실과는 많이 틀립지요.」

「이놈 봐라. 사실과 틀리다니, 무슨 소리냐?」

어리전 주인이 곁에 앉은 맹구범을 흘기더니 전후사를 아뢰었다.

「저 위인이 어떻게 고변을 늘어놓았는지 알 수 없으나, 우연히 남의 닭전으로 기어와서는 저 닭을 골라내어 기이한 듯 고개를 기웃거리다가 무엇이냐고 묻기에 쇤네는 위인의 형용이 촌놈임이 분명하고 또한 속으로 우습기도 하여 우스갯소리로 봉이라고 하였습지요. 위인이 당장 현혹되어 값을 물었습니다. 쇤네는 내친김에 역시 농으로 스무 냥이라 하였더니 위인이 되레 헐값이라고 펄쩍 뛰면서 스무 냥을 내놓았습니다. 쇤네는 속으로 포복절도를 하면서도 물대를 받았습니다. 그러나 나으리, 저 위인이 곧장 자신이 우세한 걸 깨닫고 물대를 되돌려 달라고 찾아오면 곧장 돌려줄 요량으로 기다리고 있었습지요. 이 말에는 조금의 거짓도 없사오니 나으리께선 굽어 살피시기 바랍니다.」

어리전 장사치가 그렇게 변해하고 나서자, 그때까지 강화도령처럼 우두커니 앉았던 맹구범이 앞을 가로막고 나와 앉으면서,

「아닙니다. 저놈이 아직도 제 잘못을 깨닫지 못하고 있습니다. 나으리, 돈에 상성을 하여도 유분수지, 공사에 투철하신 나으리 앞에서 남의 살돈 여든 냥을 발리려고 나으리를 기망하고 있습니다. 이놈이 촌백성을 사기하다 못해 이젠 나라님의 봉록을 받는 관장(官長)까지 기롱하려 드니 이런 천벌을 받을 놈이 또 어디 있겠습니까. 원래는 불학무식한 촌놈의 죄로 사단은 일어난 것이나 쇤네가 그 봉을 사서 나라님께 바치려 하였던 못난 백성의 어진 충정을 굽어 살피십시오.」

그때까지 두 놈의 변설을 듣고 섰던 장교는 그제야 승혜 신은 뒤축을 구르며 어리전 장사치를 엄히 꾸짖었다.

「이는 저 촌사람의 말이 백 번 옳다. 네놈은 어리숭한 촌사람을 속여서 백주 대로에서 남의 재물을 탈취하고도 이제 핵변으로 죄를 감추려는 고얀 놈이다. 이 닭 한 마리 값이면 끽해야 네댓 냥 안팎일 텐데 스무 냥을 받았다면 그건 분명 도둑놈이 아니냐. 많아야 네댓 냥 하는 닭을 스무 냥이나 받을 수 있는 놈이라면 촌사람에게 이백 냥인들 못 받겠느냐. 이로써 미루어 보건대 저 뼈대 없는 촌사람이 봉값으로 백 냥을 주고 샀다는 말은 백지 무근한 허언으로 들을 수가 없지 않느냐?」

어리전 장사치는 그제야 두 눈을 허옇게 까뒤집고 말았다. 그러나 일없이 육전(肉錢)* 여든 냥을 고스란히 발리게 되었으매 가만히 있을 수만은 없었던지,

「쇤네가 잠깐 장난을 하였다가 도리어 저놈의 농간에 넘어갔습니

---

*육전 : 어떤 일을 하여 밑졌을 때 본래의 밑천이 되었던 돈을 이르는 말.

다. 그러나 여기에 이르러 쉰네의 살돈 여든 냥을 빼앗기게 되었
으니 이런 원통한 일이 또 어디 있겠습니까, 나으리.」

「이놈, 네 넉살이나 비위를 보아하니 촌사람은 고사하고 노래기라
도 능히 회 쳐 먹을 놈이다.」

어리전 장사치는 넉장거리를 늘어놓았다가 되레 등줄기에서 누린
내가 나도록 모둠매만 얻어맞고 백 냥을 변제하였다. 돈을 받아 쥔
맹구범은 장교에게 공사의 현명하심을 입에 침이 마르도록 칭송한
다음 형조를 하직하였다.

물론 신석주가 몰래 뒤를 밟아 보게 한 겸인들도 맹구범이 하는
양을 낱낱이 지켜보았다. 신석주는 겸인들의 말을 듣고 감탄하여 마
지않았다. 그러나 내심으로는 어딘지 모르게 찜찜한 구석이 없지 않
았다. 그것은 맹구범이란 놈의 사악함이었다. 언젠가는 상전의 뒤통
수를 치고 나설 위인이 될 것이라는 불안을 떨쳐 버릴 수가 없다는
것이었다.

14

위인의 사악함에는 매월이를 다룬 솜씨에서도 유감없이 발휘되었
다. 매월이가 이틀 밤낮을 쉴 참 없이 걸어서 하동에 당도한 것은 날
이 뿌옇게 밝아 오는 꼭두새벽이었다. 하동에 당도하기까지는 길도
험했지만 나루들이 여럿이었다. 별장이 나와서 기찰을 펴고 있는 나
루도 없지 않았다. 그러나 거개가 도망간 사노(私奴)들이나 추심하
는 일들이었고 관선 출입(官船出入) 때나 얼굴을 삐쭘하니 내밀었다
간 나루의 술국집에 들락거리며 주전부리나 하는 것이 일과였다. 떠
날 때 작정했던 것보다는 판이하여서 하동 박치구의 여각까지 아무
일 없이 당도할 수가 있었다.

조심스레 통자를 넣었더니 겸인이 눈을 비비며 나왔고 곧장 내사로 불리어 들어갔다.

「지금 전주에 묵새기고 있는 차인 행수 맹구범 나으리가 전하는 물화를 가져왔습지요.」

선잠을 깬 박치구가 적이 놀라는 빛이었다. 그도 그러할 것이 전주에 와 있는 맹구범으로부터는 벌써 하루 전에 앵속 두 근을 넘겨받아서 잠매선에 넘기고 난 터로 또 난데없이 무슨 물화를 은밀히 보낸 것인지 궁금했기 때문이다. 어쨌든 내막이나 알고 볼 일이다 싶어 매월이가 풀어 주는 대로 물화를 받아 보았다. 물화를 풀어 본 박치구가 한참이나 매월이를 쳐다보았다. 밤을 낮 삼아 열불나게 행보를 한 터라, 여인은 초췌하기 그지없어 형용이 도통 거지였다.

「전주에서 언제 발행하였던가?」

「이틀 전입지요.」

「분명 차인 행수인 맹구범이란 사람이었나?」

「그렇다마다요. 그분의 내밀한 명이 아니었다면 어찌 나으리를 찾아올 수 있었으며, 하물며 밀매하는 물화를 거침없이 내어 놓을 수가 있더란 말입니까?」

「물대는 어찌하라 하던가?」

「어음으로 떼어 오라 하였습지요.」

「그분과는 전사에 교분이 있었거나 안면이 있었던 터인가?」

잔말 수작이 많았던가 싶은지 매월이가 약간 발끈해서는,

「안면이 있고 없고가 나으리께 무슨 상관입니까? 물대만 내어 놓으시고 쇤네는 받아 가면 그뿐이지요.」

「알았네. 그동안 행역이 자심했을 터인즉 뜨거운 구들에 몸이나 녹이게나. 내 이 물화를 분별한 다음 어음을 떼어 줄 테니 잠시만 기다리게.」

224

박치구는 우선 매월이를 안심시킨 뒤 건넌방으로 갔다. 다시 살펴보았으나 계집이 가져온 앵속 세 근은 모두가 안조품(贋造品)*이었다. 박치구가 궐녀를 앉혀 두고 요리조리 따져 물었던 것도 그 당장 안조품임을 알았기 때문이다.

전주에 내려와 있는 맹구범으로부터는 이미 약조된 앵속 두 근을 차인꾼 인편으로 받고 명토 박은 어음을 떼어 준 터에 통기도 없이 근본도 모를 계집의 손에 앵속 세 근을 불쑥 들려 보냈을 리 만무하였다. 그런 데다 앵속에 관한 것이라면 가근방 잠상배나 접주인들 사이에선 말발깨나 선다는 그에게 겉만 보아도 금방 드러나는 어설픈 안조품을 맹구범이 들여보냈을 리는 더욱 만무하였다. 맹구범에게 앵속 밀매를 사주한 사람이 바로 자기가 아니었던가. 아무리 생각을 도사려 보았지만 이건 필시 맹구범이 한 짓은 아니었다. 이 계집이 안조품을 속여 파는 장물아비가 아니면, 무언가 잠상질할 낌새를 노리려는 계집임이 분명하다는 걸 알았다. 계집을 득달같이 관아에 발고치 않는다면 장차 큰 화근이 될시 분명하였다. 박치구는 곧장 겸인을 불러 관아에 고변해 버렸다.

매월이는 뼛골까지 쑤시는 듯한 행역을 뜨거운 구들장에 지지던 터에 난데없이 여각으로 들이닥친 교졸들의 오라를 받았고 그길로 동헌 마당으로 끌려가서 엄중한 구초를 받게 되었다.

아니래도 보부상들에게 혼찌검을 당한 일이 있는 사또는 도붓쟁이를 작살내는 공사라면 이를 가는 터이었고, 관아의 눈치 끝에 놀아야 하는 박치구는 밀매꾼이나 안조품을 팔고 다니는 장사치를 관아에 발고함으로써 불똥이 튀는 것을 막는 일변 장차도 신임을 얻고자 하였다. 아무리 발명을 하고 삯전이나 받는 심부름꾼에 불과하였

---

*안조품 : 위조물.

다고 변해를 하고 나선들 가져온 앵속이 위품(偽品)이었으매 매월이
가 또한 빠져나갈 궁리도 구멍도 없었다. 물화의 화주가 맹구범이니
그 위인을 면질(面質)시켜 달라고 이마가 사추리에 박히도록 간청을
하였건만 현감은 아예 그 말조차 믿으려 하지 않았다.

「이년, 종시 그 위품의 소종래를 밝히지 못하겠느냐?」

사단이 위중하다 하여 사또가 몸소 동헌으로 나와 매월이의 초사
를 받는데, 형구를 엄중히 차리고 간단없이 물볼기를 내리치니 뼈가
녹아나는 듯하였고 온 치마저고리엔 피가 낭자하였다.

「사또 나으리, 쇤네는 용채나 뜯어 쓰려고 방자질한 죄밖에 없습
니다.」

「방자질한 죄밖에 없다 한들 그 물화가 앵속인 줄은 알았것다?」

「사또 나으리, 그것이 안조품이라면 엄밀히 따져 앵속이 아니지
않습니까?」

「이 고얀 년, 볼깃살이 근질근질한 거로구나. 포주인에게 물화를
건네려 할 적부터 그 물화가 안조품임을 명백히 하였더냐?」

「……」

「속언에 자루 벌린 놈이나 퍼넣는 놈이나 매일반이라 하였다. 그
러나 그 물화의 소종래만 대면 네 중죄가 다소나마 탕감되리라.」

「그건 틀림없이 맹구범이란 위인이 화주입지요.」

「서울 시전의 공주인이 수하 사람을 시켜 앵속을 밀매하였다는 소
문은 내 평생에 듣도 보도 못한 일이다. 네년이 이제 꼼짝없이 옥
사에 들자, 아무나 짚이는 대로 끌어들인다마는 네년의 잔꾀에 내
가 부화뇌동(附和雷同)하여 못난 춤을 벌일 줄 아느냐?」

「백성의 무고함을 밝히심이 사또님의 본분 아닙니까?」

「이년, 죄지은 년이 무슨 낯짝으로 고을의 관장을 능멸하려 드느
냐? 네년이 끝내 물화의 소종래를 토설치 않으면 옥사를 면치 못

하는 건 물론이요, 감영으로 이송되면 형문깨나 좋이 받게 될 터이니 그리 알아라.」

「제발 쉰네의 무고함을 밝히시려거든 맹구범이란 화주와 면질토록 해주십시오.」

「그년, 참 뻔뻔스럽기도 하다. 도대체 중죄를 저지른 년이 끝까지 무고함을 내세우는 것도 처음 보았거니와 시전의 공주인을 물고 늘어지는 것도 전사에 없던 일이다. 그년을 되우 쳐라.」

계집 치기는 오랜만인 집장사령들이 신바람이 나서 되우 치니 매월이는 금방 하늘이 핏빛이었다.

사또는 포주인 박치구가 전주에 묵고 있다는 상단들과는 친분이 두텁고 거래가 잦다는 것을 알고 있었으므로 더욱 매월이의 변해를 믿으려 하지 않았다. 이치로 따져 보아도 화객 간의 잠상질을 관아에 발고한다는 것은 제 뚱에 주저앉는 격이니 불뚱이 어디로 튈지 알고 있을 박치구가 실성하지 않고서야 계집을 고변하고 나설 리가 만무했기 때문이다.

맹구범이 매월이를 박치구에게 보낼 수 있었던 것도 그러한 계산이 들었기 때문이었다. 매월이는 자신의 결백을 밝히자면 전주를 떠나올 때 맹구범으로부터 받은 임치표를 증거물로 내놓을 수도 있었다. 그러나 사또가 자신의 핵변을 믿지 않는 터에 임치표를 내놓는다면 그것 또한 가짜라 하여 가죄(加罪)당하기 십상일 것이었다. 더욱이나 궐녀의 다리 백 꼭지를 공으로 빼앗고자 하는 맹구범을 증거하여 만에 하나 이로울 게 없다는 것을 비로소 깨달았던 것이다.

동헌에서 갖은 고초를 겪고 사령들에게 질질 끌려 토옥으로 돌아오니 마침 중화참이라 옥바라지하는 죄수 권속들이 옥문 밖에 웅기중기 쭈그리고 앉아 구메밥 수발을 하느라고 분주하였다. 거개가 가난에 찌들고 벼슬아치들의 탐학에 지쳤으며 무식의 소치로 옥사를 당하는 사람들이매 남루하긴 갇힌 사람이나 밖의 사람이나 매일반이었다. 가져온 음식들도 풀잎이 둥둥 뜬 멀건 나물죽이 아니면 수수떡이거나 끽해야 강조밥에 토장국이었다. 그나마 죄수들은 흔감하여 디미는 죽그릇에 상투까지 끌어 박고 뗏국과 콧물을 곁반으로 허기진 배를 채우기 바빴다. 동취(銅臭)를 맡는 데는 미립이 난 옥졸들에게 다소나마 인정을 쓰면 끼니때마다 족쇄나 칼을 풀어 주는 수도 없지 않았으나 열에 하나같이 죽지 못해 연명하는 사람들이라 상직하는 옥졸들 발길에 차이기는 옥바라지하는 사람들이 더했다. 그래도 다른 죄수들은 권속들이라도 있어서 끼니 수발이라도 해주었지만 쪽 빠진 듯이 혈혈단신인 매월이에겐 그나마 부러운 광경이 아닐 수 없었다.

뒷배를 보아줄 일가붙이조차 없는 죄수들에겐 관식(官食)을 넣어주기로 되어 있으나 그런 법이야 있으나마나였다. 그래도 정리나 알고 있는 옥졸을 만나면 통인이나 사령들이 먹다 남은 턱찌끼를 갖다 주는 축도 있었으나, 성깔 고약한 옥졸을 만나면 그나마 주린 배를 안고 뒹굴어야 하였다. 매월이는 마침 점고를 하고 나가는 옥졸 한 놈을 손짓해 불러 애걸하였다.

「나으리, 저 물 좀 주시오.」

「물은 왜?」

「허기를 참지 못해 그럽니다.」

「퍼다 줄 물도 없지만 물배를 채운다고 순대가 꼿꼿이 서겠느냐?」

「그럼, 어떡합니까?」

「허, 이런 본데없는 년을 보았나. 아무리 기갈이 심하기로서니 감히 관원을 쓸까스르려 들다니.」

옥졸의 대꾸가 사뭇 곱상하지 못하고 매월이 신세가 딱해 보였던지, 곁에서 잡혀 온 아들의 끼니 수발하던 노파가 수수떡 한 개를 디밀었다.

「이거라도 먹고 정신을 차리시우.」

매월이는 수수떡을 허겁지겁 받아 들었다.

「이 은공을 어찌 잊을까요.」

나무비녀를 찌른 노파가 매월이를 은근히 바라보다가 눈물을 짜
내며,

「어찌해서 이 지경이 되었는지 모르지만 어서 바깥으로 나가야지
요. 하기야 바깥세상 구경한들 뭐 속 시원할 게 있을까마는…….」

죄수들의 중화 수발이 끝나자 옥졸들은 권속들을 밖으로 내몰았
다. 개중에는 몇 마디라도 더 얘길 나누고 싶어서 억지를 부리고 비
비대는 아녀자들도 없지 않았으나 옥졸들이 그 포한을 헤아려 줄 리
없었다. 옥졸들은 권속들이 보는 앞에서 걸핏하면 죄수들을 훈육시
킨다고 상투를 잡아 태질치는 것은 다반사요, 심지어는 만만한 죄수
들을 골라서 무릿매를 내리기 일쑤였다. 그건 죄수의 권속들에게 위
협을 주어서 인정전이라도 가진 사람은 얼른 내놓게 하기 위함이었
다. 옥살이나마 수월하게 치르기 위해 권속들은 살림 푼수는 생각잖
고 장리변을 내거나 농량(農糧)과 다리를 끊어 팔아서 인정전으로
쓰곤 하였다. 인정전을 받아먹은 옥졸들은 4, 5일은 대접도 쑬쑬하
고 말대꾸도 고분고분하게 눈치껏 놀아 주다간 순대가 빌 만하면 또
행패를 시작하니 죽어나는 건 죄수들이요, 날리는 건 인정전이었다.
백성들은 한번 옥사가 벌어졌다 하면 방백이 되거나 귀양을 가거나
간에 가산이 탕진되는 건 물론이요, 식솔들은 호구지책을 찾아 풍비
박산이 된 자 여럿이었다.

매월이에게 수수떡을 건네었던 그 노파도 오늘 아침엔 이제 나이
가 이팔이나 됨 직한 편발 처녀 하나를 데리고 옥바라지를 왔었다.
그 처녀는 아들의 끼니 수발을 하는 어미 옆에서 자꾸만 눈물지었고

나물죽을 퍼먹는 오라비의 얼굴에도 눈물이 흘렀다. 저희들끼리 나직나직하게 나누는 얘기들로 보아 처녀는 대처의 색주가로 팔려 가는 신세임이 분명하였다. 토호에게 진 빚이 있는데 이번에 살년이 들어 이를 곡식으로 갚지 못하자, 토호가 그 당장 관아에 발고하여 옥사를 일으킨 모양이었다.

초벌 미세를 올린 토벽 하나를 사이에 두고 세 식구가 두런두런 나누는 얘기들을 듣자 하니 매월이의 가슴도 또한 미어질 것만 같았다. 궐녀 자신도 역시 아비가 환자(還子)*를 갚지 못해 발버둥치다가 옥에 갇힌 바 되었고 환자 갚을 포은을 마련하기 위해 색주가에 팔려간 신세였기 때문이다. 그 후부터 매월이는 사고무친 혈혈단신이었다. 그러나 뒷배를 보아주는 사람이 없다 하여 이번의 옥사만은 마냥 꺾자를 치고 기다리고 있을 처지가 아니었다.

매월이는 벌써 옥졸 중에 한 놈을 점찍어 두고 있었다. 그놈은 옥졸 중에서도 제법 허우대가 덜썩하고 허드레 인심도 좋아서 매월이가 있는 우옥의 칸살 앞으로 와서 기웃거리기도 하고 좌옥의 남자 죄수들이 추심 중에 난 장창*으로 엄살을 떨면 권속들에게 통기하여 그나마 상약(常藥)이라도 쓰게 하는 자였다. 그러나 마음새가 그러한 반면 인정전이 나올 구멍이 보인다 싶으면 체통을 돌보지 않고 회자수(劊子手)* 밑구멍에라도 기어들 수 있는 위인이었다.

궐자는 번이 바뀌어 수직(守直)을 설 때마다 우옥으로 와선 매월이에게 농을 걸기도 하였으며, 간혹 사령놈들의 턱찌끼를 얻어다 주기도 하였다. 매월이가 그 위인을 겨냥한 것이었다.

사또에게 모진 추심을 당하고 옥으로 돌아온 날 밤이 궐자가 번을

---

*환자 : 환상. 왕조 때, 봄에 받은 환곡을 가을에 바치던 일.
*장창 : 장형(杖刑)으로 매를 맞은 자리에 생긴 헌데.
*회자수 : 지난날, 군문(軍門)에서 사형을 집행하던 천역(賤役).

서던 날이었다. 끙끙 앓던 죄수들이 그나마 잠이 들어 코 고는 소리가 들리고 멀리 개 짖는 소리가 고즈넉하였다. 매월이는 그때 장창이 난 엉덩이를 이끌고 칸살 쪽으로 기어갔다. 궐자가 웬일이냐고 물었다.

「나으리께 긴히 드릴 말씀이 있소이다.」

「긴히 드릴 말씀이라니? 네 주제로 아래품을 놓겠다는 거냐?」

「목청을 낮추십시오. 좌옥 사람들이 들으면 큰일 날 소리입니다.」

「그년 말본새가 아주 건방지구나. 조용히 않으면 파옥이라도 하겠다는 수작이냐?」

「파옥을 하겠다니요? 겨우 목숨만 붙어 있는 신수에 언감생심 그런 생의를 낼 수 있을까요?」

궐자가 벙시레 웃으면서,

「그럼 물을 달라는 거냐?」

「그게 아니오. 내가 인정 쓸 일이 있어서 그러우.」

「네년이 인정전을 가졌더란 말이냐, 차입을 할 살붙이라도 있다는 말이냐? 사기죄로 옥사를 당한 년이 또한 사기를 친다면 그런 중죄가 없을 터인데?」

매월이는 그제야 치맛말기를 풀고 꼭꼭 접은 임치표를 위인에게 내밀었다. 궐자의 두 눈이 우선은 화등잔만 해졌다.

「이게 무어냐?」

「그게 전주 지물객주 변승업이가 써준 임치표요.」

「이걸 어쩌라는 거냐?」

「이 물대만 하여도 누백 냥이나 되오. 이걸 찾을 길이 없겠습니까?」

「이 임치표의 물대가 누백 냥에 이른다면 네가 옥사를 당하지 않고 방백이 될 만한 돈인데, 이걸 사또에게 바치지 않고 주변도 없는 내게 내미는 까닭이 뭐냐?」

「내 죄목이 사기가 아닙니까. 그런 터에 이만한 금어치가 있는 임치표를 내어 놓는다 하여 사또가 믿으려 하겠소?」

옥졸이란 놈이 우정 고개를 끄덕이는 시늉이긴 하였으되 반신반
의하는 눈치만은 여전하였다.

「급주를 사서 신발차를 후히 주어 전주로 보내십시오. 그러면 거
기서 은자로 바꿔 주리다. 그 돈만 가진다면 나으리가 펄떡 뛸 만
치 후하게 떼어 줄 건 물론이요, 나 또한 방백이 될 것입니다.」

「떨어진 주머니에 어패(御牌) 들었단 말은 들었다만 네년이 겹사
기를 놓아서 공연한 사람 기롱이나 하자는 수작은 아니냐?」

「나으리, 참 답답도 하시오. 내 신세가 굴신도 못하는 주제로 옥에
갇힌 몸인데 농간을 부린다 하여 열흘이 가겠소, 보름이 가겠소.
똬리로 샅 가리기지. 끽해야 사나흘이면 판명이 날 일이 아닙니까.
제가 하늘로 날까요, 땅으로 꺼질까요. 사기도 빠져나갈 구멍이 있
어야 해먹을 일이 아닌가요. 또한 거짓이 드러나면 그로 인한 고초
가 여간이 아닐 것이란 것도 생각 못할 까닭이 없지 않습니까?」

그제서야 옥졸은 임치표를 불빛 아래로 들고 가서 자세히 살펴보
았다. 위인 역시 진서글을 뜯어볼 만한 주제가 못 되었으나 매월이
의 말이 워낙 옹골찬지라 임치표는 틀림이 없는 것이라 믿었다. 궐
자는 임치표를 얼른 검정 더그레* 속에다 감추었다.

「내가 번이 갈려 바깥으로 나가면 일가붙이 중에서 쌍급주를 사서
전주로 띄우마. 이걸 포은으로 바꾸어 오면 내겐 얼마를 떼어 주
겠냐?」

「사오십 냥은 떼어 주리다.」

「급주 놓은 신발차는 어떡하고?」

「좋도록 하십시오.」

---

*더그레: 조선 시대에, 각 영문(營門)의 군사들이 입던 세 자락의 웃옷.

「어쨌든 나중에 알아서 분별할 일이다. 그러나 쌍급주를 놓는다 하여도 내왕길은 나흘 잡아야겠으니 그리 알고 있거라.」

「그동안 내게 끼니 수발을 좀 해주구려.」

「걱정 마라. 내가 집으로 나가는 길로 내자를 시켜 네 옥바라지를 하도록 분별을 하마.」

「그 은공을 잊지 않겠습니다.」

매월이는 속으로 회심의 미소를 띠었다. 전주로 급주를 띄운다 할지라도 그 방자 인편으로 임치표가 포은으로 바뀌어 되돌아올 리는 만무하다는 것을 매월이인들 모를 리 없었다. 모르긴 해도 그동안 맹구범이 이끄는 상단 일행은 궐녀의 다리를 몽땅 챙겨 전주를 떠버렸을 터이고 변승업이란 놈은 임치표를 건네받자마자 찢어 버리고 이는 가짜라고 노발대발할 것이었다. 변승업이 마음만 먹으면 방자 간 사람을 관아에 발고하여 욕을 보일 수도 있을 것이었다.

매월이가 노리고 있는 것은 방자 간 사람이 전주로 가서 하동까지 되짚어 올 사나흘간의 말미였다. 그 사나흘간을 옥졸의 식솔이 넣어주는 끼니로 신기를 되찾은 다음, 옥졸의 환심을 사자는 것이 바로 매월이가 겨냥하는 바였다.

과연 이튿날 아침부터는 제법 곁반까지 곁들인 구메밥을 위인의 내자라는 계집이 옥으로 가져왔다. 황육을 넣어 끓인 죽을 한술 떠보니 입에 달았다. 옥졸은 자기의 내자를 여느 옥바라지하는 식솔들처럼 모른 체 대하였고, 그러자니 궐자가 자청하여 수직을 자주 서게 되었다. 죄수들이나 옥바라지하는 사람들에게 대하는 거동도 사뭇 고분고분하였다. 언사가 더없이 순박해지는 일변 죄수들이 천안 삼거리로 떠들어도 못 본 체하여 주었다. 궐자의 내자가 옥바라지를 대신하는 사흘째 되던 날 밤, 저녁밥을 먹고 난 뒤 이슥할 이경쯤에 갑자기 우옥의 매월이가 시름시름 앓기 시작했다.

시간이 흐를수록 신음 소리가 낭자하매 마침 번이 갈려 들어온 궐자가 우옥의 칸살 앞으로 다가왔다. 좌옥의 죄수들이 모두들 한마디씩 거들었다.

「여보시오, 그러다가 옥에서 사람 또 죽어나는 것 아니겠소?」

「저러다가 바깥세상 구경 못하고 혼절하면 어떡할꼬.」

「나으리, 그렇게 섰지만 말고 안으로 좀 들어가 보슈.」

「보아하니 이렇다 할 일가붙이도 없는 신세인 모양인데 저러다가 전체송장 나겠소.」

칸살 밖으로 고개를 삐쭘하니 내밀고 우옥 쪽의 거동을 살피려는 축들도 없지 않았으나, 옥졸이 소리 질러 좌옥의 죄수들을 주저앉힌 뒤 다시 매월이에게 다가갔다.

「자네 불각시에 왜 이러는가?」

매월이의 얼굴은 식은땀으로 범벅이 되었고 두 눈은 허공에 매달려 있었다. 궐녀는 대꾸조차 건넬 경황이 없는 모양이었다.

「여보게, 자네 어쩐 일인가?」

그제야 매월이는 간신히 칸살을 붙잡고 몸을 일으키더니 입에서 단내가 푹푹 풍기는 말로,

「아마 저녁 먹은 것에 관격이 들었는가 봅니다.」

「그러나 지금 당장 소합환(蘇合丸)*을 구처할 수 없지 않은가, 주리 참듯 참아 보게나.」

「참다니요? 이러다가 비명횡사하기 꼭 알맞게 되었습니다요.」

「딴 방도가 없지 않은가?」

「나를 업어다가 바깥바람이나 좀 쐬게 주선해 주십시오.」

「이크, 그런 말 말게. 그러다가 통인바치들 눈에라도 뜨이는 날엔

---

*소합환: 사향, 주사(朱沙) 따위를 갈아서 빚어 만든 환약. 위장을 맑게 하고 정신을 상쾌하게 하는 데 쓴다.

나는 중벌을 면치 못하네. 염량 보기나 모함하기엔 이력이 난 관
아 사람들 입정이 매섭다는 건 알지 않나?」

「나으리, 그러지 마소. 그 하찮은 소원도 못 들어준다면 내 동헌 마
당으로 끌려 나가 구초 받을 제 이 사실을 사또께 고변해 버리겠
소.」

궐자가 눈을 까뒤집고 반문하기를,

「아니, 불각시에 관격 든 건 차치하고 이건 또 무슨 흰소리인가?」

「향청에 구실을 사는 나으리가 인정전을 노리어 권속을 시켜 죄수
의 끼니 수발이나 하고 있었다면 그건 중죄가 아니고 무어요? 」

「이건 물에 빠진 놈 건져 주었더니 망건값 내놓으란 행악이 아닌
가?」

「내가 왜 관격이 든 줄 아시오?」

「그야 저녁 먹은 것 때문이 아닌가.」

「그 저녁은 누가 가져왔소? 나를 업고 잠깐 옥 밖으로 나간다 하
여 내가 파옥을 하겠소, 나으리 등때기에 물찌똥을 싸겠소?」

위인이 말구멍이 막히도록 기가 질려서 대꾸를 하는데 거의 우는
소리였다.

「내가 자네의 사정을 들어주다가 동배간에 조명이라도 났다간 그
나마 옥졸 구실도 놓치는 것 아닌가?」

「내가 의원을 대라 하였소? 잠시 바깥바람만 쐬면 관격이 내려갈
듯싶어서 적선 사정을 하는 판에 이런 푸대접이라면 죄인에게 음
식 수발한 사실을 사또께 고변하리다.」

「어떻게 해야 좋을지 생각이 올지갈지하는구먼.*」

「올지갈지할 게 뭐가 있소? 통인 · 사령 들이 전부 한통속인데 나

---

* 올지갈지하다 : 갈피를 잡지 못하다.

으리가 조명 날 리도 만무입니다. 저희놈들은 뒤 구린 데가 없답
디까?」

매월이가 워낙 드세게 포달을 떠는지라 위인이 작정하고는 옥문
을 따고 들어와 매월이를 들쳐 업었다. 밖으로 나가 찬바람을 쐬는
데 동헌 마당 쪽은 족등들이 휘황한지라 가까이 갈 수가 없어 담장
을 따라 어둑발이 긴 곳만 골라서 걸었다.

「자넬 내려놓진 못하겠으니, 그리 알게.」

「나를 내려놓으면 그 당장 장달음을 놓을 것이니 당연하시지요.」

「내 사정을 알아주니 고맙네.」

토옥에서 동헌으로 통하는 길은 4, 5장이나 되는 담이 쳐져 있고
50여 행보가 되어서 수직을 서는 나졸들이 아니라면 얼씬할 까닭이
없었으므로 인적이 있을 턱이 없었다. 그 담장 길 한가운데쯤 해서
오동나무 서너 그루가 높다랗게 서 있었다.

옥졸이 마침 오동나무 아래를 지날 적에 매월이는 업힌 높이에서
덥석 오동나무 등걸을 두 손으로 잡아챘다. 잡아채자마자 전신의 힘
을 발에다 모아 위인의 등때기를 걷어챘다. 그러고는 휙 나뭇등걸로
기어올랐다. 등때기를 차인 옥졸이 서너 행보쯤 비척거리며 밀려 나
가서 푹 고꾸라졌다. 그러나 옥졸은 잽싸게 다시 몸을 일으켰다.

「자네, 왜 그러나?」

「보면 모르겠소?」

「이년, 소리를 치리라.」

그동안 매월이는 나뭇등걸을 타고 올라 담장 위에다 몸을 엎드렸
다.

「치골(痴骨)* 노릇 작작하시구려. 소리를 치면 내가 포박을 당하는

---

*치골 : 남이 비웃는 줄도 모르고 요량 없이 제멋대로 행동하는 어리석은 사람.

건 괜찮겠지만 나으리가 죄인의 도망을 방조한 죄로 처참(處斬)을 당하리다.」

「내가 언제 네년의 무사타첩을 방조한 일이 있다는 거야?」

「옥문 밖으로 나를 업고 나와서 담장 위에까지 올려 준 건 누구요? 좌옥에 있던 죄수들이 다 본 터요. 또한 우옥에 갇혀 있던 내가 나으리의 방조가 없었다면 어찌 옥문을 열 수가 있었을까요?」

옥졸이 그제야 자신이 계집의 농간에 여축없이 꾀어든 것을 깨닫고 담벼락 아래에 엎디었다. 채수염이 땅에 끌리도록 고개를 숙이고는,

「여보게, 이제 난 살아남지 못하네.」

「나중에 동티가 나거든 내가 파옥을 하고 장달음 놓았다고만 하시오. 좌옥의 죄수들이 입정을 놀리지 못하도록 닦달하시고…….」

매월이는 훌쩍 담 밖의 길로 뛰어내려 버렸다.

담장을 뛰어내리는 길로 매월이는 앞뒤 돌볼 것도 없이 냅다 뛰기 시작하였다. 길청 담장 길을 사뭇 빠져나오는 동안 토옥 안에서는 이렇다 할 야단이 일어나지 않았다. 동헌 마당 안에 켜놓은 족등 빛이 담장 위로 희미한 빛살을 내치고 있을 뿐 저년 잡으라고 소리치는 놈도, 파옥이 되었다고 소리치는 놈도 없었다. 하동 포구만 빠져나간다면 내일 아침 점고 때까지는 추쇄를 면할 수가 있을 것 같았다. 그러나 섬진나루에서 거룻배를 얻어 탈 수 있다는 보장도 없거니와 사공놈들이라는 게 나루를 기찰하는 별장들의 끄나풀이요 발쇠꾼들이라는 것을 매월이가 모를 턱이 없었다. 나루에는 얼씬도 않는 게 상책일 것이었다. 궐녀는 앞서 천봉삼 일행이 전주로 작로하였던 길을 택했다. 나루를 건너지 않고 구례까지 닿는 길이었다. 꼬박 이틀을 물로만 허기를 끄면서 전주에 당도한 것은 어둑발이 스름스름 내려앉는 유시(酉時)께였다. 전주에 닿긴 하였으되 워낙 허기

가 진 터라 대궁밥이라도 얻어먹어야겠기에 전에 묵던 숫막으로 찾아갔다. 객지 인심이긴 하였지만 전사에 주객이었던 안면이 중하여 주모와 술아비가 반갑게 맞이하였다. 토장국으로 사발밥 두 그릇을 걸게 먹은 후엔 식곤증으로 술청 귀퉁이에 쓰러져 잠든 것이 깨어나니 신새벽이었는데, 허기가 꺼질 만하자 이젠 장창 난 것이 죽장같이 부어올라 상약이라도 써야 행보나마 할 것 같았다. 주막집 내외가 그런대로 외대하지는 않는 사람들이라 나중 일은 생각잖고 의원을 불러 댄다, 구들장이 들썩 뛰도록 군불을 지핀다 하여 병구완을 해주는 판에 그럭저럭 신기만은 되찾을 수 있게 되었다. 그때에야 매월이는 맹구범 일행의 뒷소식을 자세히 들을 수가 있었다.

그들은 한 파수를 더 기다렸다가 전주 지물전은 물론이요 지소들이 감추어 놓았던 한지들까지도 빗자루로 싹 쓸듯이 해가지고 강경으로 뜨고 말았다는 것이다. 물론 매월이도 강경으로 뒤따를 수밖에 없었다. 맹구범이 제아무리 사악하고 핑계와 농간에는 이골이 난 위인이라 한들 계집의 악다구니를 당할까 싶었다. 그러나 당장 전주를 뜨자니 빈 행탁에 그동안 밀린 식채가 그중 난사였다. 그깟 식채 떼먹고 야반도주하기란 매월이에겐 수월한 일이었으나 그동안 끼니수발에, 병구완에 일구여심이었던 숫막집 내외를 사기칠 수만은 없었다. 생각다 못해 궐녀는 자신의 머리채를 자르기로 하였다.

한때는 아녀자의 지체로 가근방 다리 백 꼭지를 모았건만 이제 액운에 들어 한 개의 다리를 구처함에 자신의 머리채를 끊어야 할 신세가 되었으매 매월인들 눈물이 나지 않을 수 없었다. 머리채를 자르면서 궐녀는 어금니를 바드득 갈았다. 끊은 머리채를 다리 지어 내밀자, 주모가 눈을 하얗게 까뒤집었다.

「에그머니나, 이게 무슨 장난이우?」

「그동안 신세 진 것을 벌충하자면 이것으로 신을 삼아 올리는 게

도리인 줄은 압니다. 워낙 앞길이 촉박하고 주변 차릴 처지가 못
되어 다리로써 신세 진 걸 벌충하려 합니다.」

「무슨 말씀을 그렇게 하시오. 차마 이럴 줄은 몰랐소.」

주모의 눈에서 눈물이 흘렀다.

15

맹구범이 이끄는 상단을 반나절쯤 사이 두고 암암리에 강경에 당
도한 천봉삼 일행은 그 당장 조성준의 행적을 염문(廉問)하기 시작
했다. 강경에 당도한 맹구범은 길청의 아전들이 색전(索錢)을 위해
벌여 놓은 나루 어름의 건방(乾房)에다 복물(卜物)을 풀고 삼개로 뜨
는 선단(船團)의 발행 날짜를 기다리는 일변, 가근방 토산인 약초들
을 행매(行賣)하고 있었다. 그러나 강경에 당도한 그날부터 눈발이
날리기 시작하더니 이틀 밤낮으로 실성한 듯이 눈이 내려 쌓인 데다
가 눈이 멎자 샛바람이 불기 시작하였다. 황산나루에 발이 묶인 관
선과 토선들이 즐비하였으나 바람이 자고 물때가 좋아지기를 기다
리는 모양들이었다. 호조와 선혜청의 추상같은 호령과 독촉에도 세
곡선들이 굽을 떼지 못하는 판국에 호들갑스러운 토선들이야 아예
성깔을 죽이고 선창에다 닻을 내리고 있었다. 어쨌든 조성준의 행방
을 수탐하는 말미를 얻어야 하는 일변 상단을 놓치지 않아야 하는
두 사람에겐 그만한 다행이 없었다.

그들이 구태여 강경에 와서 작심을 하고 조성준을 수소문하려는
것은 원래가 문경새재에서 약조하고 떠나려 했던 곳이 강경이었고,
두 번째는 전주의 옹기점 사람들로부터 조성준이란 도붓쟁이가 강
경에서 척살되었다는 놀라운 풍문을 들었기 때문이다.

강경에 당도하는 길로 그들은 쇠살쭈들이 많이 드나든다는 숫막

을 찾아 하처로 잡았다. 쇠전머리에서 잔뼈가 굵은 장사치라면 송파 저자 윗머리의 쇠살쭈였던 조성준의 이름자 정도는 알고 있는 위인들이 더러 있었기 때문이다. 그러나 숫막은 비어 있었고 이튿날 꼭두새벽부터 발서슴을 해보았으나 조성준을 보았다는 위인은 나타나지 않았다. 돛을 내린 행상선들이 즐비한 나루의 도선목에는 귀를 에어 갈 듯한 강바람이 차가웠고 추위에 떨던 주상들이 피웠다 꺼버린 모닥불 재만 흩날릴 뿐, 그들을 상종하여 수작을 나누자는 곱상한 위인들은 없었다.

꼬박 하루를 허송하고 나니 한 행보가 극난이었다. 마침 숫막으로 돌아와서 언 발을 녹이는 참에 삽짝 밖이 떠들썩해지기 시작했다. 빈 봉노를 찾는 장사치들이었다. 지게문을 삐쭘하니 열어 보았더니 사근내(沙近乃) 장승같이 껑충한 사내 셋이 술청으로 들어서고 있었다. 얼핏 보아도 신들메들을 단단히 죄었고 패랭이를 모양 있게 비껴쓴 거조가 가근방 저자를 돌고 있는 촌것들 같아 보이진 않았다. 중노미 녀석과 수작을 주고받는데 깍듯한 경사(京辭)*이매 경기 인근의 장사치들이 분명하였다. 명색이 쇠전꾼이라 하면 모주꾼에 수작이 난만하고 성깔하며 천성이 상것들이라 비위짱이 건들렸다 하면 동사 간에도 예사로 호놈이요, 상대의 언설이 틀렸다 하면 주먹부터 내밀고 보는 위인들이매 초인사라도 나누기가 지난한 작자들이었다.

중노미 녀석이 굴러다니듯 하며 상방에다 군불을 지피고 득달같이 한저녁을 지어서 한판 걸게 먹기를 기다렸다가 두 사람은 상방으로 건너갔다. 대강 인사수작 끝에 송파의 조성준을 아느냐고 넌지시 물었다.

봉삼의 말이 떨어지기 바쁘게 한 사내가 대답하였다.

---

* 경사(京辭) : 서울말.

240

「알다뿐이겠소. 송파 쇠전머리에 떨어졌다면 조 행수와 거래를 트곤 하였소. 그 사람은 왜 찾소?」

대답하는 품이 반은 시비조인지라 더불어 봉삼의 말이 배 씹는 시늉이었다.

「전사에 조 행수와 화객 간이었다니 반갑습니다. 사실은 우리가 그분을 수소문한 지가 여러 달째입니다.」

궐자가 눈을 치뜨고 두 사람의 행색을 살펴보더니 처음과는 달리 제법 은근한 말로 묻기를,

「노형들은 그분과는 과갈 간이시오?」

「아닙니다. 시생은 그분의 수하에서 물리나 익히겠다고 허드렛일이나 거들며 대궁밥이나 얻어먹던 처지였지요.」

「서로 작별한 지는 오래요?」

「서너 달이 되었지요.」

궐자가 뻣뻣하게 세웠던 목덜미에 힘을 빼면서 괴춤에서 곰방대를 빼내 들었다. 염낭쌈지에서 시초를 꺼내어 가래침을 탁 뱉어선 한 죽 가득히 담아 불을 댕길 때까지 말이 없었다.

「한발 늦었구려. 우리가 반우(返虞)*의 범절은 차리지 못하였으나 그런대로 완장(完葬)은 하였소이다. 되다 만 상행(喪行)이긴 하였으나 그게 벌써 일삭(一朔)*이 넘었소.」

「초종을 치르다니요? 행수 어른이 세상을 하직하였단 말씀이오?」

「똥 마려운 계집 국거리 썰듯 듬성듬성 초종을 치렀습니다만 척살된 사람이 조 행수임이 틀림없었소.」

「척살이 되다니요?」

「어허, 실성기 보이지 말고 가만 앉으시오. 죽음에는 편작(扁鵲)*

---

*반우 : 장례 지낸 뒤에 신주를 집으로 모셔 오는 일.

*일삭 : 한 달.

이 찾아와도 손을 못 쓴다는 판국에 노형이 성깔을 부린다 해서
된급살을 맞은 시신이 칠성판을 지고 일어서겠소?」

「누구의 손에 그리 되었습니까?」

「애당초 통문을 놓았던 이곳 건방의 수하 사람들 손에 그리 됐는
가 봅니다. 하지만 우리도 적실히는 모르고 있소.」

「시신이 있던 자리는 어디였소?」

「도선목에서 그리 멀지 않은 갯바닥이었는데 작당한 놈들이 아예
어육으로 만들 작정 했던지 꼴같잖은 시신이 갈기갈기 찢겨서 사
실 자문이 없었더면 조 행수였는지조차 모를 뻔하였소. 게다가 물
을 잔뜩 먹여 놓아서 뱃구멍이 튀어나와서 콧구멍을 보고 형님 합
디다.」

부질없는 죽음을 당한 사람을 두고 이르는 언사가 초다듬부터 해
괴하나 초면인 까닭으로 맞대 놓고 책망할 수 없었다. 조급한 봉삼
이 다시 묻기를,

「작반하던 동패가 있었다는 소문은 듣지 못하였습니까?」

「어허, 따라지 목숨, 타관 횡액당하기 예사지. 미주알고주알 적간
해서 뭣 하겠다는 거요? 모르긴 하되 낯짝이 그런대로 해반주그레
한 젊은 놈 하나가 작반했더랍니다만 노형이 보았소, 우리가 보았
소? 그렇게 알고 건너가서 주무시오. 우리도 거적 쓴 놈이 내려와
서 졸려 죽겠소.」

「시신에 전대는 없었습니까?」

「전대에 푼전이라도 있었으면 초종 치른 후에 술추렴이나 하였지.」

미운 강아지 우쭐거리면서 똥 싼다더니 궐자는 이제 말대꾸하기
진력이 났던지 고린내가 등천하는 감발을 코앞으로 쑥 내밀면서 봉

---

*편작: 중국 전국 시대의 명의.

노 한가운데에 길게 누워 버렸다.

「초면에 너무 지다위하는 것 같소만 조 행수가 묻힌 자리나마 가
보아야겠습니다.」

「그거야 어렵지 않소. 내일 신새벽에 건너오시오.」

이튿날 봉삼은 궐자를 앞세워 도선목에서 시오 리께 있는 조성준
의 무덤에 가보았다. 그곳에서 보리밥 두어 솥 지을 참이나 되게 지
체하다가 숫막으로 돌아오니 남아 있던 패들이 늦은 아침을 들고 있
었다. 봉삼으로서는 이 쇠전꾼들을 놓치고 싶지 않았다. 동자가 끝
나기를 기다렸다가 긴히 의논할 일이 있다고 연통을 하였다. 세 위
인이 한결같이 어깨들이 다부지고 목자 사나운 품으로 보아 배짱이
나 여력이 없잖아 보였는데, 봉삼의 충혈된 두 눈을 보자 떨떠름해하
는 눈치가 완연했다. 그러나 동료의 말에 외대(外待)할 수는 없는 처
지여서 건성으로나마 듣는 체하였다.

「이는 죄안을 날조한 모살이 분명합니다. 향곡의 아전이나 도고상
들이 권세를 등에 업고 무단하는 기습을 보고만 있을 수는 없소이
다. 흉년의 기민을 구황하기는커녕 저들의 비위만 거슬렸다 하면
참혹한 육시와 처참을 일삼고 있으니 우리는 어디에서 생명을 보
전하며 고향의 처자들은 또 어찌 연명인들 온전하겠소?」

귀를 기울이는 체하던 위인 하나가,

「거 동무님, 괜히 드센 체하다가 그나마 채장이나 빼앗기지 말고
모른 체하고 길이나 뜨시오.」

「우리는 신세가 들면 박대(薄待)요 나면 천대(賤待)라, 뱃심 부리
며 하루를 보내고 구역을 참으며 이틀을 보내는 망측한 사람들임
이 틀림없소이다. 그러나 우리는 일찍이 의(義)를 중히 여기고 기
절(氣節)을 숭상하여 왔지 않습니까. 이에 조 행수의 모살을 그대
로 덮어 둔다면 벼슬아치들은 물론이요 갯가의 무뢰배들에게까지

견모(見侮)*가 될 뿐이오. 우리가 우리의 힘을 빌려 억울한 동무 선배의 원혐을 갚아 드리지 못한다면 또한 우리가 모살을 당했을 땐 누가 누명을 벗기겠으며 누가 원수를 갚아 주겠소?」

좌중이 묵묵부답이었다가 그중 연장자로 보이는 자가 침통한 표정으로 대꾸를 하는데,

「우리도 그것을 생각 못하는 떨거지들이 아니오. 그러나 상대는 우리들처럼 오합지졸이 아니오. 우리도 목숨을 부지해야 하고 그나마 고린전이라도 챙겨야 연명하는 터에, 동료가 모살당했다 한들 함부로 덧들일 일이 아니지 않소?」

「우리가 우리를 구하지 않는다면 누가 구하겠소?」

「도임방에다 보장을 띄운 터이니 임방에서 분별하여 처결할 일이지요.」

「임방의 유사(有司)나 공원들이란 게 도대체 믿을 만한 위인들이 아니지 않습니까. 보부청에 연줄 대기에 바쁜 위인들이 성명없는 도부꾼이 모살당했다 해서 눈이나 깜빡하겠소?」

「조 행수로 말하면 일찍이 잡아 엎치라는 격문까지 나돌았던 사람이니 우리가 귀신을 찜 쪄 먹은 위인들이라 한들 모살을 밝혀내기란 십분 어려운 일입니다.」

모두 마음들이 흔들비쭉이*라 곰방대만 빨고 앉아 있을 뿐이었다.

「간계를 밝혀내기 어렵다 하더라도 우리가 끝내 가만있을 수는 없소이다.」

「그렇다면 우리가 어떻게 했으면 좋겠소?」

「첫째는 난리가 난 뒤에도 장형들께 후환이 따르지 않도록 닦달해 드리겠습니다. 둘째는 우리들의 숫자가 적으니 곧장 가근방 저자

---

*견모 : 업신여김을 당함.

*흔들비쭉이 : 변덕스러워 걸핏하면 성을 내거나 심술을 부리는 사람.

속으로 잠주만 해버린다면 기찰이 엄중하다 할지라도 우리의 행처를 제놈들이 수탐하기란 쉬운 노릇이 아니란 겁니다. 셋째로는 야밤을 이용해서 홰를 들지만 않는다면 우리의 용모파기를 저들이 알 리 만무할 것이니 주눅들어 할 까닭이 없다는 것이지요.」

「수하의 떨거지들이 많아서 잡히는 날엔 장하에서 목숨을 잃겠지요.」

「우리의 수효가 적다는 것이 되레 이점이라 할 수 있겠지요. 그놈들이 떠들썩하면 할수록 우리가 장달음을 놓을 수 있는 말미 얻기는 수월합니다.」

「어찌 말씀이 가리산지리산으로 뒤숭숭합니다?」

그때, 좌중에 앉아 있던 한 위인이 때 아니게 불쑥 일어나면서 내뱉기를,

「난 못하겠소.」

사세가 다급함을 깨달은 선돌이가 그때까지 침묵을 깨고 일어선 위인을 차가운 시선으로 노려보았다.

「못하겠다면 좋소. 그러나 이 술청에서는 한 발도 못 나갑니다.」

「못 나가다니? 댁네가 무슨 뱃심으로 연장 사십인 나를 오라 가라 하는 거요? 물색 모르고 뛰어들었다가 거릿귀신 되기는 싫소이다.」

「눈앞에 보이는 잇속만을 노리다가 언제 한번 사내구실을 하려고 그러시오? 사내란 일생에 한두 번쯤은 대의를 위해 몸을 던진 적도 있어야 죽음에 이르러 큰 후회를 남기지 않는 법이외다.」

「거 부아 돋은 날 의붓아비 온다더니, 별것을 가지고 지다위를 하는군. 내 명색이 사내가 아니라면 사추리에 달린 건 뭘까, 이게?」

「그렇담 노형도 채장 가진 도붓쟁이임이 틀림없겠구려.」

그 말 한마디에, 분연히 결기를 돋워 일어섰던 위인이 되짚어 앉

았다.

「우리는 이번 일로 서로 형제의 우의를 다졌습니다. 서로 윗도리
를 바꿉시다.」

봉삼이 그렇게 말하고 윗도리를 벗자, 뒤따라서 선돌이와 쇠전꾼
들도 윗도리를 벗어 서로 건네었다.

「계배(計杯)는 우리들이 댈 터이니 오늘 형제들을 만난 턱으로 한
판 걸게 마십시다.」

모두들 좋다고 하고 주모를 독촉하여 탁주 한 동이를 내오게 하였
다. 금방 아침동자를 든 사람들이라 할지라도 술배 하난 따로 둔 위인
들인지라 탁주 두 동이가 금방 비워졌다. 아깟번에 떨치고 일어나려
던 위인이 그중 모주꾼이라 사발술을 많이 비워 모두 한바탕 웃었다.

쇠전꾼들은 소몰이도 할 뿐만 아니라, 재인촌(才人村) 육고간을 찾
아다니면서 우피 행매(牛皮行賣)도 하는지라 숫막에서 탁주동이나
비우면서 소일할 처지들이 아니었다. 탁주 몇 동이를 비우는 중에
버성기던 사이가 형님 아우님 하는 처지가 되었고 또한 환의까지 한
터라 구태여 서로의 의중을 더듬느라 속을 썩일 것까지는 없었다.
가까운 재인촌에라도 기동들 하는 것이 숫막을 드나드는 주상배들
이나 갯가 왈짜들에게 의심을 받지 않는다 하여 그렇게 하기로 공론
들이 돌았다. 밤에 다시 만나기로 하고 쇠전꾼을 떠나보내었다.

두 사람이 도선목 어계(漁契)로 나가서 수탐한 바로는 김학준이
이미 저승 야차에게 잡혀간 몸이긴 하되 임방·객주·건방은 물론이
요, 연해 각읍(沿海各邑)에까지 그 여력이 뜨르르한 판이었다. 첩실
로 있던 계집은 명색이 홍합을 차고 있다는 것뿐이지 상고(商賈)로
서는 재질이 소명하고 식견이 투철하여 앞일을 요량하는 법이 범상
치 않은 데다가 그 수하에 있는 서사나 차인들 또한 날고 기기가 한
잎에서 난 듯하다는 거였다. 김학준이 설산한 재물이며 전장을 조금

도 축냄이 없이 기왕에 연줄을 대어 놓은 관에 기대어 향시의 도고상으로서의 체면을 여축없이 유지하고 있다는 것이었다. 그만한 위세라면 조성준 따위는 차치하고서라도 데데한 시골 책상물림 한둘쯤 척살을 한대도 쉬쉬할 판국이었다. 그러한 거동을 볼 제, 하동에서 얻어 본 그 통문에서처럼 정말 조성준이 김학준을 처참할 수가 있을까 하는 문제였다. 더욱더 심상치 않은 것은, 김학준 수하의 겸인들과 화객 간인 보부상들이 결당하여 조성준에게 된급살을 놓았다는 소문은 낭자하되 김학준이 어떻게 칼을 맞았는지에 대해선 알고 있는 사람이 없었다. 그 첩실이 남편의 원혐을 갚았다면 그 원혐이 어떠했으리란 소문이 갯가와 저자에 낭자히 퍼져 있을 건 당연한 일이 아닌가. 보부상과 양민들 사이에 일어나는 송사(訟事)도 그랬었고 보부상과 관원들 사이에서 일어나는 쟁송(爭訟) 또한 시초는 소문부터 먼저였다. 그러하니 맥도 모르고 침통 흔든다는 격으로 꼬인 자리도 사실(査實)치 않고 주막집 강아지로 내닫기만 할 수는 없었다.

두 사람은 중화참이 넘을 때까지 건방 어름을 떠나지 않았다. 건방 어름에는 으레껏 모주꾼으로 자처하는 겸인이나 노자배*들이 들락거리게 마련인데 그토록 지켜보긴 하였으나 겨냥해 볼 만한 놈이 나타나지 않았다. 또 하루해를 허송하는가 싶은데 해가 지고 저녁거미가 내릴 때쯤 해서 나이 40줄에 든 옹구바지 차림에 맨상투 바람인 사내 하나가 건방을 나서더니 쏜살같이 도선목 후미진 휘장집으로 기어들었다. 사내는 객줏집 칼도마같이 콧잔등이 움푹 들어간 데다가 주걱턱엔 모과덩이만 한 혹이 달려서 덜렁거렸다. 사내는 기갈이 들었던 모양으로 휘장집으로 들어가선 좌정도 않은 채 탁주 세 사발을 비웠다. 걸신들린 형용을 보다 못해 술국 푸던 주모가 한마

---

*노자(배) : 사내종.

디 면박을 주는데,

「젠장, 기생집 불두덩에다 물찌똥을 싸고 왔나, 저리도 바쁜가, 원. 앉아서 마시면 창귀라도 와서 잡아간답디까?」

궐자가 술사발을 쪽목판 위에다 내려놓고 입두덩을 쓱 문지르며,

「말본새 한번 더럽네만 마음새는 고맙구먼. 내가 좌정을 하면 허벅살이라도 썩 베어 안줏감으로 주려나?」

「주제에 어육은 별것으로 찾으시네. 서방 있는 계집이 허벅살 베어 주면 오늘 밤 방앗고는 어찌 찧을꼬……. 내 덧거리나 한 주발 퍼주지. 사내가 입잔술을 마셔도 체통이 있어야지.」

「수청방(守廳房)에나 드나들며 별배 노릇이나 하는 주제에 체통은 무슨 썩어 자빠질 체통인가.」

궐자가 덧거리 한 주발을 얻어 마시고도 휘장 밖으로 나갈 요량은 않고 주모 엉덩이 근처를 서성거리는데,

「여보시오, 그러지 마시고 이리 와서 한 주발 더 하시우.」

수작이 나온 쪽으로 힐끗 고개를 돌리니 저쪽 목판 끝에 패랭이 쓴 사내 둘이 들어와서 마침 좌정을 하려는 참이었다. 첫눈에 가근 방 저자의 도붓쟁이나 주상들은 아니란 생각이 들었던지 뜨악한 눈치면서도 초인사로 건네는 수작이 과히 싫지는 않은 모양이었다. 두 사람이 술하며 안주를 넉넉히 시키는 거동을 보고는 목판 가녘을 따라 옆자리로 왔다. 강경이 초행인 도붓쟁이들이라면 객주의 차인이나 건방의 별배들을 붙잡고 장시의 금새나 수세(收稅) 풍속을 탐문하기 십상이겠기 때문이다. 공술이란 그런 데서 생기는 법이었다.

「어디서 오신 동무님들이시오?」

「우리 말이오?」

봉삼은 일부러 딴청인 체하다가 되물었다.

「본곳 동무님들 같아 보이진 않구려.」

248

「거, 눈치 한번 빠르시군. 그건 나중에 알기로 하고 출출한 참이니 우선 한 순배 돌리고나 봅시다.」

그렇게 시작한 술자리가 얼마 가지 않아서 좌석을 좁히고 파탈하기 시작하여 서로 잔을 지우는 법도 없이 되자 궐자는 제법 잔소리가 많아졌다. 궐자가 불콰해진 혹부리 주걱턱을 어루만지며 의뭉을 떠는데,

「어따, 이러다간 해동갑하게 되겠는걸…….」

「벌써 저녁 거미가 내리는 판에 또 무슨 해동갑이라구 그러시오.」

「근데, 이거 초인사만 겨우 나눈 처지에 폐단이 많소이다.」

그때까지 따라 웃기만 하던 선돌이가 깍듯한 경대로 대접이긴 하였으나 어조만은 분명하게,

「폐단 될 것 없소이다. 우리도 속내가 있어서 술을 사고 있는 거지 날아가는 까마귀를 잡아서 술추렴을 하고 있는 것은 아니외다.」

궐자는 다소 겸연쩍었던지 공연히 선돌이의 무릎을 치면서 헤프게 웃더니,

「듣던 중 반가운 소리요. 그렇다면 부리를 헐어 보아야 내가 공술 먹은 벌충을 할 게 아닙니까요. 황산나루 갯바닥 일이라면 사또 밑구멍에서부터 비부쟁이들 상투까지 모르는 것이 없는 염라 태수 다음가는 사람이오, 내가.」

위인이 기고만장하여 봉삼 앞에 놓인 술사발을 서너 순배나 꿰다 마시고 너나들이를 하였다가 경대를 하였다가 도통 언사에 대중이 없는데, 벌써 입가엔 버캐가 허옇고 눈자위엔 취기가 도도했다.

「노형께선 김학준의 집 내막을 잘 아시오?」

「길청에 아전 구실 살던 김학준이 말이오, 강겡이 거상 김학준이 말이오?」

「김학준이가 둘이오?」

「그야 하나겠지요. 그러나 그 둘 중에 어느 쪽 내막을 알려는지 내가 알아야 할 거 아닌가?」

잠시 갈피를 못 잡던 선돌이가 한참 만에 모가지에 뚝심을 주고,

「명색이 도붓쟁이라는 주제에 길청의 아전 일이야 수탐하여 무얼 하겠소. 우리는 그 집에서 벌이고 있는 객주나 어계 쪽의 내막을 알아보았으면 하는 것뿐인데…… 보아하니 노형께서도 적실하게는 모르는 듯하니 그만둡시다……」

위인이 허여멀겋게 웃는 눈으로 몇 각을 노려보다가,

「거 미련한 놈 똥구멍엔 불송곳이 안 들어간다더니, 원. 이봐, 동무님, 김학준이라면 내가 염습에 입관까지 해서 염라 태수에게 넘긴 터에 그 집 내막을 모를 턱이 있겠나. 아직 부리도 헐지 않아서 외대를 하다니, 아무리 신세 망측한 상것들끼리 주고받는 수작이라 하되 이런 도리가 없지 않나?」

「김학준에게 첩실이 있었다던데?」

「향곡에서나마 명색이 반명을 한다는 위인들치고 반반한 첩실이야 한둘 거느리지 않았다면 고자 아니면 등창 난 놈이겠지.」

「책상물림이라 하여 전부가 그런 건 아니오.」

「그런 말 말라구. 김학준이야 나물 먹고 물 마시는 데대한 샌님이 아녀. 자릿조반은 양즙으로 보(補)하시고 늦은 조반은 깨죽으로 자시고 사랑으로 나가시면 떡 벌어진 해주반에 열두 접시 쌍조치*의 갖은 반상으로 아침동자 걸게 드시고, 국수·장국·떡실과를 늘어놓은 다담상으로 중화 잡수시고, 새참으로 꿀물이나 삼계탕으로 착실히 드시었것다, 저녁에는 장산적·천리산 북어무침에 메추리찜·도야지순대·전복쌈·마늘전·홍합전으로 배불리시고,

---

*쌍조치 : 국물을 바특하게 만든 두 가지의 찌개나 찜 따위를 이르는 말.

내사(內舍)의 숙수간에서는 편발한 교전비가 사시장철 쌍화탕·육
미탕·십전대보탕·삼출탕으로 시탕(侍湯)을 하것다, 저녁에 보료
위에 번듯이 누웠으면 어간마루에 스치는 치마 소리만 들어도 괴
춤이 들썩하도록 대중없이 권신이 되는 터에 첩실 한둘쯤 두어서
그 절륜한 색기를 빼지 않으면 음종(陰縱)이 발동하여 부득불 실
성을 하시든지 고작*을 수채에다 박으시든지 무슨 난리가 나야지
그냥 배겨 나겠소?」

「그러고 보니 노형께선 김학준의 대궁밥을 간혹 얻어잡순 모양이
구려?」

「이런 천하에 몹쓸 출첨지를 보았나. 내가 그 턱찌끼를 얻어먹어?
그만한 지체가 되면 발천(發闡)*을 하게? 첫째로 서사나 겸인들이
대궁상을 받고 그 턱찌끼를 얻어먹었지. 하지만 수양산 그늘이 강
동 팔십 리더라고 한물 건너온 턱찌끼로라도 내 신관을 자세히 보
게, 허여멀건 게 풍년 두부가 아닌가.」

두 사람이 말끝마다 고개를 끄덕이고 곤댓짓으로 웃고 떠들매, 신
명이 난 위인은 게트림 길게 뽑아 가며 될 소리 안 될 소리 거짓말
뒤섞어 떠들어 대는데,

「김학준의 솔축이란 계집도 그렇지. 솔축이라면 근본이야 빤한 것
이 아니겠나? 그러나 계집이 서시도 울고 갈 옥골인 데다가 아랫
돌 빼다가 윗돌 괴는 장사 수완에는 사랑방 김학준은 뺨치고 돌아
갈 만하였지. 어디 그뿐이던가, 호지 집이나 마름들 거느리는 법도
범상치가 않았지. 아랫것들 배 문지르고 등 두드리는 수완도 보통
이 아니었지. 그러나 마침 그 솔축에게 소생이 없어. 소생이 없는
계집이란 가통을 이어 갈 요량은 물론이요, 설산을 한들 종래엔

---

*고작 : 상투.
*발천 : 앞길을 열어서 세상에 나섬.

죽 쑤어 개 퍼주는 꼴이 아니겠나. 이승의 재물이란 죽고 나면 그만이란 걸 전들 모를 리 없었지. 그러는 중에 조성준이란 위인이 불쑥 나타나선 월장을 해서 김학준을 동여 갔다네. 그러나 계집의 간계가 워낙 출중한 터라 동여 간 김학준을 용하게 찾아왔것다. 찾아온 김학준을 결당했던 중의 한 놈이 범방을 해서 신고를 겪고 있는 놈을 엎친 데 덮친 격으로 또 한 번 초주검시키고 장달음을 놓았지. 그참에 계집이 작정을 달리한 것이여.」

「작정을 달리하다니요?」

위인이 술사발을 들어 목을 축이고 나서 우정 목소리를 낮추었다.

「그 계집이 탕제에다 비상을 넣었소. 병줄이 고황에 들긴 하였으나 비상이 아니면 죽을 목숨은 아니었네.」

「그렇다면 구태여 기천 냥을 탕진하면서까지 통문을 놓고 조성준을 처참할 까닭이 없질 않소.」

「김학준과 조성준은 전사에 원혐이 있었던 터인 데다 궐녀가 비상을 썼다는 사실을 일가붙이며 수하놈들은 몰랐어도 조성준이란 쇠살쭈는 알고 있었단 말이오.」

「거참, 알다가도 모를 일이군. 연비 간에 있는 사람들도 모르는 일을 노형께서는 어찌 알고 계시오?」

「어허, 이런 시절 보게. 내가 그 초종에 염까지 해서 입관한 처지였다고 말하지 않았던가. 수의 분별하기 전에 머리를 빗기려 들었더니 고작에 꽂힌 은동곳이 새까맣게 죽어 있더라니까 그러네. 이는 시신의 몸체에 독이 들었단 뜻이 아닌가. 나도 처음엔 미심쩍었지. 그러나 수의 명색을 분별하면서 목덜미를 살펴보았더니 군데군데 시꺼먼 반점이 있고 입에 넣은 참쌀도 변색이 된 걸 목도하였네. 내 평생 염하고 나서 나락 열 섬을 행하로 받아 보긴 그때가 처음이었지.」

252

「그 첩실이 눈치를 채었구먼.」

「내가 눈치를 챘다면 십중팔구 나를 척살하고 말았을 터이지.」

「그렇지 않구서야 일개 염하는 모꾼에게 열 섬이나 되는 나락을 신발차로 내릴 까닭이 없질 않소?」

「그야 아랫것들 입에서 쓰잘데없는 소문이라도 날까 해서 그랬던 거지.」

취중이긴 하였으나 궐자가 왜 그 위중한 내막을 두 사람에게 토설하게 되었는지는 알 수 없었다. 취한 김에, 내친김에 그렇게 되어 버린 게 분명했다. 궐자는 이미 낯짝이 외꽃이 된 건 고사하고 누가 업어 가기 전에는 행보도 온전히 못 떼어 놓을 지경이 되었다. 헛구역을 하던 궐자가 삿자리 위로 나가자빠졌다.

걸레쪽이 되어 늘어진 위인을 그대로 둔 채 두 사람은 술국집을 나왔다. 이미 밤이 깊어 강나루에 높이 뜬 만월이 찢어질 듯 밝았다. 도선목엔 이물과 고물을 서로 잇댄 행상선과 당도리선들이 달빛이 흔전으로 밀리는 강심에 고즈넉이 떠 있었다. 건너편 세도나루 쪽에서 비린내를 풍기는 바람이 불어왔다. 바람을 맞아 돛대가 떨리고 뱃전 가녘이 서로 빗대어 삐걱거리며 흔들릴 때마다 강심에 떠 있던 달빛은 고기 떼처럼 하얀 배를 뒤집고 흐드러졌다. 시오 리나 되는 갯벌을 뒤덮고 있는 잎 마른 갈밭 위로 바람이 서걱거릴 때마다 만선의 조깃배를 갯벌에 쏟아 부은 듯 수천 수만의 갈잎들이 몸부림치는 비늘이 되어 갯벌 위를 지천으로 번뜩이게 하였다. 바람에 놀란 물새들이 깃을 털고 날아서 달빛을 조으며* 흩어졌다가 다시 갈밭 속으로 내려앉았다. 바람과 달빛이 서로 어우러지고 서로 빗대어 흐르면서 귀를 에는 겨울밤을 사위어 발가벗고 노니는 것이었다. 멀리

---

* 조으다 : '쪼다', '새기다'의 옛말.

바라보이는 채운산 둔덕에 눈이 덮였고 눈 덮인 계곡에 멎어 있던 달빛과 바람이 개 짖는 소리에 놀라서 미끄럼을 타는 듯했다. 봉삼은 문득 나귀들의 워낭 소리가 귀를 적시는 듯한 착각에 빠졌다. 차라리 산곡의 저자나 돌며 궁박한 신세를 이어 갈 것을 공연히 대처로 작반하여 심신을 스스로 괴롭히고 있다는 후회가 없지 않았다. 휘장 친 술국집에서 혹부리 사내를 달래느라고 대중없이 잔을 비웠건만 웬일인지 머릿속은 전에 없이 맑았다.

「어떻게 할 텐가?」

봉삼이 불쑥 묻는 말이었다.

「어떻게 하다니? 이제 겨우 강경에 당도하여 변고를 알아낸 터에 여기서 꺾자를 치고 말자는 건가?」

「글쎄, 무슨 연유인지는 모르겠으나 지금 같아선 선뜻 내키지가 않는걸.」

「내키지 않는 건 피차가 매일반이지. 그러나 비록 아녀자라 할지라도 사사로운 액회(厄會)*를 면하려고 보부상의 목숨을 결딴낸 일이 적실한 터에 왼고개를 치자는 건가?」

「우리도 오랫동안 동패하고 작반한 사이네만 도통 자네의 본색을 모를 때가 많네.」

「내 본색이라니?」

선돌이가 머쓱하여 가던 길을 멈추고 봉삼을 쳐다보았다.

「자넨 명색뿐인 보부상들과는 물색이 틀리는 데가 너무 많아. 어떤 땐 연희를 노는가 하면 어떤 땐 동사 간의 일로 자신의 생계조차 잊어버린 사람 같아 보일 때도 있고 또 어떤 땐 조정의 내막과 정사(政事)를 산적으로 펜 듯 소상히 알고 있고 반명을 한다는 사

*액회 : 재앙이 닥치는 고비.

람들의 풍속이나 사로(仕路)에 있는 벼슬아치들의 봉록이 얼마인가를 바늘로 기운 듯 외어 대는가 하면 그들을 무서워하는 법이 없고, 어떤 땐 언변이 도도하다간 또 어떤 때는 엿 먹은 벙어리처럼 행세하니, 자네를 심상하게 보고 있으면 봉을 그려야 할지 오리를 그려야 할지 도통 생각이 올지갈지하고 어떤 땐 형제지간이란 생각도 들었다간 어떤 땐 나와는 지체가 틀리다는 생각이 드니, 이건 어쩐 일인가?」

「그건 자네가 나를 의심쩍은 눈으로 바라보니 그런 속내를 품게 되는 것이겠지. 설령 내 본색이 혹간 미심쩍다 하더라도 나는 지금 자네와 형제의 우의를 맺은 터요, 또한 떨어질 수도 없는 처지가 아닌가. 공연한 일로 속을 썩일 까닭이 없네.」

천봉삼은 더 이상 캐묻지 않았다.

「그렇다면 자넨 이번 일에는 손을 떼는 것이 어떤가? 내키지 않으면 자넨 숯막에서 낮잠이나 자게나. 내가 앞장을 서서 수발하고 끝장을 내도록 하겠네.」

「글쎄나…….」

「자네 이제 보아하니 헤어졌다는 누이 생각을 하고 있군그려.」

봉삼 또한 대꾸가 없었다. 두 사람은 서로 더 이상 채근하지 않고 곧장 숯막 있는 쪽으로 길을 꺾었다. 고샅길에도 달빛이 흐드러졌고 멀리서 엿을 파는 아이의 엿단쇠 소리가 들려왔다.

16

봉삼의 나이 열셋이요 소례의 나이가 열여덟 살이 되었을 때였다. 어느 날 오가(吳哥) 성 가진 사람이 마을로 흘러 들어왔다. 그는 늙은 노모와 어린 두 남매를 거느리고 있었다. 오가는 행색이 그대로 풍각쟁이였고 노모와 두 자식은 끼니를 잇지 못하여 무릎이 어깨에 닿을 지경이었다. 그들은 유리걸식으로 북관 땅을 헤매다가 우연히 그 마을로 흘러 들어와서 산기슭에 초막을 짓고 살았다. 오가는 궁박한 가계이긴 하되 풍골이 준수하고 또한 사람을 대하는 품이 상것들과는 제도가 틀리었다. 적빈하나 갑족(甲族)*임이 틀림없었다. 듣건대 남양부(南陽府)에서 관원 구실을 하다가 포흠으로 가산을 탕진했다는 것이었다. 어느 날 오가는 노모에게 말하였다.

「어머니께서 이제 연로하시어 기동이 지난한 터에 손수 조석을 끓이시게 하고 물어미에 빨래품까지 하시게 되니 자식 된 도리로 차마 볼 수가 없습니다. 그러나 상처한 몸이니 도통 방도가 없습니다. 불가불 속현(續絃)을 서둘러 가계를 챙길 사람을 구하여야겠습니다.」

「난들 네 혼인에 행여 소홀할 수가 있겠느냐. 그러나 우리가 비록 갑족이라 한들 비렁뱅이인 집에 어느 투미한 위인이 딸을 주겠다고 나서겠으며, 당사자인들 전처 소생까지 있는 위인에게 재취로 오려 하겠느냐?」

「널리 구한 끝에 아랫마을 집강(執綱)*의 집에 드난살이하는 오뉘가 있다는 걸 수탐하였습니다. 조실부모하고 저희들끼리 살아간다 하나 그 누이란 처녀가 안목이 졸렬하지 않고 범절도 무던하다 하더이다. 적빈한 집안을 꾸려 가는 데는 가합한 듯하니 저희가 대면하여 청혼을 넣어 볼까 합니다.」

「우리가 비록 적빈하나 명색이 갑족으로 어찌 상것들과 혼사를 틀 수가 있더란 말이냐?」

「어머님, 우리가 이런 처지에 이르러 달고 쓴 것을 가릴 처지가 아

* 갑족: 가문이나 문벌이 아주 훌륭한 집안.
* 집강: 면·리의 행정 사무를 맡아보던 사람.

니지 않습니까. 육례(六禮)를 갖추어 맞이할 것도 아니요, 또한 어머님 연로하시니 자식의 도리로서 조석 수발을 하려는 것을 구태여 막지 말아 주십시오.」

오가는 폐포파립(敝袍破笠)*으로 아랫마을 집강의 집을 찾아갔다.
「어른께서도 필시 우리 집 문벌만은 어떠하단 것을 풍문으로라도 들었을 줄 압니다. 제가 상처한 이후로 아직 속현을 못하였습니다. 귀댁에서 드난살이하는 천소례라는 처녀를 제 처로 삼게 주선해 주십시오. 저의 가계가 형언할 수 없을 정도로 적빈하나 둘이 힘을 합치면 연명할 방도가 나서지 않겠습니까.」

집강이 모 꺾어 앉으면서 코웃음을 쳤다.
「온당치 않은 말이군. 그 계집아이가 우리 집에 드난살이하는 형편이긴 하나 자네 집으로 가면 영락없이 굶어 죽게 될 것을 알고 있는 터에 부리는 노복이라 한들 어찌 함부로 중매를 설 수 있단 말인가.」

오가는 일언지하에 거절을 당하고 열없게 집강의 집을 물러나고 말았다. 집강이 안방으로 들어와서 그 내자에게 오가가 청혼했던 일을 자랑 삼아 주섬주섬 얘기하는 터에 때마침 마루에 걸레질을 하던 소례가 그 말을 엿들었다. 소례도 오가가 퇴짜를 맞고 대문을 나서던 뒷모습을 보았던 터라 집강이 안방에서 나가기를 기다렸다가 마님에게 아뢰었다.
「쉰네 역시 사고무친한 터에 맞아들일 서방이래야 기껏하여 역리(驛吏)나 군총이겠지요. 그래도 저 오 도령은 반명을 한다는 사람으로 저희 상것들에 비견하겠습니까. 사람의 빈부와 사생은 저마다의 복덕에 따른다고 들었습니다. 그러니 오 도령의 청혼이 그다

---

*폐포파립 : 해어진 옷과 부서진 갓이란 뜻으로, 초라한 차림새를 비유적으로 이르는 말.

지 해괴하달 것이 없습니다. 마님께서 크게 걱정되지 않으신다면 저희 불쌍한 남매를 위해서도 힘써 주시기 바랍니다.」

「네 의향이 정녕 그러하냐?」

「가난한 사람이면 가난한 사람의 형편을 모를 리 없겠으니 제 남동생을 데리고 시집을 간다 하여도 결코 마다하지 않을 것 같습니다.」

「그래? 두 궁상끼리 서로 만나 금슬이 좋아질지는 모르겠다만, 네년의 의향이 한사코 그러하다면 내 복에 없는 매파 노릇 한두 번이야 어렵잖지.」

「이 은공을 잊지 않겠습니다.」

「네 그동안 혼수라도 더러 분별하였더냐?」

「마님께서 아시다시피 애당초 금침을 갖추어 시집갈 가망이 없는 신세로 혼수인들 생각하였겠습니까. 한번 한방을 쓰고 나면 그것이 곧 가시버시가 아니겠습니까요.」

「아직 혼인도 못한 계집아이가 못하는 말이 없구나.」

「……」

집강 내외의 주선으로 사흘 뒤에 초례를 치르게 하고 행랑 하나를 비워 신방까지 차려 주었다. 그 첫날밤에 소례는,

「어머님께서 연로하시어 조석을 못하시는 형편에 자식 된 도리로 단 하루인들 일찍 가서 노모의 수고를 대신해야겠지요. 흙무지를 베개하여 거적에 싸여 잔들 어떻습니까. 내일 아침 시집으로 돌아가야 하겠습니다.」

오가는 겉으로는 몇 번인가 완곡히 사양하는 것 같았으나 소례의 간청이 싫지는 않은 모양이었다.

헌 빗만 품속에 간직하고 버들고리 하나를 머리에 이고 소례는 어린 봉삼과 같이 신랑의 초막에 이르렀다. 말이 초막이었지 자고 나

면 머리채에 이슬이 내려앉았고 당장 저녁 끼니를 이을 겉보리 한
됫박 유념해 둔 게 없는 형편이었다. 동냥으로 열흘을 연명하고 난
뒤 어느 날, 소례는 남편에게 말하였다.

「대장부로 태어나서 식솔들을 먹여 살려야 하는 도리가 주어졌거
늘, 서방님은 세상일에 이토록 깜깜하여 일생을 거렁뱅이로 일삼
으시려 하니 사람이 살아가는 형국이 아닙니다. 장차 이를 어찌하
시려는 겁니까?」

「임자가 알다시피 내 근본이 책상물림으로서 세상사에는 당연히
어두울 수밖에 없지 않은가?」

오가는 율기를 하며 되레 반문하였다.

「그렇다면 홍패라도 따낼 만큼 식견이 투철하셔야지요.」

「내가 책상물림이긴 하되, 홍패를 딴다는 일이 우는 아이 달래는
일쯤으로 손쉬운 것이 아닐세.」

「그럼, 이런 궁박한 살림을 종신토록 이어 가실 작정이십니까?」

자꾸만 오금이 박히자, 오가는 무안이 지나서 분기로 변하여 주제
에 우정 목소리를 돋우었다.

「임자가 알다시피 내가 낙사(落仕)한 이후로 그나마 청촉(請囑)*
의 길도 막히었네. 일찍이 형편이 그렇지 않아 농사일은 물론이요
나무 한 짐 하기도 손방인 내가 이 처지에 이르러 먹을 찔러 선지
를 뽑아 식솔들을 먹여 살리면 몰라도 동냥아치 말고는 다시 할
일이 없지 않은가?」

「기생 퇴물은 들병이라도 하지. 책상물림이란 구실 떨어지면 영락
없이 동냥아치가 되는데, 각설이도 못하는 동냥아치가 되었으니
그나마 동냥인들 변변하겠소?」

---

* 청촉 : 청을 들어주기를 부탁함.

「임자가 내 복장을 지르네그려. 정 그렇다면 임자가 어찌해 보게나.」

「뼈대 하나만 바라보고 혼인을 하였더니 평생을 무골충인 걸 제가 미처 깨닫지 못하였군요.」

오가가 그 말끝에는 짐짓 책상다리로 고쳐 앉으면서,

「임자, 그런 말은 됐다 하게. 저자 바닥에 나가서 가래침을 한번 뱉는다 하여도 명색이 반명한다는 사람이면 한 번 더 뒤돌아본다네.」

「가래침 뱉어서 배부를 수 있다면야 백 번인들 마다할까요. 그러나 목구멍에 넣은 게 있어야 가래침이나마 푸짐할 게 아닙니까?」

「임자 말본새를 가만히 듣자 하니 무슨 용뺄 재간이라도 있는가 본데, 주저 말고 발설을 하게. 실은 나도 이 몰골로 살기란 죽기보다 싫다네.」

「서방님께서 전사에 남양 부중에서 구실을 살았다고 하였지요?」

「그건 임자도 알고 있는 처지가 아니던가?」

「그렇다면 그곳에 연비도 많을뿐더러 지리에도 밝으시겠습니다?」

「그걸 말이라고 하나.」

소례는 그때에야 시집올 때 이고 왔던 시렁 위의 버들고리를 내리었다.

버들고리를 열고 세목(細木) 다섯 필을 꺼내는데 승새가 워낙 고와서 흡사 비단과 같았다.

「이것은 제가 시집오기 전에 동네에 놀고 있는 베틀을 빌려 틈틈이 짜두었던 것입니다. 그러나 동냥하듯 짠 것이라 이것밖에는 없군요. 이것을 저자에 내다 팔면 마흔 냥은 받을 것입니다. 면화를 사시고 조금의 양식을 구처하여 오십시오.」

오가는 세목 다섯 필을 장에 가지고 나갔다. 승새가 워낙 곱고 맨드리*가 고운지라 뉘 돈을 받아 줄지 몰랐다. 받은 마흔 냥으로 면화를 환매하고 베를 짤 동안 먹을 양식을 구처하였다. 베를 짜는 대로 저자에 내다 팔았더니 서른 냥의 화식이 생겼다. 소례는 예순 냥의 돈을 오가에게 건네었다.

「이것으로 남양 염막으로 가서서 소금꾼들과 약정을 하십시오. 이 돈을 염막에 들여놓고 이 년 동안 소금을 받아다가 장사를 하고 이 년의 기한이 되면 본전을 찾지 않겠다고 하십시오. 그러면 소금꾼들은 좋아라 할 것입니다. 서방님께서는 소금을 지고 백 리 안통만을 돌면서 직전보다는 오히려 외상 놓기를 힘쓰십시오. 인정이란 곧 화객을 심는 것이니 나중엔 서방님의 소금만을 기다리게 될 것입니다.」

오가는 예순 냥의 꿰미를 챙겨 남양의 염막을 찾아갔다. 과연 소금꾼들은 예순 냥의 꿰밋돈이 적지 아니함만 탐내고 2년 동안에 쌓이는 손해는 헤아리지 못하였다. 2년 동안 외상을 놓고 나니 엄대 긋기에 재미를 붙인 향곡의 부녀자들이 소금값을 갚을 적에는 대중 없이 곡식을 퍼주었고 때로는 초피(貂皮)나 수달피 같은 진기한 물화도 내놓았다. 잠채(潛採)하는 금점꾼들을 만나면 금붙이도 얻었다. 그런대로 대문 달고 사는 집에선 서로 다투어 처소를 제공하고 공술을 대접하는 것이었다. 혹간 소금값을 떼어먹는 위인들도 없지 않았으나 그것을 굳이 탓하지 않으니 소금장수의 인품이 그럴 수가 없다 하여 화객이 날로 늘어나고 이문은 더욱 불어났다. 떼인 소금값은 보잘것없었으되 그로 인하여 우회해 돌아오는 이익은 엄청났다. 그 2년이 지난 이후 소례는 오가에게 물었다.

「그동안 장사한 것이 외상 놓은 것과 합치면 전부 얼마나 됩니까?」

한참이나 산가지를 놓아 보던 오가가 대답하였다.

---

*맨드리 : 물건이 만들어진 모양새.

「근 이천 냥은 되겠는걸.」

「그걸 가지고 다시 염막을 찾아가십시오. 아마 더 많은 소금을 줄 터이지요. 그리고 서방님께서는 나귀 한 필을 사시고 이번 장삿길 부터는 봉삼이를 데리고 다니십시오. 그리고 그전보다는 더 넓은 지역으로 다니면서 장사를 하십시오.」

그 후 다시 2년이 흘렀다. 소례는 그 4년 동안 길쌈을 손에서 떼지 않았고 공양 잘한 노모는 이제 두께살*이 피둥피둥하였다. 손톱으로 여물을 썰듯 한 4년이 지난 후에는 소금장사한 이문과 길쌈한 돈을 서로 합치니 5천 냥에 가까운 재산이 되었다.

이젠 엄연히 한 고을의 갑부 축에 끼이는 자산가가 되었다. 소금 장사를 타파하고 근처의 묵정밭을 사들여 전장을 마련하고 송아지를 사서 길렀다. 오가의 몸가축도 달라졌다. 양*에 윤이 나는 칠색(漆色) 좋은 갓에 궁초(宮綃)* 갓끈 매어 쓰고, 명주 저고리와 12세(細) 세목 바지에다 취월명(翠月明) 주창의(周氅衣) 위에 회색의 술띠를 늘어뜨리고 다녔다. 명색이 한골이라 다시 환로에 들 것을 겨냥하여 척의나 벌열층을 찾아다니며 청촉질을 하였다. 그러나 그참에 이르러 오가의 법도가 달라지기 시작하였다. 신세 망측했던 시절을 사그리 잊어버리고 걸핏하면 한골임을 자처하며 소례와 봉삼을 싸잡아서 본데없는 상것이라고 꾸짖었고, 아들의 허우대가 옛날 같지 아니하니 시어미 또한 거기에 합세하였다.

「도대체 시집을 온다는 년이 혼수는 못해올망정 뱃구레에 거릿귀신이 들어앉은 동생을 데리고 오는 반죽은 고금에 없던 법이다. 오늘날까지 우리 집에 기대어 그만치나 연명하였으니 이젠 갈 곳

---

*두께살: 두껍게 찐 살.
*양: 갓양태. 갓모자가 박힌 둥글넓적하게 된 부분.
*궁초: 얇은 비단의 한 가지. 흔히 댕깃감으로 쓰임.

이 분명 있을 터이다.」

시어미의 거조가 심상치 않았으나, 시어미란 천성이 허물을 쥐어 뜯기 좋아하는 위인들인지라 소례는 한쪽 귀로 듣고 한쪽 귀로 흘려 버렸다.

「상것들이란 본데없는 것들이어서 한쪽 귀로 담아서 한쪽 귀로 흘려보내는 데는 이골이 난 터이니 이는 무식의 소치다. 어디 그뿐이냐. 감히 트림하며 한숨짓기 일쑤요, 재채기하며, 기침하며, 하품하고 기지개를 켜며, 벽에 기대고, 곁눈질하고, 침 뱉고, 코 풀고, 걸핏하면 긁어 대며, 한쪽 다리를 높이 쳐들고, 또한 콧등이 세니, 우리 집 가통을 규모 있게 이어 가기란 이미 글러 버렸구나.」

등잔걸이 아래에서 침선을 하고 있던 소례가 차마 심상하게 넘길 수만은 없어서,

「어머님, 제게 불찰이 있다면 백 번인들 고치겠습니다. 그러나 사고무친한 것을 어디로 내쫓으란 말입니까. 천상천하에 살붙이라곤 저희밖에 없는 처지로 아직 미장가가 아닙니까.」

「상것들이란 대저 그 시어미에게 말대꾸하기를 예사로 아느니라. 우리가 궁한 터에 네가 들어와서 먹고 살 만하게는 되었다만, 이는 너 때문이 아니라 선산에서 내린 복덕이니라. 너 행여 그것을 빌미 삼아 시어미께 말대꾸할 작정은 마라. 내 아들이 너에게 재취할 적에 어디 가합한 혼처로 알아서 청혼을 한 것은 아니었다. 다만 이 늙은 것의 조석 공양에는 네가 합당하기에 데려온 것뿐이니 앞으로는 내 아들과는 각방을 쓰도록 하여라.」

「어머님, 너무하십니다.」

「인연이란 게 함부로 되는 게 아니다. 하루 친구를 사귀는 것도 미천한 것들과는 교유치 말라 하였는데, 하물며 평생을 같이할 부부가 이렇게 층하가 진다면 이는 내 아들이 앞으로 환로에 들더라도

필시 환수(宦數)*를 그르칠 것이니, 너도 상것이긴 하나 그렇게 둔한 아이 같지는 않으니 내 말을 새겨들어서 앞으로 네 행동거지를 어떻게 해야 하는지 생각해 보거라.」

소례는 등잔걸이를 끌어당겨 심을 돋우고 두께살이 피둥피둥한 시어미를 곧바로 쳐다보았다. 오가는 재취 장가였다 할지라도 자기만은 편발의 처녀로 이 가문에 시집온 것이 아닌가. 이제 가산이 그만하고 먹고 살 만큼 되어서 앞뒤 체면을 돌볼 겨를이 되었다 하여 혓바닥에 씹던 음식을 내뱉을 수가 있겠는가. 앞에 앉은 시어미가 도대체 인두겁을 쓴 여자같이 보이지 않는데,

「이년, 감히 뉘게다가 율기를 하느냐? 신분으로 보아서나 가계의 층하로 보아서나 어디 될 법한 일이냐? 네년을 종시 범상하게 보았다간 잘 참에 네년의 칼에 참살당하기 천상 알맞겠구나.」

「어머님, 제가 어머님 공양에 소홀했다 할지언정 어찌 인두겁을 쓰고 나온 사람으로 그런 짓을 할 수 있다는 말씀입니까.」

「이년, 그렇다면 내게 비상이라도 먹이겠다는 수작이냐?」

「언감생심 어찌 그런 악덕을 쌓겠습니까. 제가 일찍이 태어난 자리가 상것이어서 행동거지에 규범이 없고 오활한* 구석이 없지 않습니다만, 지금까지 인간의 도리에 어긋남이 없게 살기를 으뜸으로 생각해 왔습니다. 그러나 오늘날에 이르러 어머님에게 뼈를 깎이는 듯한 꾸지람과 남편의 돌봄을 받지 못하니 원통하기 가없습니다.」

「너 이제 바른말이 술술 빠져나오는구나. 지아비를 잡아먹지 못하여 원통하다는 말까지 서슴없이 내뱉는 걸 보면 그동안 집안 망신을 시키지 못해서 속으로 무던히 애를 태운 모양이로구나.」

---

*환수 : 벼슬길의 운수.
*오활하다 : 사리에 어둡고 세상 물정을 잘 모르다.

「어머님, 그건 억탁의 말씀입니다.」

「네 콧등이 드센 건 알고 있었다만 속내로는 그런 악덕까지 쌓고 있는 줄은 미처 몰랐구나. 사람이 비록 자기는 어리석어도 남을 꾸짖는 일은 밝게 하고 비록 총명한 사람이라도 자기를 용서하는 일엔 어둡게 하는 법인데, 상것인 너야 그 어딘들 미칠 수가 있겠느냐. 다만 내 아들의 잠깐 실수로 조상을 욕되게 했을 뿐이다.」

「차마 어머님의 입에서 그런 말씀이 나올 줄은 몰랐습니다.」

「한집에서 한솥밥을 끓여 먹어도 너의 남매는 몰래 서로 의중을 더듬어 곁눈질을 주고받으면서 가산을 빼돌릴 궁리를 트고 있는 줄은 알고 있었느니라. 이 어미가 늙고 병든 몸이긴 하되 살아온 경험이 있고 겪어 온 세월이 있는 터라 진작부터 눈치만은 채고 있었다.」

울음으로 시어미를 달래 보았지만 이미 작정된 마음이라 돌아서지 않았다. 그런 이후 일삭이 지났다. 시어미의 영으로 각방을 쓰게 한 터라 행랑채로 밀려나서 가슴이 미어질 듯한 밤을 뜬눈으로 새우다가, 어느 날 삼경이 넘고 사경 초에 이르러 겨우 눈을 붙이려는데 언뜻 방 안에 찬 기운이 돌아 눈을 뜨고 지게문을 바라보았다.

「누구냐?」

벌떡 몸을 일으키며 큰 소리로 물었으나 험악하게 생긴 그 사내는 지게문을 등지고 서서 도통 대답이 없었다.

「네 이놈, 누구냐지 않았느냐?」

몇 번인가 재우쳐 물어보았으나 양휘항(凉揮項)을 깊숙이 눌러쓴 사내는 대꾸가 없었다. 방 안의 어둠에 눈이 익자 사내는 득달같이 달려들어 버선짝을 집어다가 소례의 입부터 틀어막았다. 숙마바로 뒷결박을 짓는 일변 소례가 안고 있는 이불자락을 홱 걷어치웠다. 그러곤 자릿내 나는 저고리와 속것을 홀랑 벗기는 것이었다. 버둥거려 보았자 헛일이었다. 사내는 속것만 벗기고는 겁간하려 들지는 않았는데 마침 몇 칸 건너 봉노에서 자던 봉삼이 분란을 깨닫고 맨발로 누이의 방으로 뛰어들었다. 그러나 그땐 이미 월장을 했던 자는 자취가 없었고 누이만 벌거벗긴 채로 아갈잡이가 되어 있었다. 봉삼은 사태가 위중한 터라 앞뒤 돌볼 겨를도 없이 누이의 결박을 풀어 주는 중에 잠시 문밖이 어수선하더니 관솔불을 쳐든 행랑것들과 오가가 들이닥쳤다. 관솔불 아래 드러난 소례는 알몸이었고 봉삼은 자리옷 차림이었다. 관솔불을 받아 쥔 오가의 눈에 또한 불똥이 튀었다.

「이럴 수가…… 이럴 수가 없구나. 아무리 본데없는 것들이기로
서니 상피(相避)를 하다니…….」

「매부, 그게 무슨 소리요?」

총망중에도 매부 되는 오가가 내뱉는 말이 심상치 않아 봉삼이 물었으나 이미 눈자위가 뒤집힌 사람에게 무슨 핵변이 통하겠는가. 오가는 그만 기를 잃고 봉당 아래 벌떡 나가자빠졌다. 사단은 걷잡을 수 없게 되었다. 시어미와 전처의 소생들이 달려왔고 행랑채의 마름들은 홰를 끄고 자리를 비켜 버렸다. 그런 분란을 겪었건만 소례는 시종 말이 없었다. 시어미와 오가의 간계에 빠져 들었음을 소례는 진작부터 눈치를 챈 것이었다. 기절한 오가를 사랑으로 업어다 안돈을 시키고 우황청심환을 흘려보낸 다음 시어미는 물어미를 시켜 소례를 몸채로 불러 올렸다. 그때 이미 소례는 길 나설 차림을 하고 시어미를 뵈러 나갔다.

「졸가리 따질 것 없이 너 벌써 작정을 한 거로구나. 조명 나기 전
에 얼른 네 더러운 일신을 가문에서 비켜 다오. 호강이 너무 지나
쳤던가 보구나.」

소례는 다만 시어머니를 바라볼 뿐이었다.

「이 새벽으로 집을 나가겠다는 네 작심을 헤아릴 수가 없구나. 자

문을 하겠다면 몰라도 말이다. 도대체 상것들이란 목숨 소중한 것
만 알았지 가통이 엄중한 것을 모르니, 이로 보아서 하늘에 날벼락
이란 것이 생긴 것이다.」

「쉰네 그 날벼락을 맞겠습니다.」

남매가 그길로 마을에서 쫓겨난 것이었다. 고갯마루에서 잠시 숨
을 돌리는 참에 소례가,

「불쌍한 우리 남매 용납할 곳이 없게 되었구나. 우리 남매가 이토
록 처참한 지경에 이르렀으니 이는 하늘이 우리를 갈라놓으려는
심사다. 너도 나이 그만하니 이젠 대처로 나간다 한들 굶어 죽지
는 않으리라. 절에 가면 불목하니, 저자에 가면 중노미질, 갯가에
가면 화장 노릇, 나루에 가면 사공 노릇, 소금장수 뒷배도 해보았
으니 대처로 나가서 연명할 도리를 찾아라. 우리가 지금 헤어지는
슬픔에 젖지 말고 다시 만날 때의 기쁨을 생각하자. 우리가 더 이
상 모여 살았다간 너 죽고 나 죽는다. 하늘이 알아서 우릴 다시 만
나게 해줄 것이다.」

그 고갯마루에서 남매가 헤어진 지 이제 10년이었다.

17

두 사람이 숫막으로 돌아갔을 때 재인촌으로 행매를 나갔던 쇠전
꾼 셋은 진작 돌아와서 기다리고 있었다. 저녁밥을 걸게 들고 목침
을 괴고 누워 헛기침만 하고 있던 그들은 두 사람이 봉노로 들어서
자, 금방 무슨 작변이라도 낼 듯이 벌떡 일어나 앉았다.

「염탐을 해보았소?」

「떨거지들이 어떠합디까?」

「오늘 밤으로 물고들을 내어 버립시다.」

세 사람이 언죽번죽 다급하게 짓조르는데 선돌이가 좌정하며,

「안 되겠습니다. 그 계집을 집 안에서 결딴을 내었다간 우리가 미처 장달음을 놓을 말미도 없겠거니와 애꿎은 상직꾼들을 또 해치게 되면 화근이 인근 저자에까지 미칠 것 같소이다.」

「수하에 결찌들이 많다는 얘기요?」

「그렇소이다. 계집을 결딴내기가 그렇게 쉽지 않을 것 같소이다.」

「그렇다고 이제 와서 작정을 달리할 순 없소. 쇠뿔도 단김에 빼더라고 우리가 부지하세월로 강경에 머물 수는 없지 않소.」

「어쨌든 우리가 나루에 기찰이 깔리기 전에 강경을 떠야 한다면 계집을 집 밖으로 유인하여 결딴을 내고 상직꾼하며 겸인들이 계집을 뒤죽박죽으로 찾는 중에 장달음을 놓아야 할 것 같소이다.」

「그러니까 결찌들이 계집의 행처부터 찾지 못해 허둥지둥하는 동안은 향청에다 발고치 않으리라는 짐작에서요?」

「그렇지요. 치낭이 되었는지, 아니면 사사로운 일로 잠적을 하였는지를 알기 전에는 함부로 관아에다 고변치 않을 것이오. 우리는 그 틈에 안전한 곳으로 피신하면 되겠지요.」

「그럴싸한 꾀 같소이다. 그렇다면 그 계집을 바깥으로 끌어낼 용한 궁리라도 있다는 거요?」

「내게 한 방도가 있소이다.」

좌중에 잠시 침묵이 흘렀다. 귀엣말로 한참이나 공론들을 하더니 모두들 숫막에서 나설 채비를 하였다. 선돌이가 잠시 생각을 도사리는 듯하더니,

「우리가 변복을 하는 게 어떻겠소? 그놈들에게 쫓기기라도 하는 날엔 우리 본색을 숨길 방도가 아니겠소?」

그때, 쇠전꾼이 뜨악한 표정이 되어 면박을 주는데,

「국에도 안 덴 놈이 물 보고 불 수야 없지. 우린 변복을 않겠소. 그

만치 떳떳하지 못한 일이라면 당초부터 동사할 까닭도 없었으려
니와 그깟 계집 한 년 잡아 엎치고 별배 몇 놈 작살내려는 판에 엄
살부터 떨 까닭이 없소.」

「도망할 요량만 하느라 체통까지는 미처 생각 못했소이다.」

「체통이야 하찮은 쇠전꾼에 불과하오만 명색이 불두덩에 그것 찼
다는 주제에 상투 지은 머리채 풀어서 귀밑머리 지을 수야 없지.」

더 이상 지체할 것 없이 다섯 사람은 숫막을 나섰다. 나루를 벗어
나서 원항교(院項橋)와 석현교(石峴橋)를 건넜다. 석현교를 건너서
오른편 대로를 따라 곧장 나아가면 읍창(邑倉)과 고산계(高山界)로
빠지는 새다리[新橋]가 바라보였다.

길을 왼편으로 꺾으면 곧장 사직단이 바라보이고 화산면(花山面)
으로 가는 길목의 초입이 되었다. 왼편으로 완만히 꺾인 그 큰길은
연제(蓮堤)를 만나면서부터 읍창 앞에 있는 향청의 옥사에서 되짚어
올라오는 길과 맞물려 있었다. 김학준의 저택은 연제를 못미처 추녀
끝이 훤칠한 한댁들이 즐비한 동네에 있었다.

눈가루까지 흩날리는 야기(夜氣)가 워낙 매서운 터라 길거리엔 행
인이 보이지 않았다. 혹간 행인이 있다 하여도 앞뒤 돌볼 틈이 없는
종종걸음이었다. 세 사람은 앞서거니 뒤서거니 하며 바삐 길을 줄여
당나무 한 그루가 서 있는 김학준의 집 앞 한터에 이르렀다. 키가 껑
충한 솟을대문이 바로 코앞이었다. 밤이 삼경에 가까운지라 골목마
다 적적하고 솟을대문 역시 굳게 닫혀 있었다. 쇠전꾼 세 사람은 당
나무 아래에 남고 봉삼과 선돌이가 줄행랑을 돌아서 회칠한 담장을
끼고 있는 고샅으로 들어갔다. 한참 뒤꼍으로 돌아가니 마침 대나무
숲이 서걱거리는 후원이 보였다. 힘 안 들이고 월장을 할 만하였다.
선돌이가 눈짓을 하고 먼저 배밀이를 하여 담장으로 기어 올라섰다.
대밭을 비켜 내려가니 뒤꼍으로 난 안중문이 하나 있었다. 마침 빗

장이 걸려 있지 않아서 쉽게 열 수 있었다.

안중문을 밀고 들어서니 금방 몸채가 나타났다. 배나무 밑에 몸을 숨기고 살펴보니 큰사랑의 누마루 앞에 여막(廬幕)이 썰렁하니 쳐져 있고 방 안에는 불이 켜져 있었다. 불은 안사랑으로 보이는 건넌방에도 켜져 있었다. 담배 한 죽을 태울 참까지 지켜보았으나 불이 켜진 두 방에선 인기척이 없었다. 여러 방이 괴괴할 뿐이었는데 몸채와 행랑을 가른 담장 너머 바람결을 타고 사람의 말소리가 가녀리게 들려올 뿐이었다. 아랫사랑만은 아래위 칸에 덧문이 닫혔는데 역시 방 안의 동정을 가늠할 재간이 없었다.

두 사람은 더 이상 지체할 까닭이 없었다. 불뚱 디디는 걸음으로 뜰을 가로질러 지대(址臺)와 신방돌을 밟고 어간대청으로 올라섰다. 상기둥 뒤에 몸을 숨기고 한참이나 귀동냥을 해보았으나 방 안은 괴괴하였다. 장지를 열고 성큼 방 안으로 들어섰다. 유경(鍮檠)* 촛대가 찢어질 듯 방 안을 밝히고 있을 뿐 텅 비어 있었다. 윗목에는 풍채 좋은 괴목장(槐木欌)과 장식 튼튼한 반닫이가 놓였고 사방탁자가 규모 있게 놓여 있었다. 장 위에는 피죽상자(皮竹箱子), 바느질고리, 화각함(畵角函)이 주섬주섬 얹히고 이불장 위에는 금침이 쌓이고 반닫이 위에는 반질반질한 놋요강에 타구(唾具)하며가 정갈하게 놓였다. 사방탁자에는 몇 권의 장책(賬冊)이 놓이고 매화분과 난초분이 차례로 놓여 있었다. 방 한가운데는 놋화로가 놓여 있고 인두와 화젓갈과 부삽이 꽂혀 있었다. 방 안의 규모나 치장이 어느 대갓집 안방을 방불케 하였으니 이 가문에서 첩실의 체통과 지체가 어떠하리란 건 미루어 짐작할 만하였다.

그때, 두 사람은 서로 눈짓만을 주고받았다.

---

* 유경 : 놋쇠로 만든 등잔 받침.

선돌이가 이불장 위에 있는 금침을 내려서 아랫목에다가 단정히 깔았다. 선돌이가 이불을 까는 동안 봉삼은 횃대에 걸린 여자의 저고리와 치마를 걷어 베개에다 입혔다. 어설프게나마 옷을 갖춰 입은 한 계집의 형국이 되었다. 그것을 깔아 둔 금침 위에다 반듯이 눕혔다. 선돌이가 그때 괴춤에 찔러 넣었던 짧은 환도를 꺼내 옷 입힌 베개를 향해 겨누었다.

짧은 환도는 바람을 가르며 베개의 허리춤에 내리꽂히었다. 치맛말기가 찢겨 나가고 베개 허리가 반이나 넘게 잘려 나갔다. 그리고 두 사람은 황급히 안사랑을 빠져나왔다. 배나무 아래로 나가니 뒤처졌던 세 사람도 벌써 월장해서 들어와 있었다.

「저리로 갑시다.」

셋 중 한 사람이 안사랑 곁에 있는 수청방을 가리켰다. 행랑채와는 별도로 숙수간을 낀 수청방이 마당 끝에 있었다.

「사람이 있습디까?」

봉삼이 목소리 죽여 물었다.

「떠꺼머리 한 놈이 늘어지게 자고 있소.」

그들은 배밀이하다시피 몸을 숙여 수청방으로 기어갔다. 다짜고짜로 장지를 열고 발 고린내가 등천하는 봉노로 들어섰다. 떠꺼머리 한 놈이 목간통과는 평생 인연이 닿지 못한 시꺼먼 뱃구레를 드러내고는 코를 골고 있었다. 발로 슬쩍 건드려도 도통 이렇다 할 기척이 없었다. 그참에 선돌이가 자고 있는 궐놈의 울대를 짚신발로 사 두지 않고 꽉 밟았다.

원래 거동이 굼뜬 숙수 천동이란 놈도 그 지경에 이르러서는 칵하고 목젖을 삼키며 번쩍 눈을 떴다. 에멜무지로 두 손을 허우적거리다가 모가지를 짓누르고 있는 다리를 걷어 내치려 하였으나 어디 될 법한 일이 아니었다. 별배들의 희롱이 아니란 생각이 들자, 금방 적환(賊患)이 아닌가 하여 가슴부터 철렁 내려앉았다.

　퇴창으로 흘러 들어오는 희미한 달빛이 있긴 하였으나 사내들의 목자를 분별할 수가 없었다. 한 놈뿐이 아니었다. 깍짓동 같은 장한들이 예닐곱 명이나 봉노에 누워 있는 천동이를 둘러싸고 있었다. 아니래도 전사에 길소개에게 당한 경험이 있는지라 천동이란 놈 이제는 이승을 하직하는구나 싶은데, 짚신발로 울대를 밟고 있던 놈이 천동이가 눈뜬 것을 알아차리고는,

　「이놈은 어찌할까?」

　말본새를 보아하니 온 집안을 거덜 내고 이제 마지막으로 숙수간으로 찾아온 거조가 분명하였다.

　「어찌하긴 어찌해. 그놈도 아주 물고를 내고 말지.」

　둘러선 놈 중에서 그런 대꾸가 흘러나왔다.

　「환도를 이리 내게.」

　「환도? 그럴 거 있나. 아예 화승총으로 뱃구레에다 맞창을 내지. 언제 칼침을 하고 있겠나?」

　천동이란 놈 화승총이 있다는 말은 들어서 화승총 연환(鉛丸)에 맞기만 하면 박살이 날 건 불문가지라 울대가 눌린 채로 두 손을 올려 손바닥에서 누린내가 나도록 빌기 시작하였다.

　「어허, 이놈 봐라. 살고 싶은 모양인데?」

　「화냥년이 수절 타령 한다더니 그놈 별꼴이 각색일세. 후환이 있을 줄 뻔히 아는 터에 그놈을 살려 둬? 그놈 보아하니 대중없는 놈이군.」

　「이놈을 소 잡듯이 각(脚)을 뜰까, 아니면 이대로 울대를 밟아서 멸구를 해버릴까?」

　「고놈 양물을 까든지, 아니면 밟은 대로 눌러 버리게.」

　둘러선 놈들이 저마다 한마디씩 걸쭉하게 내뱉긴 하였으나 정작

몇 각 안에는 물고를 낼 거조가 아니매 천동이란 놈은 손가죽이 얼얼하도록 비비댔다. 그때 장지문 앞에 서 있던 한 놈이 버럭 결기를 긁어 올리면서,

「그놈을 냉큼 결딴내게. 그놈을 말짱하게 살려 두었다간 종내 우릴 추쇄할 게 아닌가. 괜히 화근을 남겨 속썩일 일이 뭐여.」

짚신으로 울대를 밟고 있는 놈이 대꾸를 하였다.

「이놈, 네놈도 보아하니 숙수간에서 대궁이나 받아먹고 연명하는 터에 불쌍해서 살려 두니 행여 결당(結黨)하여 뒤밟을 작정들 하였다간 네 모가지에부터 맞창이 날 것인즉, 나중에 혹여 결당을 한다 하더라도 네놈만은 앞장서서 훼방을 놓거나 뜯어말려야 하느니.」

벗어 둔 발감개를 찢더니 아갈잡이를 하고 숙마바로 뒷결박을 단단히 지었다. 그러고는 쓰다 달다 말 한마디 없이 밖으로들 나가는데 그 민첩하고 날쌤이 포도청 나졸들이었다. 천동이란 놈은 초열지옥에서 건져진 거나 마찬가지인 천행이라 소리도 지르지 못하고 휑하니 열린 장지 밖만 바라보고 앉았을 뿐이었다.

그때 몸채의 담장 밖에서 인기척이 나면서 족등(足燈)이 안뜰로 어른거렸다. 행랑채에서 서사, 차인 들을 만나고 돌아오는 소례였다. 소례는 안사랑으로 돌아와서 깔지도 않은 침석이 깔려 있는 것을 발견하였고 다시 자신의 모습을 한 베개가 허리가 잘린 채로 누워 있는 꼴을 보았다. 아무리 야멸친 소례라 한들 그 작변을 깨닫고는 소리를 치지 않을 도리가 없었다.

「집에 누가 들어왔더냐?」

행랑것들이 비어 있는 절간에 구렁이 모이듯 느릿느릿 안사랑 지대 아래로 모여들었다. 몸채는 그대로 비어 있던 터라 어느 한 놈 월장한 패거리들을 보았을 리가 없었다. 미상불 심상치 않은 작변이되 꿀 먹은 벙어리로 모두들 얼굴만 쳐다보며 대꾸를 못하고 서 있는데

숙수간으로 갔던 차집* 할미가 구르듯이 몸채로 내달았다.

「웬일이오?」

다그치는 소례에게 차집 할미는 숨도 제대로 가누지 못하며,

「아씨, 결딴이 났습니다요.」

「결딴이 나다니, 누가 죽었다는 거요?」

「천동이란 놈이 결박을 당해서 봉노에 엎어져 있습니다요.」

「결박을 당하다니, 천동이를 이리 오라 하시오.」

차집이 뛰어가서 개 핥은 죽사발같이 사색이 된 천동이를 끌고 왔다. 행랑것들을 물리고 천동이만 안사랑으로 불러 올렸다.

「너 누구에게 당했느냐?」

「쉰네인들 알 도리가 있겠습니까, 아씨마님. 행패를 놓은 놈들이 본색을 밝힐 리가 만무하지요.」

「떨거지들이 모두 몇 놈이나 되어 보이더냐?」

천동이란 놈이 모가지를 꼬아 박고 한참 생각을 더듬는 듯하더니 댓바람에 내뱉는다는 수작이,

「불이 없어 목자들은 분간해 볼 도리가 없었습니다만, 봉노에 들어선 놈들만도 얼추잡아 여남은 명이 되었습죠.」

「여남은 명이라니?」

「봉노에 들어선 놈들 말고 밖에도 대여섯 놈이 얼씬거렸습죠.」

「병장기 같은 것이라도 들었더냐?」

그 말에 천동이란 놈이 제풀에 화들짝 놀라며 주워섬기는데,

「말도 마십시오, 아씨마님. 환도 든 놈에다 사슬낫 든 놈은 고사하고 봉당에 서성거리던 두서넛은 화승총까지 들었습디다요. 제법 코똥깨나 뀌는 놈들이었습죠.」

---

* 차집 : 예전에, 부유한 집에서 음식 장만 따위의 잡일을 맡아보던 여자. 보통의 계집 하인보다 높다.

「그걸 믿어도 되겠느냐?」

「그놈들이 쇤네게다 아갈잡이만 하였지 눈까지 틀어막진 않았습지요.」

「그럼 적굴에서 온 놈들이 아니냐?」

「적굴에서 온 놈들인지는 잘 모르겠습니다요.」

「너와 수작을 주고받았느냐?」

「아갈잡이를 당한 터에 대꾸인들 온전하였겠습니까만, 저희놈들 끼리 주고받는 수작은 들었습지요.」

「뭐라고 하더냐?」

「만약 저희들 뒤를 추쇄하려 들었다간 저택이며 가산은 물론이요, 나루와 저자에 있는 객주, 마름 집의 가산까지도 적몰하고 세의가 있는 일가붙이를 구몰시키고 집에다 불을 지르겠다 하였습지요. 땅땅 벼르고는 장달음을 놓는데 눈 깜짝할 사이였습니다.」

「네놈이 입정 놀리는 품이 천상 적당들과 한 잎에서 난 듯하구나.」

「아씨마님께서 어찌 쇤네에게 그런 말씀을 하십니까. 제 어미가 이 댁에서 연명을 하고 쇤네 또한 이 댁에서 잔뼈가 굵어 온 터수로 언감생심 팔이 안으로 굽지 밖으로 굽겠습니까요.」

「그렇다면 어찌 너는 여력이 그만한 주제로 꼼짝없이 당해서 풀무에 녹은 무쇠 꼴이냐?」

「쇤네도 용력이라면 강겡이 갯바닥 무뢰배들 중에서도 말발깨나 선다는 유명짜한 놈이 아닙니까. 그러나 그놈들은 아랫도리가 흡사 미루나무처럼 껑충하고 목자들이란 게 또한 귀신을 밟고 서 있는 금강장사 같았습지요. 손떠꾸가 어지간한 보습*과 같아서 쇤네 아래턱을 한번 슬쩍 문질러 주는데도 주걱턱이 바스러지는 줄 알

---

* 보습 : 쟁기나 극젱이의 술바닥에 맞추는 삽 모양의 쇳조각.

았습지요. 그놈들이 내놓고 간 발자국을 뼘으로 가늠해 보았더니 두 뼘가웃이나 되었습지요.」

천동이란 놈이 안 본 것도 본 것인 양, 모르는 것도 알거냥하여 거짓말을 지어내었던 것은 소례가 만에 하나 수하 사람들을 휘동하여 결당들을 추쇄할까 염려해서였다. 만약 그렇다면 제 목숨이 붙어 날 것 같지 않으니 어찌하든 소례가 그런 작심을 못하게 하기 위함이었다. 그것이 제가 살아남을 길일 것 같았다.

소례가 가만히 듣자 하니 천동이란 놈의 대꾸가 탐탁지 않았으나 감히 뉘 앞이라고 거짓을 늘어놓겠느냐는 생각도 없지 않았다.

「정녕 네 입으로 고변한 것이 거짓 판명 날 적에는 상전을 농락한 죄로 주살(誅殺)을 면치 못하리라.」

소례가 콧대를 똑바로 세우고 뚫어져라 바라보는데도 천동이란 놈은 기왕 내친김이라 오금을 박듯이,

「쉰네가 주살을 면하고 이 댁에서 쫓겨만 난다 하더라도 연명을 못할 주제로 어찌 상전을 기롱할 수 있겠습니까.」

천동이를 내려 보내고 소례는 퍽 오랫동안 촛불을 바라보며 그린 듯이 앉아 있었다. 도대체 갈피를 잡을 수가 없는 작변이었다. 첫째가 위세가 그만한 떨거지들이었다면 능히 곳간을 털고 재산을 적몰하고 분탕질을 놓을 만한 일인데도 집의 가산이라고는 촛대 하나 건드리지 않았다는 것이었다. 두 번째는 행랑채에 있던 자신을 능히 찾아낼 수 있었을 것인데도 불구하고 옷 입힌 베개만을 두 동강 낸 것이었다. 세 번째는 그 떨거지들이 가문의 재산에 탐심을 품은 놈들인지, 아니면 자신에게 원혐만을 가지고 있는 놈들인지 도통 분별하기 어렵다는 점이었다.

불러 들어온 한 늙은 서사가 하릴없이 헛기침만 하고 앉았다가,

「아씨, 잠시 거처를 옮기시는 것이 묘책인 듯합니다.」

276

「집을 비우란 말씀이오?」

「말씀드리기는 뭣합니다만, 그 적굴놈들이 가산 건드리지 않고 아씨 방에 뛰어들어 음해(陰害)만을 입히고 물러난 것은 분명 아씨에게 어떤 원험이 있다는 뜻을 알리려 함이라 생각합니다. 그놈들은 마음만 먹으면 아씨를 해코지할 수도 있다는 뜻이기도 합니다. 그러하니 잠시 피신을 한 연후에 향청에다 손을 써서 적당들을 기찰하여 근포를 하는 길이 우리가 취할 방도가 아니겠습니까?」

「그렇게 생각할 수도 있겠지요. 그러나 저놈들이 노리는 것이 내가 집을 비운 사이에 가산을 털자는 심보가 아닐까요?」

「그러나 천동이 말을 들어 보면 아씨가 집에 있고 없고에 별로 상관 않을 놈들이 아닙니까. 그만한 용력에다 병장기까지 갖추었다 하지 않았습니까?」

「만약 그러하다면 저놈들이 피신하는 내 뒤를 밟아서 손쉽게 나를 치납하여 적굴로 들어가서 우리의 가산을 우리 손으로 가져오게 하는 간계를 부리려는 것은 아닐까요? 그것이 아니고는 나만을 겨냥한 사사로운 원험을 가진 무리들이 있을 턱이 없습니다.」

「일은 적당들이 이 집이나 아씨 앞에 한 번 더 나타날 것이라는 기약을 하고 있다는 점입니다. 처음엔 은근히 본때를 보이고는 손쉽게 가산을 털자는 수작인데, 또 언제 나타날지 기약이 없고 보면 목숨 보존이 그 첫째요, 가산이야 목숨을 보전한 다음에 분별할 일이 아닙니까. 우선 피신부터 하십시오.」

소례는 촛불을 바라보고 한참이나 말없이 앉았다가 드디어 결심을 하였다.

「그럼 어디로 피신을 할까요?」

「너무 먼 곳은 좋지가 않습니다.」

「언제가 좋을까요?」

「당장 숨이 넘어가는 판인데 오늘 밤에라도 할 수 있다면 작정을 하셔야지요.」

「그럼 행세옷을 구처하는 데 여벌옷도 있어야겠습니다.」

소례는 행랑것들이 가져온 옹구바지와 동정 없는 저고리를 꿰입고 패랭이에 윗대님까지 하였다. 일시 변복으로 눈가림하고 집을 나서려 한 것은 적굴놈들이건 무뢰배들이건 간에 필시 간자를 놓아서 가택과 건방의 거동을 염탐할 것이니 대문을 나선다 할지라도 화객으로 드나드는 외방의 장돌림쯤으로 알아주기 바라는 마음에서였다.

채비를 하고는 서사와 겸인들을 불러서 후원은 물론 집 안팎으로 상직꾼을 세우고 밤이면 홰를 달아 낯선 자들이 근방에 얼씬하지 못하게 어살을 치도록 당부하였다. 앞뒤에 거느린 호지 집 마름들에게는 수상쩍은 놈들이 가근방에 얼씬거리기라도 한다면 그 당장 취박(就縛)하여 본색을 밝히고 혼쭐을 내주는 일변 길청에 손을 넣어 나루에 기찰을 깔도록 주선하였다. 고을의 아전들이며 관원들이 원래 공사(公事)를 빙자하여 무단히 양민을 치거나 가렴(加斂)에는 이골이 난 위인들인 데다 나루의 건방이나 저자의 상고배(商賈輩)들을 한 손아귀에 쥐고 있는 소례의 청탁이라면 소매들을 떨치고 나설 건 뻔한 일이었다.

건방과 통기를 주고받을 해색배(該色輩)* 하나와 천동이만 휘동하여 인시 말 어름에 집을 나섰다. 이틀만 집을 비켜 있으면 행패를 놓았던 떨거지들의 본색이 밝혀질 것으로 믿었다.

그러나 천동이는 상전의 영이라 짐짓 따라나서기는 하였지만 뒷덜미가 메슥메슥하여 도통 행보가 극난이었다. 잠 못 드는 사람에겐 밤이 길고, 피곤한 사람에겐 길이 멀듯이 서슬이 칼날 같은 상전의

---

*해색배 : 그 직무를 맡은 사람. 해장(該掌).

영을 따르자니 부질없는 죽음이 흙벽에 가린 듯하고 영을 어기고 돌아서자니 그 당장 후환이 남을 것 같아 천례의 한 몸을 용납할 길이 없었다. 차집으로 있는 늙은 어미를 앞세워 간곡히 청을 넣어 뒤처질 방도를 찾아볼까 하였으나 온 집안이 살얼음을 밟는 시늉이매 대중없는 핵변을 늘어놓았다간 되레 화근이 될 조짐이 분명하였다.

주제에 용력만은 과인(過人)한 편이라 행차에 별배로 나서는 데는 끼어들지 못한 적이 없으니 천례의 신분이란 턱찌끼로 배불릴 적이 아니고는 주체스럽고 눈물겹기가 평생 한결같았다.

「이놈아, 무얼 꾸물대느냐?」

행랑채 대문간에 서서 주저하는 천동이를 보고 작반할 서사가 댓바람에 면박을 주었건만 천동이란 놈은 시선을 줄곧 숙수간 추녀 어름에다 던지고 있었다.

「이놈, 어디 켕기는 구석이라도 있느냐? 아니면 어디가 불편하냐?」

「아닙니다요……」

「그놈, 꼴이 가관일세. 어서 앞서거라, 이놈. 아씨마님이 기다리시지 않느냐.」

천동이란 놈 그제야 절뚝거리는 걸음으로 선머리에 서는데, 한기와 긴장으로 어깨를 떨었고 사색이 된 낯짝은 흡사 엎어진 죽사발이었다.

활 한 바탕 행보쯤 내려가면 대마곡면(大馬谷面)으로 가는 길의 초입이 오른편으로 꺾이었고 마전내를 따라 곧장 내려가면 향청 앞을 지나서 객사(客舍)와 향교를 만나면서 연산계(連山界)로 빠지는 다른 한 길이 있었다.

그길로 내처 내려가 읍창 앞에서 남쪽 새다리를 비껴 난 고샅으로 접어들어 시오 리 빠듯하게 걸으면 눈앞에 소호산(蘇湖山)이 바라보였다. 소호산 능선을 넘기 전에 죽제(竹堤)가 있었다. 죽제와 연제와는 20리 길이 좋지만 일족인 행인들에야 담배 두어 죽 태울 참의 행보라 할 수 있었다. 대나무가 무성한 그 동네엔 김학준이 살아 있을 적부터 거느려 온 마름 집 하나가 있었다. 우선 마름 집에 피신하였다가 서사와 천동이를 내왕시켜 기별을 주고받을 작정이었다. 마름 집에서는 꼭두새벽에 상전이 수하 두 놈을 휘동하여 난데없이 들이닥친지라 우선 기겁을 하고 놀랐다. 소례가 도통 출입이 없는 마름 집에 불쑥 나타난 것도 괴이하거니와 심상하지 않게 변복까지 하였으니 무슨 작변이 난 줄 알고 마름 집 내외의 발걸음이 허공에 떴다. 우선 허겁지겁 상방을 비우고 군불을 지핀다 꿀물을 타온다 하여 야단을 떨며 어한을 식히었다.

그날 하루해를 마름 집에 피신하고 있다가 날이 어둡기를 기다려 천동이를 집으로 보냈다. 천소례가 마름 집에 안돈하였다는 소식을 가지고 천동이는 새벽에 왔던 길을 되짚어 돌아왔다. 날씨가 매섭기 칼날이요 혹심한 기한에 뼈까지 으스러지는 듯한 터라 등토시에 두 손을 찌르고 그저 코밑만 내려다보며 새다리 어름께까지 열불나게 걸어오는데, 갑자기 뒷덜미에서 땅을 구르는 소리가 들렸다.

「이놈, 게 섰거라.」

천동이란 놈이 엇 뜨거라 싶어 힐끗 고개를 돌려 보니, 아랫도리는 지저분하되 어깨가 다부지고 턱이 가슴에 가 붙은 두 놈이 딱 버티고 서 있는데 목자 사나운 품이 필경 어젯밤에 범방(犯房)을 하였던 왈짜들이 분명하였다. 물론 천동이란 놈도 가진 용력으로 두 놈을 대적하면 빠져나갈 구멍이 없지 않은 것도 아니었지만 그 떨거지들이라면 다릿목 어름에 네댓 놈이 포진하고 있을 건 뻔한 이치라 실속 없이 덧들이다간 뼈추림을 당할 게 분명했다.

「이놈, 꼼짝하였다간 모가지를 돌려 놓겠다.」

「뉘, 뉘들이신지요?」

「게 꿇어라, 이눔.」

두 놈이 번갈아 가며 오금을 박는데 목소리로 들어 보아 어저께 밤의 놈들이 분명하였다. 천동이는 얼른 땅바닥에 무릎을 꿇었다.

「이놈, 시방 어딜 가느냐?」

「……」

「이놈 봐라? 하룻밤 사이에 까마귀를 잡아먹었단 거조냐?」

「나으리님들을 잊었을 리가 있겠습니까.」

「그렇담 고분고분 대꾸를 해야 할 것 아니냐? 뻣뻐드름한 것은 네 놈이 용력을 믿고 우리와 신명 떨음이라도 해볼 작정이냐?」

「아닙니다요. 쇤네가 감히 뉘 앞이라고 그런 속내를 품을 수가 있겠습니까요.」

「그럼, 득달같이 네놈이 그 마름 집을 나선 까닭을 대거라, 이놈.」

「아씨마님 안돈하셨다는 기별을 가지고 본댁으로 가는 길입지요.」

「다른 일은 없느냐?」

「없습니다요.」

「너 내가 하는 말을 잘 들어서 그대로 시행만 하면 상급을 줄 터요, 그렇지 않으면 너는 물론 네 어미까지 도륙을 낼 터이다.」

땅땅 벼르는 말버슴새에 기탄이 없고 눈망울을 굴리는 품이 범상하지 않으매, 천동이란 놈도 이젠 처지가 목맨 송아지나 진배없다는 것을 알았다. 상급은 고사하고 즉살이나 면하면 천행이다 싶어 연방 고개를 주억거렸다. 대저 비복들이란 그 상전을 받듦에 있어 자신의 섭생을 위하여 상전의 체통을 더럽히지 않았으며 또한 목숨 따위를 내걸기 인색하지 않았다. 상전이 치패(致敗)나 삭직(削職)을 당하여 숙수(菽水)가 지난할 제 은밀히 저자나 갯가에 나아가 무천매귀(貿賤賣貴)*로 상전의 권속을 공궤하되 그 자신의 연명을 돌보지 않았으며, 상전이 공사(公事)에 걸리어 중장(重杖)을 당할 제 삼문(三門)

으로 쭈르르 내달아 대장(代杖)을 받되 천참만륙(千斬萬戮)*을 불사하고, 상전이 원악도로 귀양 가서 기한(飢寒)과 신산의 고초를 겪을 제 기꺼이 수종(隨從)하여 남새밭을 일구고 따비밭을 갈아 조석을 잇고 담살이로 건건이를 얻어 공궤하되 자신이 먹는 것을 범같이 무서워하며, 상전이 친척고구(親戚故舊)*를 심방(尋訪)*하여 사죽(絲竹)을 즐길 제는 헐숙청(歇宿廳)*의 기둥이나 지대 아래 기대서서 기동(起動)할 때를 기다림은 물론이요, 상전의 갖신을 겨드랑이에 끼워서 부드럽게 간수하되 혼잣소리로 상전을 탓하지 말 것이며, 행랑에서 가시버시끼리 동품하여 열락에 들었다 할지라도 상전이 두 번 소리 내기 전에 그 당장 괴춤을 거두고 대답을 길게 뽑으며 득달같이 달려 나아가되 눈자위를 옆으로 굴리어 상전을 쓸까스르지 않으며, 상전의 행사가 고약하여 가사(家事)를 도모함이 백공천창(百孔千瘡)*이 되고 호령에 어폐가 있다 한들 기절초풍하는 형용으로 항상 지당하게 대답하고, 상전의 행패를 암암리에 엄적(掩迹)*하여 망측함을 묻어 주고 구슬려야 하거늘, 천동이란 놈도 비복으로서의 책무를 분별 못할 위인은 아니로되 이제 그 목숨이 홑벽에 가리었고 또한 제 어미에게까지 화근이 미칠세라 사내들의 요구를 들어주기로 속내를 고쳐먹고 만 것이었다. 오한에 떨고 긴장으로 떠는 천동

---

*무천매귀 : 싼값에 사서 비싸게 팖.
*천참만륙 : 수없이 동강 내어 끔찍하게 죽임.
*친척고구 : 친척과 오래된 친구.
*심방 : 방문하여 찾아봄.
*헐숙청 : 예전에, 높은 벼슬아치의 집에 찾아온 손님이 잠깐 들러서 쉬거나 기다릴 수 있게 마련한 방.
*백공천창 : 백의 구멍, 천의 부스럼, 곧 상처투성이란 뜻으로, 갖가지 폐단으로 엉망진창이 된 상태를 이르는 말.
*엄적 : 잘못이나 실수가 드러나지 않도록 흔적을 가려 덮음.

이에게 한 사내가 분연히 결을 내어 씨부렸다.

「너는 집으로 돌아가는 대로 집에 남아 있는 서사나 겸인들에게 너의 상전이 마름 집에 안돈하였으니 걱정 말라 이르고 상전의 분부이니 앞으로 딴 기별이 있을 때까지 마름 집 어름에는 개미 새끼 한 마리도 얼씬 말라 하더라고 아주 단단히 오금을 박아라. 그러고는 다시 예까지 급주(急走)로 돌아와야 하느니.」

「쇤네가 할 일이 그것뿐이라면 틀림없이 거행해 올립지요.」

「네놈이 반지빠르게 딴마음을 먹고 그놈들과 통모(通謀)를 하려 들었다간 아주 산적을 뀔 것이니 그리 알아라. 우릴 데데한 시간배(市奸輩)들쯤으로 알았다간 부질없는 죽음 당하기 여러 놈일 거다.」

천동이란 놈이 연방 고개를 주억거리며 연제(蓮堤) 쪽으로 사라지는 것을 보고서야 선돌이와 일행은 전나무 숲 속으로 몸을 숨겼다.

「궐놈의 뒤를 밟지 않아도 될까?」

천동이란 놈의 거동이 아무래도 미심쩍었던지 쇠전꾼 하나가 선돌이에게 너나들이로 물었다.

「이미 제정신이 온전치 못한 놈이오. 뒤를 밟지 않아도 되짚어 올 겝니다.」

「일을 너무 쉽게 하자는 것 아닌가? 하여튼 기다려 봄세.」

세 사람은 저마다 괴춤에서 곰방대를 꺼내어 시초를 한 죽씩 담았다. 혹시 불빛이 보일까 하여 토시에다 대통들을 감추고 막 연기를 빨아들이려는 참에,

「쉿, 가만들 있게. 어디서 인기척이 났네.」

오르내리는 길목에서 달빛만 휑뎅그렇한데 마름 집 어름에서 올라오는 목쟁이에서 밭은기침을 쏟아 부으며 한 사내가 바삐 올라오고 있었다. 다행히 달빛이 밝은지라 사위가 훤하여 궐자의 형용을

분별할 만한데 어림짐작으로 보아도 기골이 든든하고 행보를 떼어
놓는 거조며 주의에 갓까지 떨쳐입은 꼴이 어젯밤 천동이와 일행이
던 서사놈이 분명하였다.

「난데없이 저놈을 어찌한다?」

쇠전꾼이 떨떠름해서 물었다.

「저놈을 멸구해야 하오. 그냥 두었다간 우리 일이 죄다 뒤틀리고
맙니다.」

세 사람은 궐자가 전나무 숲 가까이로 다가오기를 기다렸다. 세
장한이 목을 지키고 엎디었다는 것을 알 리 없는 궐자는 숲길을 지
나쳐 연제 쪽으로 내처 걸었다. 그때 선돌이가 길가로 쓱 나섰다.

「여보시오, 길 좀 물읍시다.」

예기치 못한 곳에서 사람의 말소리가 등 뒤에서 들리는지라 궐자
는 흠칫 놀라 뒤돌아보았다. 엉겁결에 내뱉는 말이 해라였다.

「게 누구인가?」

「예, 하생(下生)은 가근방 향시를 도는 장돌림이온데 초행길에 깜
빡 목을 잘못 잡은 것 같소이다.」

놀라 돌아보긴 하였으나 수작을 건네 온 위인의 말버슴새며 행색
이 장돌림이 분명한지라 궐자는 적이 마음을 놓는 모양이었다.

「어딜 찾는가?」

「예, 우선 하처부터 잡아야겠지요. 나루 어름에 맞춤한 객주라도
있으면 들까 하는데, 삼문 앞을 지나오는 길로는 도통 목을 잡지
못하고 서성대고 있습죠.」

「그렇담 내 뒤를 따르게. 내가 나루로는 가지 않으나 한참 가다가
목을 가르쳐 줌세.」

선돌이는 속으로 위인이 분명 방자 세운 천동이를 기다리다 못해
마름 집을 나서서 본가로 가는 길인 것을 알았다. 한편 궐자는 장돌

림이 얼씨구나 하고 따라나설 줄 알았는데 뻣뻣드름하니 바람을 안고 서서 꽤나 딴청을 펴고 있었다.

「나으리께선 어디로 가십니까?」

「허, 그 사람, 길 잃은 주제에 웬 간섭인가? 따라오면 목을 가르쳐 주겠다는데 웬 딴청인가?」

「거 뉘신지는 모르겠습니다만 통성명도 없는 터수에 종시 해라로만 수작하니 배알이 뒤틀리는뎁쇼. 보아하니 책상물림 같아 보이지는 않는데.」

선돌이 말발이 무섭되 제 딴엔 외양이 의젓하고 배포깨나 있다는 위인인지라 콧방귀를 뀌며,

「내 하대가 그렇게 섭섭한가? 난 명색이 나루의 건방에 드나든다는 서사일세.」

「건방을 무상출입한다는 서사 나부랭이라 하여 노상에서 만난 보부상에게 댓바람에 하대하란 법도는 어디 있나?」

「어허, 좁은 봉노에 장모가 끼어든다더니 웬 놈이 불쑥 튀어나와서 한다는 수작이 실로 고약하지 않느냐?」

「책상물림도 아닌 주제에 대중없는 양반 행티는 왜 그리 낭자한가?」

「이놈, 무슨 배포로 시비존가?」

「시비조가 아니라, 이미 시비는 벌어졌네그려.」

「예끼, 이 박살할 놈, 인적이 드문 야밤이기로서니 난뎃놈이 제 용력만 믿고 행인에게 상없이 굴다니?」

「허, 그놈, 하지도 못할 놈이 베잠방이는 먼저 벗더라고 구실아치들 소매 끝에서 턱짓만 배워서 제법 율기를 하네그려. 그놈 곡경이 흩벽에 가린 줄은 모르고 유난 부리고 있네.」

율기하고 섰던 궐자가 그때 문득 주의 속으로 손을 집어넣어 환도

를 빼내면서 뒤로 서너 행보를 물러나는데, 그 먼저 등 뒤로 물미장*
두 개가 치솟았다. 물미장이 허공을 가르며 궐자의 양어깨에 떨어지
자, 궐자는 금방 기를 잃고 땅바닥에 고꾸라졌다. 쇠전꾼이 내친김에
아예 박살을 낼 요량으로 물미장을 다시 쳐드는 판에 선돌이가 손사
래를 치고 내달았다.

「후환을 남겨선 안 되오.」

「내친김에 병신을 만들지그려?」

「이놈에게 더 이상 흔적을 남겼다간 곡경이 우리에게 넘어옵니
다.」

물미장을 거두고 세 사람은 늘어진 서사놈을 끌고 숲 속으로 들어
갔다. 결박을 지어서 낙엽 속에다 깊숙이 묻었다. 기를 되찾더라도
해가 뜰 때까지는 행인의 눈에 띄지 않을 것이요, 강시가 나는 일도
없을 것이었다. 서사놈을 닦달하고 나서 얼마 있지 않아 천동이란
놈이 나타났다. 천동이를 앞세워 소례가 안돈하였다는 마름 집으로
갔다. 궐녀가 들어 있는 마름 집은 추녀가 땅에 끌리는 듯한 일잣집
으로 부엌과 겸한 마방이 가운데 있고 왼편으로 주인 내외가 거처하
는 안방이 있고 오른편으로는 소례가 거처하는 상방과 거적문이 달
린 협방(夾房)이 뒤곁으로 붙어 있었다.

천동이는 소례가 있는 방으로 가서 다녀온 이야기며 장맞이 나간
서사와는 길이 엇갈린 모양이라고 얼버무리고는 주인 내외가 거처
하는 안방으로 들어갔다. 길이 엇갈린 서사를 찾아 나가자니 마름
집 사내는 별반 의심을 두지 않고 천동이를 따라나섰다. 천동이와
주인이 삽짝 밖으로 나서는 것을 기다렸다가 세 사람은 당장 울바자
를 넘어 소례가 있는 상방의 지게문을 열었다. 마악 요때기를 깔고

---

*물미장 : 뾰족한 쇠를 끝에 맞추어 끼운 작대기.

누우려는 참에 목자 사나운 세 놈이 들이닥친 터라 미처 소리도 치지 못하고 퇴창의 바람벽으로 물러앉는데, 한 놈이 바람같이 덮쳐 다짜고짜로 손에 들고 있던 목화송이로 소례의 입을 틀어막았다.

선돌이는 나지막하나마 또록또록한 목소리로,

「이년, 함부로 요동을 쳤다간 아예 멸구를 하리라. 그러나 가만히만 있으면 목숨은 보전하리라.」

조급했던 김에 서사를 장맞이로 내보낸 것이 큰 실수였다 싶은데, 범방한 떨거지들은 익숙한 솜씨로 결박을 짓고 상목(上木)으로 꿰맨 자루를 벌리더니 덥석 안아 집어넣었다. 세 사람이 보쌈한 소례를 들쳐 업고 마름 집 삽짝을 나오는 동안 이웃에는 간간이 개 짖는 소리만 공허할 뿐 사위가 적막하기 그지없었고 구름에 가린 회색의 달빛만 허섭스레기가 뒹구는 마당 가 남새밭 위로 희미하고 상방의 퇴창에서 흘러나오는 등잔불 빛이 뒤꼍에 고즈넉하였다.

「쉴 참 없이 걸어야 약조한 시각에 닿을 수 있을 거요.」

선돌이가 뒤에 선 쇠전꾼들에게 말했다. 일단은 새다리 쪽으로 올라가야 도선목으로 나가는 또 다른 길과 맞닿을 수가 있었는데 거기까지 가는 동안은 행인을 만나면 큰일이었다. 새다리 어름에선 옥사 앞길을 택하지 않고 소호산 능선 길을 넘으면 백마강의 지류가 고산계를 동북으로 꿰뚫어 흘러가고 있었다. 이른바 강경천(江景川)인데, 그 지류를 거슬러 20리 길을 빠듯하니 올라가면 조암교(潮岩橋)라는 허술한 다리가 있고 조암교를 남으로 건너면 여산계(礪山界)였다. 조암교를 비껴서 반 마장 강굽잇길을 돌아가면 곧바로 강경포의 도선목이 나섰다. 그 길은 나루의 저자나 객주들이 즐비한 읍지와는 초간(稍間)이어서 외방 저자를 도는 보부상들이 간혹 이용하는데, 이미 삼경 자시가 넘은 참이라 길가에 행객이 있을 까닭이 없었다. 늦어도 인시 초까지 나루에 닿는다면 인시 말에 군산포로 뜨는 임선

(賃船)*이 있었고 이미 임선에 민값*의 선가(船價)를 내고 일행이 탈 자리를 마련하였다. 봉삼과 또 다른 쇠전꾼이 그 임선에서 기다리기로 밀약을 해둔 터였다. 보쌈한 계집은 복물처럼 꾸며서 가장하였다가 물살이 거센 남당진 어름에서 배가 요동을 치는 판에 강심으로 빠뜨려 버릴 작정이었다.

세 사람이 새다리를 무사히 건너 소호산 능선을 넘었을 무렵에 일 없이 마름 집 주인을 밖으로 끌고 나갔던 천동이는 옥사 앞 주막거리에 이르러 어한을 하잡시고 주인을 들여앉히고는 제 혼자서 곧장 본댁으로 달려갔다. 본댁에서는 사방에 홰를 달고 담장 밖 곳곳에다 상직꾼을 세우고 밤을 지새우는 판국이었다. 두어 식경 전에 기별을 가지고 다녀간 천동이란 놈이 뒤미처 나타나자 겸인들은 또 무슨 난리인가 싶어 눈이 휘둥그레져서 물었다.

「너 어인 일로 불탄 강아지 모양으로 밤을 도와 쏘다니냐?」

의뭉스러운 천동이란 놈이 제풀에 버럭 결기를 돋우는 형용으로,

「글쎄 말입니다요. 아씨마님 분부 때문에 밤을 하얗게 새울 참입니다요.」

「아씨마님 분부라니?」

「제 엄니를 데리고 오라는 분부입지요.」

「마름 집 내외가 있지 않느냐?」

「쉰네인들 알겠습니까요.」

천동이란 놈이 대꾸를 하는 둥 마는 둥 안채의 숙설간으로 내달아 선잠을 자고 있는 제 어미를 깨워서는 대문을 나서는 거동이 수상쩍어 겸인이 노복 두엇을 휘동하여 은밀히 뒤를 밟았다. 그러나 궐놈이 당초에 내뱉은 말과는 딴판으로 마름 집이 있는 옥사 앞길로 내

---

*임선 : '삯배'의 북한말.
*민값 : 물건을 받기 전에 먼저 주는 물건값.

려가는 것이 아니라 사직단 앞을 거쳐 석현교 쪽으로 열불나게 올라
가는지라, 천동의 거동에 분명 무슨 간계가 있는 것으로 알았다. 모
자(母子)가 뒤도 돌아보지 않고 석현교를 건너려는 길목에서 뒤따르
던 겸인이 소리 질렀다.

「이눔, 천동아, 게 섰거라.」

자라 보고 놀란 가슴 솥뚜껑 보고 놀라더라고 게 섰거라는 말에
놀란 가슴이라 천동이는 한번 뒤로 힐끗하더니 제 어미의 손을 잡고
냅다 뛰기 시작하였다.

「저놈 잡아라.」

겸인들이 합세하여 소리치며 천동이 뒤를 쫓는데, 그 당장 잡아 엎
치기엔 행보가 마땅치 않았고 또한 달빛도 밝지 못한지라 잘못하다
간 놓치기 십상이었다. 궐놈의 행사가 분명한 반노(叛奴)인지라 겸
인은 괴춤에 차고 있던 자고(刺股)를 꺼내 연달아 날렸다. 두 번째의
자고가 빗나갔으나 세 번째의 자고를 허리춤에 맞은 천동이란 놈이
에쿠 하며 다릿목에서 고꾸라졌다. 뒤에서 던진 자고는 공교롭게도
뱃구레에 꽂히었고 차집인 어미가 자고를 뽑아 줄 경황도 없는 사이
벌써 피가 낭자하니 흘러나와 홑저고리 위로 번져 나갔다.

「엄니, 내 손을 꼭 잡으시오.」

어미의 눈이 허공에 떠서 아들의 가슴만을 더듬는데,

「엄니, 빨리 달아나시오. 달아나야 엄니가 삽니다…….」

이미 숨이 넘어가는 판에 뒤쫓던 겸인·노복 들이 들이닥쳐서 엎
어진 차집을 제치고 천동이의 뱃구레에 꽂힌 자고를 뽑으니, 한을 다
못한 피가 뭉클 솟아 나와 언 땅을 뜨겁게 적시었다. 겸인이 큰 소리
로 물었다.

「이놈, 어디로 가려 했더냐?」

「이참에…… 엄니와 달아날 참이었소.」

「이미 그 적굴놈들과 한통속이 되었다는 걸 안다. 그놈들이 있는 곳을 대지 않으면 네 어미까지 즉살을 시키리라.」

「아닙니다……. 적굴 사람과 내통한 일이 없습니다.」

「그러게 그놈들 있는 곳을 대라지 않느냐?」

천동이가 손을 들어 허공을 가리켰으되 그 정신을 믿을 도리가 없었고 또한 손짓이 막연하였다. 천동이를 그대로 버리고 돌아선 겸인·노복 들이 그길로 소호산 아래에 있는 마름 집으로 달려갔으나 마름의 계집만 눈이 휘둥그레져 있을 뿐 소례나 서사의 행처가 전연 막연할 따름이었다. 사단이 커진 것을 알아차린 겸인들은 비로소 가슴이 철렁 내려앉았다.

패를 나누어 일부는 마름 집에 남고 일부는 본댁에다 기별을 놓는 참에 벌써 인시 말이 되었다. 도선목에서 합류한 다섯 사람이 배에 오르는 시각이었다.

인시 초가 넘지 않아서 도선목에서 합세한 봉삼과 선돌이는 약조한 시각에 천동이가 나타나지 않자 그런 난리가 난 줄은 모르고 그가 동행을 스스로 파의한 줄로 생각하였다. 그렇다고 배를 잡고 있을 수도 없었다. 그들이 탄 배는 징발된 임선이었는데 관선처럼 크진 않았으나 평소에는 곡식과 소금을 팔던 상고선(商賈船)이어서 제법 그럴싸한 선방(船房)까지 갖추었고 감수(淦水)*도 없는 튼튼한 배였다. 나루에 있는 강경 읍창(邑倉)의 세곡(稅穀)을 군산포의 해창(海倉)까지 나르는 임선들 외에도 상고선들이며, 화선(火船)들이며, 조깃배와 거루들이 1백여 척에 이르렀는데, 마침 물때를 보아서 나루를 뜨느라고 꼭두새벽부터 그런 야단이 없었다. 나루에는 별장이나 조졸(漕卒)들이 없지 않았지만 많은 배들이 일시에 뜨는지라 행

---

*감수: 배의 바닥에 괴는 물.

객들의 기찰이나 짐뒤짐이 자못 허술하였다.

배들은 선미(船尾)에 달아 놓은 현등(舷燈)을 끄고 익수기(翼水旗)를 높이 달았다. 그들 일행은 이물간 덕판에 모여 앉았다. 배에는 그들 일행 말고도 짐방 행색인 다섯 사람이 더 타고 있었다. 쇠전꾼들과는 같은 경사(京辭)들을 쓰는 처지여서 배가 뜬 지 오래지 않아서 서로 트는 사이들이 되었다. 봉삼이 문득 짚이는 데가 있었다. 강경포에까지 와서 뱃길이 막힌 맹구범 일행도 배가 뜨기를 기다렸다는 것을 잊지는 않았으나 그 수하의 짐방놈들과 불쑥 한 배를 타게 될 줄은 생각지 못했었다. 낭패를 보았다는 감이 없지 않았다. 다행히 맹구범과 월이만은 다른 배를 탔는지 보이지 않았고 짐방들과도 이물간과 고물간에 나뉘어 타게 되었으니 보쌈한 여자를 버리기엔 별반 어려움이 없을 것 같았다. 그렇다면 일을 좀 더 쉽게 처리할 꾀를 생각할 필요가 있었다. 구태여 남당진 앞에까지 갈 것 없이 포구 어름에서 버려도 상관이 없을 터였다. 자루에 넣은 여자는 위에 섬으로 동인 터요 가라앉기 좋게 묵직한 돌을 섬 속에 넣었기 때문이다.

「저 짐방놈들이 맹구범의 수하에 있는 떨거지들이 틀림없지?」

선돌이가 물었는데 봉삼 역시 고개만 끄덕이고 대답이 없었다.

「그렇다면 아예 이 어름에서 소간을 보는 게 어떤가? 오래 두고 속을 썩이다 보면 남당진까지 가기 전에 다른 변괴가 생길지도 모르지 않는가.」

봉삼이며 쇠전꾼 세 사람이 서로 눈짓을 주고받았다. 봉삼이 일어서서 고물간으로 건너갔다. 짐방들에게 봉삼이 시비를 걸었다.

「이건 또 어디로 가는 잡배들인가?」

아닌 밤중에 홍두깨 격인지라 짐방들은 눈을 치뜨고 쳐다보다가 그중에 한 놈이 봉삼을 알은체하였다.

「이 위인은 전주에서 우리에게 여자를 내놓으라고 행악을 부리던 자가 아닌가?」

「어허, 이눔, 잘 만났다.」

봉삼이 궐놈을 드잡이하는 판에 사공이 질겁을 하고 뛰어왔다. 시
선들이 고물간에 몰린 사이에 선돌이와 쇠전꾼들은 창막이에 쌓아
둔 짐바리들 사이에서 보쌈한 것을 꺼내 강심에다 떨구었다.

객주 3

초 판 1쇄 발행일 · 1981년 3월 30일
개정판 1쇄 발행일 · 2003년 1월 15일
개정판 2쇄 발행일 · 2003년 1월 20일
지은이 · 김주영
펴낸이 · 임성규
펴낸곳 · 문이당

등록 · 1988. 11. 5. 제 1-832호
주소 · 서울시 성북구 동소문동 4가 111번지
전화 · 928-8741~3(영) 927-4991~2(편)
팩스 · 925-5406
© 김주영, 2003

홈페이지 http://www.munidang.com
전자우편 webmaster@munidang.com

ISBN 89-7456-201-4 03810
ISBN 89-7456-198-0 03810(전9권)